Cuando dios benga. quiero que
me encue

Stormie Omartian

BUSCA LA PAZ PARA TU CORAZÓN

Una guía para la salud emocional de la mujer

Publicado por
Editorial Unilit
Miami, Fl. 33172

Primera edición 2008

Originalmente publicado en inglés con el título:
Finding Peace for Your Heart
por Thomas Nelson, Inc.
Nashville, Tennessee, USA

Traducción: Adriana Powell
Diseño interior: Pixelium Inc.
Diseño de la portada: Ximena Urra
Fotografía de la portada: Michael Gómez

Producto 495624
ISBN 0-7899-1702-5
ISBN 978-0-7899-1702-7
Impreso en Colombia
Printed in Colombia

Categoría: Vida cristiana/Vida práctica/Mujeres
Category: Christian Living/Practical Life/Women

A los que padecen

cualquier tipo de sufrimiento emocional

o la frustración de no sentirse plenos.

Que por medio de este libro

Dios consuele tu corazón,

renueve tu esperanza,

te ayude a alcanzar todo lo que puedes ser,

y te permita encontrar plenitud

y completa restauración.

Contenido

Reconocimientos

Con especial agradecimiento

A mi esposo Michael, por su fidelidad a Dios y a mí.

A mi hijo Christopher, y a mi hija Amanda, por decidir unánimemente y sin vacilación que no querían que su nueva madre no dejara de escribir libros.

Al pastor Jack Hayford, por hablarme de Jesús de manera que yo pudiera entender y por enseñar la Palabra de Dios con tal poder que cambió mi vida para siempre y me permitió reunir la base bíblica para este libro.

A mi extraordinaria editora, Janet Hoover Thoma, por ser no solamente brillante, sino también compasiva.

A mi secretaria y amiga de siempre, Janet Hinde, por el duro trabajo y el espíritu dulce que mantuvo incluso en los momentos más difíciles. Su eficiencia y dedicación han sido una contribución invalorable en este proyecto.

A mis queridas compañeras de oración, sin cuyo diario apoyo no hubiera escrito este libro: Patti Brussat, Susan Howard Chrane, Debby Boone Ferrer, Pamela Deuel Hart, Priscilla Navarro, Patti Raffy, y Constance Zachman.

A nuestro grupo de oración mensual que no mostró ninguna señal de aburrimiento cuando repetía mi pedido mes tras mes: Bob y Sally Anderson, Tom y Patti Brussat, Calvin y Susan Chrane, Russ y Renee Ellis, Tony y Pamela Hart, David y Priscilla Navarro, y Patric y Patti Raffy.

A mi tía Jean David, por toda una vida de comprensión, estímulo y apoyo.

A mi padre por las extraordinarias cenas que preparó para que yo tuviera tiempo de terminar el libro.

Prefacio

El propósito de este libro es ofrecer esperanza, sanidad y crecimiento a cualquiera que esté sufriendo emocionalmente o sintiéndose insatisfecho, y señalar algunos pasos prácticos para encontrar una salida al dolor y a la frustración. No es un libro para *definir* problemas, sino para mostrar *la solución a cualquier problema*. Las personas que están emocionalmente necesitadas son personas atareadas. Están tratando de manejar su sufrimiento, de llenar su vacío, de resolver sus necesidades, de luchar con sus debilidades, de superar sus limitaciones y tratar de sobrevivir. Incluso si no se las ve muy activas en lo que hacen, su mente, sus emociones y su cuerpo están ocupados luchando con el efecto de la depresión, de la falta de perdón, la baja autoestima, el abandono, la ira, le desesperanza, la apatía, el temor, la ansiedad, el rechazo, la sensación de fracaso y otras emociones negativas, que constantemente las debilitan. A veces solo hacer lo necesario para la vida les agota todo lo que pueden dar. Por esa continua sangría y el esfuerzo que requiere mantenerse, no tienen tiempo para leer mucho y no quieren abrirse camino entre términos técnicos ni palabrerío complicado. Necesitan la verdad, lisa y llana, y pasos fáciles de entender y lograr. Los Siete Pasos hacia la Salud Emocional son exactamente eso.

En cada uno de los siete pasos hay diferentes aspectos sobre los que podría escribir todo un libro. Pero para eso no hay espacio ni tiempo. De modo que presento un panorama general, enfocando los puntos clave para ayudar a los lectores a dar un paso a la vez en la dirección correcta. No permitas que la brevedad con que abordo cada tema le reste importancia. *Todos* son vitales.

Si estás sufriendo emocionalmente, o conoces alguien que lo está, o aconsejas a personas que están en esa situación, oro para que este libro sea un instrumento en tus manos para traer sanidad y restauración. Si estás frustrada con tu vida, que este libro te ayude a encontrar plenitud más allá de lo que jamás soñaste posible.

> Porque yo sé los pensamientos que tengo acerca de vosotros, dice Jehová, pensamientos de paz y no de mal, para daros el fin que esperáis. Entonces me invocaréis. Vendréis y oraréis a mí, y yo os escucharé. Me buscaréis y me hallaréis, porque me buscaréis de todo vuestro corazón. Seré hallado por vosotros, dice Jehová; haré volver a vuestros cautivos.
>
> Jeremías 29:11–14

Capítulo 1

Siete pasos hacia la salud emocional

—Eres inútil, y nunca servirás para nada —dijo mi madre mientras me empujaba al interior del pequeño armario bajo la escalera y lo cerraba de un portazo—. Te quedarás allí hasta que pueda soportar verte la cara —el sonido de sus pisadas se fue perdiendo mientras se alejaba por el corredor hacia la cocina.

Yo no estaba muy segura de qué había hecho para justificar el encierro en el armario otra vez, pero sabía que debía ser algo malo. Me daba cuenta que *yo* debía ser algo malo, y pensaba que todas las cosas negativas que ella había dicho de mí serían verdad, después de todo, era mi madre.

El armario era un pequeño depósito rectangular bajo la escalera donde se guardaba la ropa sucia en una vieja cesta de mimbre. Me senté sobre la montaña de ropa y encogí los pies para eliminar la posibilidad de que me tocara alguna rata de las que cruzaba ocasionalmente por el piso. Me sentía sola, despreciada y terriblemente asustada mientras esperaba en ese hueco oscuro un tiempo que parecía interminable hasta que ella recordara que estaba allí o regresara mi padre. Cualquiera de esos dos sucesos significaría mi liberación del armario y del sentimiento devastador por estar cercada, enterrada viva y olvidada.

Como podrás imaginar a partir de este incidente, me crió una madre mentalmente enferma, y entre otras barbaridades, pasé buena parte de mi temprana infancia encerrada en ese armario.

Aunque algunas personas sabían de sus conductas extrañas, su enfermedad mental no fue identificada hasta fines de mi adolescencia. Durante los años en los que crecí, la conducta errática de mi madre me dejó con sentimientos de inutilidad, desesperanza, impotencia y un profundo dolor emocional. A tal punto que cuando ya era una joven mujer seguía encerrada en un armario, solo que los límites eran emocionales más que físicos. Estaba amurallada en un profundo y permanente dolor en el alma, que se expresaba por ciertas conductas autodestructivas y un temor paralizante que controlaba hasta mi respiración.

Me arrojaba en brazos de cualquier cosa que a mi parecer podría ayudarme a escapar de todo eso: religiones orientales, prácticas ocultistas, psicoterapia, relaciones enfermizas y un matrimonio breve y malogrado. Cuando se hizo evidente que todas esas cosas estaban muy lejos de satisfacer mi desesperada necesidad, me hundí en la depresión más profunda. Me entregué a las drogas y al alcohol con peligrosa frecuencia, con la esperanza de superar aunque fuera por el momento esa tortura emocional crónica. Estaba decidida a encontrar una manera de escapar del dolor, aunque me costara la vida. Algunas veces estuve cerca. Cuando tenía veintiocho años, no veía otra salida que el suicidio.

Describí los detalles de esa vida de devastación y el viaje de recuperación emocional en mi autobiografía llamada *Stormie* (Editorial Unilit, 2003). Después de escribir ese libro me llovieron cartas de personas que habían pasado por circunstancias traumáticas similares a las mías.

"Tu testimonio me mostró por primera vez que uno puede liberarse del dolor emocional. Ahora que sé que hay esperanza para mi vida, ¿qué pasos debo dar para experimentar la misma sanidad?" Me hacían una y otra vez esa pregunta, y trataba de responder a cada persona lo mejor que podía. Pero los límites de una carta me frustraban porque no había espacio ni tiempo para tratar los temas de manera adecuada. Las llamadas telefónicas y el contacto personal me consumían demasiado tiempo y afectaban mi vida familiar. Me daba cuenta que debía volcar en un libro toda la información que tenía sobre el tema, para que se pudiera leer y consultar en cualquier momento. Este es ese libro.

¿Qué es la salud emocional?

Muchas personas aceptan con resignación su estado emocional: "Así es como soy" o bien "Supongo que tengo que vivir con esto porque no veo otra posibilidad". Otras piensan que aunque pueda haber alguna manera de hacer cambios importantes, hay que ser muy espiritual, o muy rico para poder pagar una buena ayuda profesional. "La salud emocional" me dijo en una oportunidad una joven "es un ideal remoto que muchas personas quisieran tener pero que muy pocas alcanzan".

Mi definición de salud emocional es: Estar completamente en paz respecto a quien soy, lo que estoy haciendo y hacia dónde voy, tanto en el sentido individual como en relación con los que me rodean. En otras palabras, es sentirse totalmente en paz con el pasado, el presente y el futuro de la vida. Es saber que se está en línea con el propósito final de Dios para uno y sentirse satisfecho con eso. Cuando tienes esa paz y ya no vives en agonía emocional, eres exitoso.

A diferencia de lo que muchas personas piensan, la salud emocional es tan posible y alcanzable como la salud física. Si no alimentamos nuestro cuerpo con la comida adecuada, nos enfermamos y morimos. Tenemos que recibir cuidado y alimento espiritual, emocional y mental adecuados, de lo contrario esa parte nuestra se enferma y se muere lentamente. La ejercitación apropiada de la mente y de las emociones, es tan beneficioso como lo es el ejercicio físico para el cuerpo, pero la mayoría de las personas no lo toman en cuenta.

En mi primer libro *Greater Health God's Way* (Sparrow, Chatsworth, CA), escribí acerca de lo que aprendí sobre el cuidado físico del cuerpo. No soy nutricionista, ni médica, ni fisioterapeuta ni experta en salud. Solo soy una persona que estuvo muy enferma y débil durante veintiocho años de su vida y luego descubrió una manera saludable de vivir. En ese libro describí siete pasos hacia la salud e instruí a los lectores que dieran un paso a la vez en cada una de las siete esferas, recordándoles que "todo lo que uno hace produce un efecto. Un efecto para la vida o para la muerte". He descubierto que lo mismo es válido para la salud emocional. Así como tengo un plan para la salud física, tengo uno para la salud emocional. No soy siquiatra, ni sicóloga, ni consejera profesional, ni pastora. Solo soy una persona que vivía todos los días con depresión, temor, pensamientos suicidas, desesperanza y un agudo dolor emocional. Ya no vivo con todo eso. Igual que mi libro sobre la salud y sus siete pasos para la salud física, este libro sugiere siete pasos para la salud emocional.

¿CUÁLES SON LOS SIETE PASOS HACIA LA SALUD EMOCIONAL?

La mente y las emociones, lo mismo que el cuerpo físico, requieren estar libres de presión, ser alimentados como es debido, ejercitados, limpiados, nutridos, restaurados, expuestos al aire fresco y a la luz, y descansar. Los siete pasos que te ayudarán a lograr estas cosas son:

Primer paso: Reconocer a Dios

Aceptar que Dios está de tu lado y reconocerlo como Señor sobre todas las esferas de tu vida.

Segundo paso: Establecer una base

Reconocer que tu relación con Dios es la verdadera base sobre la que se funda la salud emocional, y luego fortalecer la relación dedicando tiempo a la Palabra de Dios, orando, alabando, confesando y pidiendo continuamente perdón.

Tercer paso: Vivir en obediencia

Reconocer que las reglas de Dios son para tu beneficio y hacer lo mejor posible para vivir según sus caminos, sabiendo que cada paso en obediencia te acerca a la salud integral.

Cuarto paso: Encontrar liberación

Reconocer cuál es tu enemigo, y apartarte de cualquier cosa que te separe de Dios o te impida ser todo lo que él quiere que seas.

Quinto paso: Recibir los dones de Dios

Reconocer que Dios ha provisto dones y dar los pasos necesarios para recibirlos.

Sexto paso: Evitar las trampas

Reconocer y liberarse de las trampas y los engaños negativos que te asaltan.

Séptimo paso: Mantenerse firme

Reconocer que mientras te aferres a Dios y no renuncies, saldrás ganadora.

Estos siete pasos en realidad son leyes naturales, que obran para nuestro beneficio, cuando vivimos en armonía con ellos. Vivir de manera adecuada genera vida, no importa quiénes somos o cuáles son nuestras circunstancias. De la misma manera, hacer lo indebido conduce a la muerte.

No se aprenden los siete pasos en una semana: son una manera de vivir. Entenderlos mentalmente influirá sobre el estado del alma, lo cual afectará tus emociones y en definitiva toda tu vida. Por favor, comprende que no dominé estos siete pasos de la noche a la mañana, y tú tampoco lo harás. Sigo dedicándome a ellos, lo mismo que a mi salud física. Pero he comprobado la eficacia de este plan durante veinte años y lo he visto funcionar con éxito en mi vida y en la vida de muchos otros. El plan será tan confiable y coherente como lo seas tú en ponerlo en práctica. Te acompañaré a lo largo de estos siete pasos, como lo hice en mi viaje hacia la salud emocional. Juntas daremos un paso por vez.

QUÉ CABE ESPERAR

En los capítulos siguientes encontrarás tres tipos de información. Uno de ellos es *conocido* y parece obvio, pero no te engañes. Lo conocido y lo obvio por lo general se pasan por alto precisamente por eso. Tal vez sientas la tentación de decir: "Ya sé que debo perdonar". Pero la pregunta es: ¿Eres rigurosa y persistente en hacerlo? ¿Comprendes que a veces es un *proceso*? ¿Sabes que jamás podrás encontrar integridad emocional mientras no practiques el perdón en *todas* las esferas de tu vida?

El segundo tipo de información *no es conocido.* Es algo de lo que nunca antes has oído hablar. Y si *lo has hecho,* no has comprendido el significado que tiene para tu vida o no sabes que es un requisito para tu restauración emocional. ¿Eres consciente de que impides tu propia sanidad emocional por tener en tu hogar objetos que arrastran factores negativos, sean mentales o emocionales? Por ejemplo, las cartas de un antiguo novio pueden sutilmente provocar sentimientos de fracaso, de tristeza, dolor o depresión. Es posible que esa situación te impida obtener la paz y la plenitud que anhelas.

El tercer tipo de información es *incómodo.* Es del tipo que uno no quiere escuchar. Puede ser que tu reacción sea decir: "No quiero saber sobre eso porque no estoy dispuesta a hacerlo". ¿Recuerdas lo mucho que te costó aprender que no podías comer todas las golosinas y los helados que querías, y el precio que pagabas por no hacer caso y comerlo todo? Créeme, comprendo lo difícil que es escuchar cierto tipo de cosas y lo duro que parece ponerlo en práctica. Pero no sería de ninguna ayuda si no te dijera toda la verdad. Si no lo hiciera, tendrías un plan de restauración emocional incompleto y vivirías frustrada intentando encontrar lo que falta. De manera que te lo voy decir de la forma más directa que conozco y de ti dependerá hacerlo o no. Recuerda, tú eliges. *Dios obrando en ti, a medida que le permites entrar, es quien hace un cambio en tu vida.*

Lleva tiempo poner en práctica estos siete pasos y convertirlos en un modo de vida. El tiempo que lleve dependerá del compromiso que pongas en hacer lo necesario para que ocurra. También depende de la profundidad de tu daño emocional. El grado de dolor que padecemos ahora está determinado por el grado de sufrimiento que hayamos tenido en nuestro pasado y de cuán temprano en la vida ocurrió. Cuanto más temprano haya sido, es más hondo y más difícil de remover. Sin embargo, no has sido puesta en esta tierra solo para existir o sobrevivir. Estás aquí para vivir una vida con propósito y significado. No importa lo que te haya ocurrido, a la edad que tenías cuando ocurrió, o la que tengas ahora, puedes recuperar tu integridad.

La sanidad y la restauración que yo encontré, está también a tu disposición. Ya sea de cicatrices tan antiguas como el abuso infantil o de la ruptura reciente de una relación muy valiosa, de un sueño destrozado de hoy, o de los estragos de toda una vida equivocada, es posible recuperar la salud. No tienes por qué vivir con temor; no necesitas estar deprimida; no tienes que sentirte incapaz, estúpida, incompetente ni rechazada. No tienes por qué aceptar el dolor emocional crónico. Es posible liberarse de todo eso. Lo que fue herido puede ser reparado.

No obstante, una vez que te *hayas sanado,* no cometas el error de pensar que jamás volverás a tener algún problema. No es así. Los problemas son parte de este mundo. Pueden resultar devastadores, o bien se los puede enfrentar para sacarles provecho o minimizar el desasosiego que producen. Es por eso que después de liberarse de las emociones dañadas, hay que continuar con el programa de mantenimiento.

Mi viaje del quebranto a la integridad no ocurrió de la noche a la mañana. En realidad, me llevó catorce años librarme del dolor y estar en condiciones de ayudar a otros que sufren los mismos problemas. Creo que podría haber salido mucho antes si hubiera sabido qué hacer. Tengo la esperanza de que este libro te ayude a apurar el proceso.

Al iniciar los siete pasos hacia la salud emocional no esperes a dominar el Primer Paso para dar el Segundo. No funciona así. Más bien, comienza a dar un paso a la vez en cada una de las siete esferas. Cuando lo hagas verás que salvo las decisiones que tomas y los sencillos pasos que das, no necesitas ser tú misma quien haga que ocurra todo.

Y ten en cuenta que la integridad emocional es un proceso que implica cambiar los hábitos en la manera de pensar, de sentir y de actuar. Eso lleva tiempo. Los siete pasos no son una solución fácil sino una manera de encontrar una transformación permanente del ser interior. *No esperes hacer todo de una vez. Hazlo paso a paso, un paso a la vez en la dirección adecuada.*

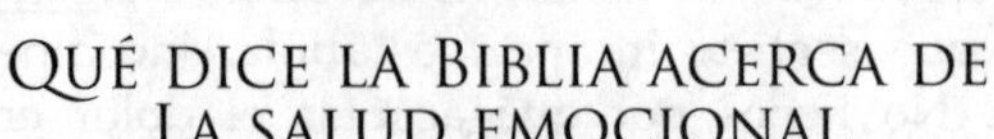

Qué dice la Biblia acerca de la salud emocional

Del hombre es hacer planes en el corazón.
Proverbios 16:1

Mas yo haré venir sanidad para ti, y sanaré tus heridas, dice Jehová.
Jeremías 30:17

Estoy debilitado y molido en gran manera; ¡gimo a causa de la conmoción de mi corazón!
Salmo 38:8

Confortará mi alma.
Salmo 23:3

Él sana a los quebrantados de corazón y venda sus heridas.
Salmo 147:3

Capítulo 2

Primer Paso: Reconocer a Dios

Tomé el puñado de pastillas para dormir que acababa de darme una amiga y las sumé a la colección casa vez más abundante que tenía en una pequeña caja dorada en el fondo del cajón de mi cómoda. "Esta vez tengo casi todo lo que necesito para hacer mi trabajo", me dije. Estaba fraguando deliberada y metódicamente mi suicidio. Quería que pareciera una sobredosis accidental, para que mi hermana y mi padre no cargaran con ninguna culpa.

Había intentado suicidarme a los catorce años bebiéndome una extraña combinación de drogas en el baño, pero solo logré enfermarme seriamente. A partir de ese intento fallido me entregué a todo lo que podía encontrar para salir de la oscura celda de mi prisión emocional. Para desdicha, cada vez que probaba una nueva "clave para la vida", solo me acercaba a la muerte y me alejaba de la libertad, de la paz y del alivio que buscaba con desesperación.

Tuve buena ayuda siquiátrica y sicológica, en especial en términos del dinero que pagué por ellas, y me sentía agradecida con cada uno de los profesionales que impidieron que me destruyera. No obstante, a los veintiocho años, catorce después de mi intento de suicidio, seguía sintiéndome como si estuviera en un pozo oscuro, para nada diferente del armario de mi primera infancia, y no lograba reunir las fuerzas para levantarme otra vez. La muerte volvía a ser la única solución que veía. Me desconcertaba que después de todos esos años de lucha no había logrado nada con mi vida.

En ese punto tan bajo, mi amiga Terry me dijo:

—Veo que no andas bien, Stormie. ¿Por qué no me acompañas y hablas con mi pastor? -se dio cuenta de mi renuencia y agregó rápidamente—: No tienes nada que perder.

Escuché en silencio la acertada descripción de mi situación y acepté ir, aunque no quería tener nada que ver con ningún tipo de religión. Mi experiencia con las iglesias solo me había llevado a sentirme más muerta de lo que ya estaba.

Terry me presentó al pastor Jack Hayford, de una iglesia cercana llamada La Iglesia en el Camino, y fue distinto a cualquier otro encuentro que hubiera tenido. Nos encontramos en un restaurante para almorzar, y desde el momento en que comenzó a hablar, captó toda mi atención. Me preguntó un poco sobre mí, pero yo no estaba dispuesta a revelar nada de mis circunstancias desoladoras. Incluso en ese momento de mi vida, quería parecer exitosa. Por más de una hora, el pastor Jack habló de Dios como si hablara de su mejor amigo. Dijo que si yo lo invitaba, Dios vendría a vivir en mí y transformaría mi vida por completo.

—Si recibes a Jesús, tu relación con Dios será tan personal que podrás hablar con él cualquier situación de tu vida —explicó el pastor—. Nunca volverás a sentirte sin esperanza o sin propósito.

No me molestaba escucharlo hablar de Dios porque yo sabía de la existencia de un reino espiritual. Había visto suficientes manifestaciones de lo sobrenatural en mis incursiones en el ocultismo como para estar convencida de su realidad. Pero cuando comenzó a hablar de recibir a Jesús y de nacer de nuevo, me estremecí.

Con frecuencia había visto a personas de pie en una esquina, agitando unos libros negros y exclamando "¡Jesús salva!" y

"¡Todos irán al infierno!" a todos los que pasaban. Por eso temía que aceptar a Jesús significara una lobotomía intelectual, lo que me convertiría en un tipo de persona irreflexiva, santurrona, insensible, que trata de imponer la Biblia por la fuerza, alguien incapaz de percibir la realidad del dolor y las circunstancias de otra persona. Sin embargo, había observado que el pastor Jack y Terry no tenían nada de eso.

El pastor Jack pudo ver mis temores y no me presionó a hacer ningún compromiso. En lugar de eso me dio tres libros: el primero, sobre la vida de Jesús, era el Evangelio de Juan en forma de novela; el segundo, *Cartas del diablo a su sobrino*, de C. S. Lewis, que trataba sobre la realidad del mal; y el tercero era un libro sobre la obra del Espíritu Santo de Dios en la vida de las personas.

—Encontrémonos la próxima semana en mi estudio y podrás decirme lo que piensas de estos libros —dijo el pastor Jack al final de la reunión. Nos pusimos de acuerdo y volví a casa para empezar a leer. Algo de lo que dijo e hizo el pastor ese día hizo que yo quisiera descubrir lo que ellos conocían y yo no.

Al leer las páginas de cada libro, comprendí que durante años había creído mentiras acerca de Jesús, y que lo juzgaba por lo que había oído sobre él sin *conocerlo* realmente. Su nombre y reputación habían sido difamados, ridiculizados, malinterpretados, tergiversados y burlados, y se habían dicho mentiras de él durante tanto tiempo que me había negado por completo a tener alguna vinculación con él. Mientras leía, también descubrí que Dios no era esa fuerza fría y distante, como yo había pensado, sino un Padre amoroso y poderoso que, en la persona de Jesús, su Hijo, nos había enviado un medio para la total restauración.

Cuanto más leía, más me daba cuenta que los conceptos de Ciencias de la Mente en los que yo creía, de que no hay mal en el mundo, salvo el que reside en la mente de las personas, eran un engaño. A medida que C. S. Lewis dramatizaba la actividad de Satanás, se me hizo evidente el origen de las terribles cosas que les suceden a las personas. Hay una fuerza del mal decidida a destruirnos, y Satanás, cabeza de esa fuerza, es real y es nuestro verdadero enemigo.

Al reflexionar en lo que leía, también pensaba en Terry y en el pastor Jack, y en lo mucho que los admiraba. No eran falsos, ni tontos, ni insensibles. Tenían belleza interior y una audaz confianza que irradiaba el poder de Dios.

Cuando Terry y yo nos encontramos con el pastor Jack la semana siguiente, me preguntó:

—Bueno, ¿qué te parecieron los libros?

—Creo que dicen la verdad —respondí con inusitada confianza.

—¿Te gustaría entonces tener a Dios en tu vida? —me preguntó sin rodeos.

—Sí —dije sin vacilar—. Quiero eso, y también todo lo que Dios tiene para mí.

Ese día de octubre de 1970, decidí creer que Jesús era quien declaraba ser y lo recibí en mi vida. Cancelé mis planes de suicidio y nunca volví a pensar en eso. Había dado mi primer paso, reconociendo a Dios. Sobre esa base se levantaría mi restauración definitiva como una persona emocionalmente íntegra.

El paso más importante que darás

El primer paso hacia la integridad emocional es reconocer a Dios, reconocer que él está de tu lado, y permitirle ser el Señor de tu vida.

El profeta Jeremías hizo a Dios una pregunta que todos nos hacemos:

"¿Por qué no se ha restaurado la salud de mi pueblo?" (Jeremías 8:22, NVI)

Y Dios respondió:

"Porque van de mal en peor, y a mí no me conocen" (Jeremías 9:3, NVI)

Una de las principales razones de que las personas estén emocionalmente quebrantadas es que no han reconocido a Dios como Salvador, como Padre, como Espíritu Santo y como Señor en todas las esferas de la vida, y como el Nombre que responde a toda necesidad.

Hasta que no nos ponemos en línea como es debido con Dios, nada en la vida tendrá el lugar que le corresponde, y nunca sabremos lo que es estar emocionalmente sanos.

Poco después de reconocer la presencia de Dios en mi vida, estaba curioseando en una librería cristiana y descubrí un libro encantador para niños llamado Three in One (Tres en Uno), de Joanne Marxhausen (Concordia, St. Louis, MO,). La autora usaba el ejemplo de una manzana con sus tres partes: la cáscara, la pulpa y el corazón, y explicaba que esas tres partes seguían siendo una misma manzana. De la misma manera describía los tres aspectos de Dios: el Padre, el Hijo y el Espíritu Santo. Tres partes, pero un solo Dios. El mensaje de esta sencilla ilustración fue tan claro que comprendí que nunca podemos conocer realmente a Dios hasta que le conocemos en todas esas formas.

Qué dice la Biblia acerca de Reconocer a Dios

Reconócelo en todos tus caminos y él hará derechas tus veredas.
Proverbios 3:6

El temor de Jehová es manantial de vida que aparta de los lazos de la muerte.
Proverbios 14:27

Porque todo lo que es nacido de Dios vence al mundo.
1 Juan 5:4

Tú eres mi Señor; no hay para mí bien fuera de ti.
Salmo 16:2

Si Dios es por nosotros, ¿quién contra nosotros?
Romanos 8:31

RECONOCER A DIOS COMO CRISTO JESÚS, TU SALVADOR

Al leer los libros que me había dado el pastor Jack, pude ver enseguida dos razones para reconocer a Jesús como mi Salvador. *La primera razón, la de quedar completamente libre de la culpa*.

Yo tenía un abrumador sentido de culpa, pero por motivos equivocados. No sentía remordimiento por haber *hecho* cosas que estuvieran mal. Consideraba las acciones como mentir o las aventuras amorosas como medios de supervivencia y me negaba a sentirme mal por ellas. Si alguna vez me sentía culpable, suponía que se debía a que mi madre me lo había inculcado con su permanente enojo. Ella tenía la manera de hacerme sentir que todo lo que hacía estaba mal; algunas veces hasta me sentía culpable de estar viva.

Todo el mundo tiene algún tipo de culpa por los errores del pasado. En algunas oportunidades por las cosas que sabemos que hicimos mal, en otras es un profundo arrepentimiento por lo que nos damos cuenta que podríamos haber evitado, y a veces por haber violado ciertas leyes naturales de las que ni siquiera teníamos conciencia. Cualquiera sea la razón, la carga de la culpa se asienta con todo su peso sobre nosotros, y a menos que la eliminemos, nos impide una vida plena.

¿Cómo podemos acabar con nuestra culpa? Consideremos, por ejemplo, al hombre que retrocedió con su coche y sin querer mató a su hija de dos años. O a la mujer que consumió drogas cuando estaba embarazada y dio a luz a un niño con daño cerebral. ¿Y qué de la madre que accidentalmente disparó y mató a su hijo adolescente una noche que este llegó tarde y lo confundió con un asaltante? ¿Cómo encontrarán alivio de la culpa por esos daños tan devastadores e irreparables?

¿Cómo podemos vivir usted y yo con remordimientos tan penosos? "Si solo hubiera..." "Si al menos no hubiera..." Estos pensamientos reflejan la agonía de situaciones que jamás se podrán cambiar. ¡Ocurrieron! Y no hay manera de convivir con la verdad a menos que uno la empuje hacia abajo y jamás se permita pensar en ello. Ni mencionarlo. El problema es que uno cree que está logrando salvarse... hasta que comienza a salir a la superficie por su cuenta. Y entonces aparece en forma de una enfermedad. O tal vez afecta a la mente y a las emociones, convirtiéndonos en personas malhumoradas, fóbicas, aisladas o depresivas, como la infección de una herida profunda que fue vendada aprisa sin haber sido lavada ni tratada en forma adecuada.

¿O cómo vivimos con el remordimiento sobre cosas que no fueron nuestra culpa, pero tememos que podría serla? "Si hubiera sido más obediente, tal vez papá no nos hubiera abandonado". "¿Habré empujado a mi esposo a que tenga esa aventura?" "Si no hubiera permitido a mi hija adolescente salir aquella noche, tal vez ese conductor ebrio no la hubiera atropellado". Culpa tras culpa, se amontonan en una carga literalmente insoportable.

Por último, ¿qué de la culpa por aquellas cosas que hicimos violando leyes de Dios, de las que no estábamos conscientes en ese momento? Nunca escuché decir a una mujer que se haya practicado un aborto, aunque estuviera convencida de que fue una buena decisión: "Me siento enriquecida y estoy satisfecha por esa experiencia". Lo reconozca o no, la culpa está ahí porque se ha violado una ley de la naturaleza.

¿Qué o quién puede quitar esa culpa? Lo que diga un amigo ("No te preocupes... No fue tu culpa... No puedes culparte de todo...") no puede liberarnos de lo que sentimos. Solo el perdón de Dios lo puede hacer. Cuando recibimos a Jesús, somos inmediatamente liberados del castigo de nuestros errores pasados. Por primera vez en mi vida me sentí libre de tener que enfrentar en todo momento el fracaso de mi pasado.

La segunda razón importante para recibir a Jesús es tener la paz de saber que nuestro futuro está seguro. Y no solo el futuro eterno (Jesús dijo que todo aquel que cree en él tiene vida eterna, Juan 6:40), sino que el futuro en esta vida también está seguro. Dios promete que si lo reconocemos, nos guiará a lo largo del camino (Proverbios 3:6). Eso no significa que nuestros problemas se solucionarán de inmediato y que no volveremos a tener dificultades, sino que tendremos en nosotros el poder para alcanzar todo nuestro potencial. Nunca podríamos encontrar mayor seguridad que esa.

La vida antes de la muerte

Cuando Jesús murió en la cruz, también se levantó de entre los muertos para romper el poder de la muerte sobre todo el que recibe su vida. Jesús conquistó la muerte, ya sea la del final de la vida o la de las numerosas formas de ella que enfrentamos cada día. Cuando mueren nuestros sueños, nuestra economía, salud o relaciones, Jesús nos ofrece su vida y resucita cualquier parte muerta en la nuestra. No tenemos por qué perder la esperanza. Jesús también da a todo aquel que se abre a él una *calidad* de vida valiosa, abundante y satisfactoria. Trasciende todas nuestras limitaciones y barreras y nos permite hacer cosas que jamás hubiéramos sido capaces de hacer sin él. Jesús es el único que tiene poder y autoridad sobre las emociones o la esclavitud que nos torturan. Es el único que puede darnos vida antes de la muerte así como en el más allá. Sin él morimos un poco cada día. Con él tenemos más vida cada día. Puedes intentar hacerlo por ti misma o pagar a alguien para que lo intente, pero no estoy hablando de hallar alivio provisorio o alguna manera de soportar. Estoy hablando de completa libertad del tormento emocional. Solo *tú* sabes si anhelas desesperadamente entregarte a Jesús.

El cristianismo es una relación viva con Dios por medio de Jesús, su Hijo. La salvación no es solo algo que Jesús hizo por nosotros; es Jesús que vive en nosotros. Tal vez hayas nacido en una familia cristiana o asistido a una iglesia cristiana toda tu vida, pero si no le has dicho a Dios que quieres recibir a Jesús, no has nacido en el reino de Dios. No se lo puede heredar; ni obtener por ósmosis, trasplante o implante ni pedir el deseo a una estrella fugaz. Tienes que declarar tu fe ante el Señor.

Si quieres tener la vida de Jesús en tu interior, solo di: "Jesús, hoy te reconozco. Creo que eres el Hijo de Dios. Aunque es difícil entender un amor tan grande, creo que has dado tu vida para que yo pueda tener vida eterna y abundante ahora. Te pido perdón por no vivir según tu camino. Necesito que me ayudes a ser aquello para lo cual me creaste. Ven a mi vida y lléname con tu Espíritu Santo. Haz que toda esta muerte salga de mí por el poder de tu presencia y permite en este mismo día que mi vida tenga un nuevo comienzo".

Si no te sientes cómoda con esta oración, entonces habla con Jesús como lo harías con un buen amigo, y confiesa que has cometido errores. Dile que no puedes vivir sin él. Pídele que te perdone y entre en tu corazón. Dile que lo recibes como Señor y dale gracias por la vida eterna y el perdón.

Después de hacer esta oración con el pastor Jack, cuando Terry y yo salíamos de su oficina, el pastor tomó del brazo a un joven que pasaba.

—Stormie, quiero que conozcas a Paul, mi pastor asistente —dijo—. Cuéntale lo que acaba de suceder.

Me sentía un poco incómoda al saludar a Paul y dije tímidamente: "Acabo de recibir a Jesús".

Casi esperaba que se riera y me dijera "¡Estás bromeando!". Pero para mi gran sorpresa dijo, en tono tranquilizador y con una mezcla de sinceridad y seriedad: "Alabado sea Dios. Es maravilloso".

Yo sonreí y me sentí muy bien.

Produce alivio contarle a otro que has recibido a Jesús. No importa a quién sea. Lo que importa es haber reconocido a Jesús frente a otro para que la decisión quede establecida firmemente. Incluso si conoces al Señor desde hace mucho tiempo, es bueno hacerlo con frecuencia. Tu creencia en él necesita ser confirmada periódicamente. Recuerda que la vida de Jesús vive en ti y que él puede resucitar todo lo que hay muerto en tu vida.

También es útil anotar en la Biblia o en una agenda que no sea descartable, la fecha en que recibiste al Señor. Es un registro del nuevo nacimiento para que si alguna vez tienes dudas o confusión sobre si realmente ocurrió, estará escrito en tinta y papel. Una de mis amigas nació de nuevo seis o siete veces porque tenía emociones frágiles y la mente tan nublada por la opresión que nunca estaba segura de haberlo hecho lo suficientemente bien la primera vez. Eso no era necesario.

Nunca nacemos de nuevo por casualidad. Cuando recibimos a Jesús, es porque Dios el Padre nos está atrayendo. Jesús dijo: "Nadie puede venir a mí, si el Padre, que me envió, no lo atrae" (Juan 6:44). Una vez que Dios te atrajo, está todo hecho. Quedas libre de culpa, tu futuro está asegurado, y estás a salvo de la muerte en cada aspecto de tu vida.

Qué dice la Biblia acerca de reconocer a Dios como Cristo Jesús, tu salvador

Y nosotros hemos visto y testificamos que el Padre ha enviado al Hijo, el Salvador del mundo. Todo aquel que confiese que Jesús es el Hijo de Dios, Dios permanece en él y él en Dios.
1 Juan 4:14–15

Jesús le dijo: —Yo soy el camino, la verdad y la vida; nadie viene al Padre sino por mí.
Juan 14:6

Y en ningún otro hay salvación, porque no hay otro nombre bajo el cielo, dado a los hombres, en que podamos ser salvos.
Hechos 4:12

Le respondió Jesús: —De cierto, de cierto te digo que el que no nace de nuevo no puede ver el reino de Dios.
Juan 3:3

Si confiesas con tu boca que Jesús es el Señor y crees en tu corazón que Dios lo levantó de entre los muertos, serás salvo.
Romanos 10:9

RECONOCER A DIOS COMO PADRE

Para algunas personas no siempre es fácil reconocer a Dios como Padre celestial, en especial si su padre ha estado ausente, o han sido maltratadas por él o por un padre sustituto.

Una joven me dijo: "No me hables de Dios como padre. El mío me obligaba a tener relaciones sexuales con él hasta que me fui de la casa, y ahora no puedo tener una relación normal con ningún hombre".

Otra me confió: "Mi padre me golpeaba cada vez que llegaba a casa ebrio. Ahora lo odio. ¿Cómo puedo pensar en Dios como padre?".

Un hombre comentó: "Mi padre jamás hizo algo por mí. Era un pelele. No nos ayudó con nada en nuestra vida, y finalmente nos abandonó. No menciones la palabra padre".

Yo no tuve un padre abusador, y estoy muy agradecida por eso. Sin embargo mi padre nunca abrió el armario ni me rescató de la locura de mi madre, y él era el único con autoridad y poder para hacerlo. Por esa experiencia, yo sentía inconscientemente que Dios tampoco me ayudaría. No me rebelé ni sentía resentimiento contra Dios, pero creía que tal vez Dios me había olvidado.

Tus experiencias pueden hacerte sentir como estas personas. Pero permíteme asegurarte que Dios jamás será un padre que llegue a casa ebrio, se esconda detrás de un periódico, te golpee, te moleste, te mienta, te traicione, te abandone o esté demasiado ocupado para ti. Él es diferente. Es un padre que "sabe de qué cosas [tenemos] necesidad" (Mateo 6:8) y que "dará buenas cosas a los que le pidan" (Mateo 7:11). Nunca te dejará ni te abandonará, siempre tendrá en mente lo mejor para ti, y siempre tendrá más para ti de lo que jamás hayas imaginado.

Examina tu relación con el Padre celestial, y considera si alguna de las siguientes afirmaciones se aplican en tu caso:

—"Dudo que yo sea una hija o un hijo para el Padre celestial".

—"Me siento muy lejos de él".

—"Me inspira miedo".

—"Estoy enojada con él".

—"Me siento abandonada por Dios".

—"Cuando pienso en el Padre celestial siento que voy a llorar de dolor en lugar de gozo".

Si coincides con cualquiera de estas afirmaciones está claro que necesitas entender mejor el amor del Padre celestial por ti, y cómo te mira él. Pídele que te lo aclare. Dile: "Dios, hoy te reconozco como mi padre celestial. Corrige la idea equivocada que tengo sobre ti. Mi padre terrenal me falló y yo te he culpado; perdóname, y quítame ese dolor. Quiero recibir la herencia que has prometido a tus hijos". Toma la decisión de no cerrarte a tu Padre que te ama. Dale una oportunidad de demostrarte su fidelidad y su poder.

En mi nueva relación con Dios yo estaba consciente de su amor, especialmente de su amor por otras personas. Pero no creía que me amara a mí tanto como las amaba a ellas. La enormidad del dolor acumulado y mi falta de perdón, unidos a la culpa, la tristeza, el temor y la desesperanza levantaban una gran barrera que me impedía sentir su amor. Por todo eso, reconocer a Dios como *Padre* implicó un gran paso de fe.

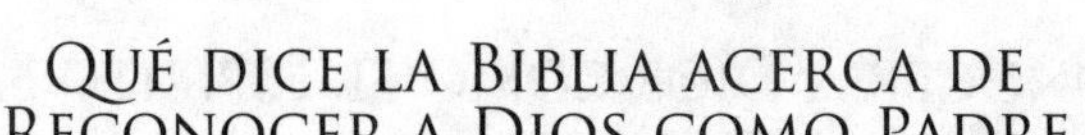

Qué dice la Biblia acerca de Reconocer a Dios como Padre

Y seré para vosotros por Padre, y vosotros me seréis hijos e hijas, dice el Señor Todopoderoso.
2 Corintios 6:18

Tan compasivo es el Señor con los que le temen como lo es un padre con sus hijos.
Salmo 103:13, NVI

No temáis, manada pequeña, porque a vuestro Padre le ha placido daros el reino.
Lucas 12:32

Tú, Jehová, eres nuestro Padre. Redentor nuestro es tu nombre desde la eternidad.
Isaías 63:16

Porque el Padre a nadie juzga, sino que todo el juicio dio al Hijo.
Juan 5:22

Una cosa es conocer a Jesús; otra cosa es conocer al Padre. El propósito de la salvación no es solo llevarnos a Cristo, sino también conducirnos al Padre y a entender nuestra relación con el Creador. Quizá tengamos imágenes distorsionadas de él por todo lo que nos ha ocurrido, pero no podremos ver realmente quiénes somos nosotros hasta que no logremos ver a Dios como es realmente. Luego, desde el contexto de una relación que nos satisface y nos protege, comenzaremos a crecer. Cuando lo hagamos, encontraremos mucha sanidad.

Reconocer a Dios como el Espíritu Santo

Cuando escuché por primera vez los nombres Ayudador y Consolador con relación al Espíritu Santo, me di cuenta de inmediato que quería esos atributos de Dios en mi vida. Comprendí que para recibirlos primero tenía que reconocer la existencia del Espíritu Santo y luego invitarlo a vivir en mí. Cuando lo hice, aprendí tres razones por las que es necesario ser llenos del Espíritu Santo de Dios:

- Para adorar a Dios con plenitud
- Para experimentar y comunicar el amor de Dios en forma más completa
- Para apropiarme del poder de Dios en mi vida con mayor eficacia

Sin embargo, con los años he descubierto que ser llenos por el Espíritu Santo es un proceso continuo y cada vez más profundo. Tenemos que estar dispuestos a abrirnos en cada nuevo nivel y dimensión a fin de que el Espíritu pueda ayudarnos a lograr lo que jamás lograríamos sin la plenitud de su amor, su poder y su vida.

Si reconoces a Jesús como Salvador y a Dios como Padre, también tienes que reconocer al Espíritu Santo. He oído a algunos cristianos hablar sobre la Trinidad como el Padre, el Hijo y el E-E-S-S-P-P-T-T-S-S-T-T. Casi no pueden decir Espíritu Santo sin ahogarse, mucho menos pueden reconocer lo que hace en sus vidas. Tal vez se deba a que saben muy poco sobre él. Tal vez presenciaron situaciones en las que se hacían cosas extrañas en nombre del Espíritu Santo. (¡Quizá hayan escuchado la expresión Espíritu Santo y les haya hecho pensar en "los espíritus"!) Puedo asegurarte que el Espíritu Santo es el Espíritu de Dios enviado por Jesús para consolarnos, fortalecernos y guiarnos a toda verdad, para darnos dones espirituales, para ayudarnos a orar con más efectividad, y para darnos sabiduría y revelación. ¿Hay alguien que con sinceridad pueda decir que no necesita esas cosas?

El Espíritu Santo no se puede pasar por alto. No podemos simular que no existe, o que Jesús no hablaba en serio cuando prometió que nos enviaría al Espíritu Santo, o sugerir que Dios estaba bromeando cuando dijo que derramaría su Espíritu Santo sobre toda la humanidad. El Espíritu Santo no es un vapor ni una nube mística; es otra parte de Dios (recuerda la cáscara, la pulpa y el corazón de la manzana). Es el poder de Dios y el medio por el cual nos habla. Si lo ignoras o lo rechazas, impedirás que ese poder y esa comunicación obren en tu vida.

Si puedes decir "Jesús es el Señor" estarás segura de que el Espíritu de Dios ya está obrando en tu vida. Muchos pasajes de la Biblia hablan de ser llenos del Espíritu. Como parece haber tantas interpretaciones como denominaciones existen, no te voy a limitar a la mía. Simplemente pregúntale al Espíritu Santo qué deberían significar para ti esas palabras. Y déjalo por su cuenta.

No importa cuánto hace que conoces al Señor, es bueno decirle con frecuencia: "Dios, ayúdame a entender todo lo que necesito saber de ti y de la obra de tu Espíritu Santo en mi vida. Lléname de nuevo de tu Espíritu Santo hoy, y obra con poder en mí."

Cuando oramos así, abrimos el canal por el que Dios nos permite hacer todo lo necesario para restaurar nuestra salud emocional. La Biblia dice: "Pondré dentro de vosotros mi Espíritu, y haré que andéis en mis estatutos y que guardéis mis preceptos y los pongáis por obra" (Ezequiel 36:27). El Espíritu Santo pone en nosotros la plenitud de Dios. Y en esto no hay motivo para el temor o el misterio, porque en toda la creación de Dios somos los únicos que tenemos un lugar especial donde su Espíritu puede morar. Ese lugar siempre estará vacío hasta que se llene del Espíritu Santo.

No queremos tener la "apariencia de piedad" pero al mismo tiempo negar "la eficacia de ella" (2 Timoteo 3:5). Negar la eficacia o el poder de Dios limita lo que él puede hacer en nuestra vida e impide nuestra restauración emocional. Tampoco queremos ser de los que "siempre están aprendiendo" pero nunca "llegan al conocimiento de la verdad" (2 Timoteo 3:7). A menos que el Espíritu Santo nos enseñe desde adentro, nuestro conocimiento de la verdad siempre será limitado, y la salud emocional será imposible. No le pongas límites a lo que Dios puede hacer en ti, por no reconocer al Espíritu Santo en tu vida.

Qué dice la Biblia acerca de Reconocer a Dios como el Espíritu Santo

Arrepentíos y bautícese cada uno de vosotros en el nombre de Jesucristo para perdón de los pecados, y recibiréis el don del Espíritu Santo, porque para vosotros es la promesa, y para vuestros hijos, y para todos los que están lejos; para cuantos el Señor nuestro Dios llame.
Hechos 2:38–39

Pues si vosotros, siendo malos, sabéis dar buenas dádivas a vuestros hijos, ¿cuánto más vuestro Padre celestial dará el Espíritu Santo a los que se lo pidan?
Lucas 11:13

Pero cuando venga el Espíritu de verdad, él os guiará a toda la verdad, porque no hablará por su propia cuenta, sino que hablará todo lo que oiga y os hará saber las cosas que habrán de venir.
Juan 16:13

Y yo rogaré al Padre y os dará otro Consolador, para que esté con vosotros para siempre: el Espíritu de verdad, al cual el mundo no puede recibir, porque no lo ve ni lo conoce; pero vosotros lo conocéis, porque vive con vosotros y estará en vosotros.
Juan 14:16–17

Reconocer a Dios como Señor sobre todas las esferas de tu vida

Cuando comencé a conocer a Dios como Salvador, como Padre y como Espíritu Santo, sentí que debía exponer muchos aspectos de mi vida a su influencia. Esto me costó porque exigía que aumentara mi confianza en él. Hasta entonces había tenido pocas experiencias positivas en donde alguna otra que no fuera yo tuviera control sobre mi vida.

En todas las casas en las que viví, siempre hubo alguna habitación donde nadie tenía permiso de entrar. Había en ella un confuso revoltijo de cosas inútiles y desordenadas. Uno de los motivos por los que mi madre nunca quería visitas en casa (aparte del hecho de que le resultaba agotador simular una apariencia de normalidad) era el temor de que alguien llegara a ver esas habitaciones secretas. Esas habitaciones eran un reflejo de nuestra vida familiar. El secreto de la enfermedad mental de mi madre debía ocultarse a toda costa. Cuando crecí fue como si esas habitaciones secretas de mi casa se convirtieran en lugares secretos de mi corazón. Mantenía tantas cosas de mí ocultas que vivía aterrorizada de que alguien las descubriera y todos me rechazaran.

Cuando recibí a Jesús en mi corazón, al principio lo hice pasar a la habitación para visitas. El problema fue que él no estaba satisfecho con eso. Siguió golpeando una puerta tras otra hasta que tuve que abrir las habitaciones que ni siquiera sabía que estaban ahí. Jesús expuso cada rincón oscuro de cada habitación a su luz limpiadora. Pronto comprendí que Jesús quería que lo reconociera como Señor de *todas* las esferas de mi vida.

Una de esas habitaciones de mi vida era la decisión de tener hijos. Me casé con mi esposo Michael alrededor de tres años después de aceptar a Jesús, y como estaban ocurriendo tantas cosas en nuestra vida en esa etapa, nunca hablamos seriamente sobre tener hijos. Yo tenía muchísimas razones para no querer ninguno, entre las que pesaba el temor de repetir el estilo de mi crianza defectuosa. No podía soportar la idea de destruir una vida inocente. A medida que Dios golpeaba una puerta tras otra: las finanzas, el matrimonio, las actitudes, la apariencia, las amistades... me fui abriendo a su señorío. Pero me resistía cuando golpeaba la puerta de la maternidad que estaba absolutamente cerrada por el egoísmo y el temor. Sin embargo las llamadas persistieron, como un desafío a mi oración diaria "Jesús, sé Señor sobre todas las esferas de mi vida".

Una mañana alrededor de un año después de nuestro casamiento, unos amigos en la iglesia nos presentaron a su nuevo hijo. Al tenerlo brevemente en mis brazos tuve una imagen de lo que sería abrazar a mi propio hijo. Más tarde, cuando reflexioné sobre el incidente, la posibilidad de tener un bebé de pronto me parecía placentera en lugar de aterradora.

Bien Señor, pensé, *si vamos a tener un hijo, quiero que Michael lo mencione.* Y dejé el asunto al margen de mi mente.

Esa tarde Michael me dijo:

—Ese bebé que tenías en brazos antes del culto era hermoso. Tal vez sea hora de que tengamos uno.

—¿Qué? —dije sin creerlo—. ¿Hablas en serio?

—Claro, ¿por qué no? ¿Acaso no es eso lo que hace la gente? —preguntó.

—Sí, pero nunca te oí decirlo antes —recordé mi breve oración de la mañana. *Señor, a veces me asusta lo rápido que respondes, dije para mis adentros.*

Aunque todavía me sentía temerosa e inquieta, me di cuenta de que había llegado el momento en que Dios traería vida a un lugar que hacía años estaba muerto. Percibí que al permitirle ser mi Señor sobre este asunto me abría a un aspecto importante en la redención de todo lo que había estado perdido en mi vida.

Entregarle el control de la casa

Una cosa es invitar a Jesús a tu casa, a tu vida (nacer de nuevo); otra es darle el control de tu casa (hacerlo Señor de tu vida). Reconocer a Jesús como Salvador es cosa de un momento. Reconocerlo como Señor lleva toda la vida.

> La Biblia dice: Confía en Jehová con *todo* tu corazón y no te apoyes en tu propia prudencia. Reconócelo en *todos* tus caminos y él hará derechas tus veredas. (Proverbios 3:5–6, énfasis agregado)

Observa la palabra *todo*. Es muy específica. Si queremos que las cosas salgan bien, tenemos que reconocer a Jesús como Señor de todas las esferas de nuestra vida. Con frecuencia tuve que darle a Dios el derecho de entrada, diciéndole: "Jesús, sé Señor sobre cada esfera de mi vida". Entonces, a medida que señalaba lugares donde yo no había abierto la puerta a su soberanía, lo dejaba entrar.

Ahora sé que Dios hace eso con todos los que lo invitan a morar en su vida. Algunas personas le dan desde el comienzo el acceso completo de su ser de entrada, otros lo dejan indefinidamente de pie en la entrada. Muchos hacen lo que hice yo y le permiten ir ganando espacio poco a poco. Cuando Dios golpea en las diferentes esferas de tu vida, debes saber que para entrar nunca forzará una puerta ni derribará una pared. Solo llamará a la puerta en forma persistente y suave, y a medida que lo invites, entrará amablemente a ocupar cada esquina de tu vida para limpiarla y reconstruirla.

Cuando Jesús vivió en la tierra tocó cuerpos muertos y les devolvió la vida. También tocó a leprosos y les devolvió la salud. Él puede hacer lo mismo contigo. Jamás dirá: "Eres intocable para mí; estás demasiado lejos; hueles muy mal; tu fracaso es muy grande; tus circunstancias son irremediables." Si algo en ti o en tu vida ha muerto, Dios tiene compasión. Él dará aliento de vida a cada lugar muerto de tu ser. Dios se preocupa por tus sentimientos y por tu debilidad. Quiere tocarte con sanidad y con vida, pero no lo hará a menos que lo reconozcas Señor sobre esas áreas y lo invites a entrar en ellas. El hecho de que no toque esas esferas sin tu invitación no significa que no le intereses, sino que te ha dado la posibilidad de elegir. ¿Elegirás abrirte y compartir todo tu ser con él, dejándolo reinar en tu vida?

Mi esposo y yo vivimos en una casa abierta, con pocas paredes interiores. Las personas que nos visitan dicen: "Cuando vengo a tu casa no puedo quedarme en la entrada. Una vez que paso, sigo a la sala, la cocina o el estudio".

Por la ausencia de barreras, la casa los invita a seguir adelante. Creo que esto refleja mi relación con Dios. He derribado mis barreras, y Dios no se ve impedido de entrar en cualquier área que desee. Eso no significa que sea perfecta. Significa que estoy abierta a todo lo que Dios quiera hacer en mí, no importa lo incómodo que pueda parecer al comienzo. Las personas más felices que conozco ponen toda su vida en manos de Dios, seguros de que si Él está al mando, ninguna amenaza del infierno puede alcanzarlas.

Reconocer a Dios en cada esfera de tu vida es un acto permanente de la voluntad. Tienes que levantarte cada mañana y decir: "Dios, te reconozco como Señor de mi vida hoy, y como Señor de cualquier parte herida o angustiada de mi alma". Entonces Dios puede tomar todo lo que tienes y convertirlo en todo lo que necesitas.

Qué dice la Biblia acerca de Reconocer a Dios como Señor sobre cada área de nuestra vida

Por eso Dios también lo exaltó sobre todas las cosas y le dio un nombre que es sobre todo nombre, para que en el nombre de Jesús se doble toda rodilla de los que están en los cielos, en la tierra y debajo de la tierra; y toda lengua confiese que Jesucristo es el Señor, para gloria de Dios Padre.
Filipenses 2:9–11

Vosotros me llamáis Maestro y Señor, y decís bien, porque lo soy.
Juan 13:13

Si vivimos, para el Señor vivimos; y si morimos, para el Señor morimos. Así pues, sea que vivamos o que muramos, del Señor somos.
Romanos 14:8

Jesús le dijo: "Amarás al Señor tu Dios con todo tu corazón, con toda tu alma y con toda tu mente."
Mateo 22:37

Confía en Jehová con todo tu corazón y no te apoyes en tu propia prudencia.
Proverbios 3:5

Reconocer a Dios como un nombre que responde a toda necesidad

Pocos días antes de tener esa conversación con Terry y encontrarme con su pastor, me desperté en medio de la noche ahogada en llanto y respirando con dificultad. Me invadían sentimientos de una desesperada soledad, como los de estar perdida en la oscuridad cuando era niña, y tenía la sensación de una agobiante presencia mortal y abrumadora en la habitación. Me senté de un salto, pero para mi alivio estaba a salvo en mi cama.

"Gracias a Dios que no es real", exclamé para mis adentros mientras me frotaba la cara para ahuyentar los recuerdos de una pesadilla que me era demasiado familiar.

Parte del tormento emocional de los años anteriores a conocer al Señor eran los sueños recurrentes tan vívidos que, cuando me despertaba, me llevaba tiempo definir qué era real y qué no. En esos aterradores sueños, yo estaba en una habitación grande, oscura y vacía que iba aumentando de tamaño hasta que me sentía hundida en un terror paralizante. La opresiva desesperación que me provocaban esas pesadillas se hizo tan intensa que terminé sintiéndola también durante el día.

Cuando hablé con Terry lo que me ocurría, ella me dio un consejo que en ese momento me pareció extraño.

—Cuando te ocurra eso —me indicó—, di el nombre de Jesús una y otra vez, tu miedo se irá.

—¿Solo eso? —contesté, dudando, pero dispuesta a hacer cualquier cosa que pudiera ayudar. Nunca habíamos hablado sobre el Señor y esa sugerencia parecía extraña.

No volví a pensar en esa conversación hasta la próxima vez que me desperté en medio de una pesadilla e inmediatamente recordé el consejo de Terry.

—Jesús —susurré mientras trataba de respirar—. ¡Jesús! —llamé más fuerte y contuve el aire por un momento—. Jesús, Jesús, Jesús —dije una y otra vez, como si me aferrara a la vida con ese nombre. En pocos minutos el temor desapareció.

Es como ella me dijo, pensé sorprendida mientras me acomodaba en la cama para seguir durmiendo.

Esa fue mi primera experiencia con el poder del nombre de Jesús y nunca la he olvidado. Si su nombre tuvo tanto efecto sobre el reino de la oscuridad para alguien que ni siquiera estaba familiarizada con él, imagina el poder de su nombre para quienes lo conocen y lo aman.

Un nombre para todas las épocas

Algunas garantías y recompensas son inherentes al simple hecho de reconocer el nombre de Jesús. Por ejemplo, la Biblia dice:

Fuerte torre es el nombre de Jehová; a ella corre el justo y se siente seguro. (Proverbios 18:10)

Hay una cobertura de protección sobre cualquiera que invoca el nombre del Señor. Es por eso que el decir su nombre una y otra vez, no como un recitado mecánico sino clamando por su ayuda, permitió que su reino influyera sobre mi vida. Es verdad que hasta ese momento no había recibido a Jesús como Salvador, pero Dios me estaba atrayendo hacia él como lo demostraron los hechos algunas semanas después.

El Señor tiene muchos nombres en la Biblia, y cada uno expresa un aspecto de su naturaleza o alguno de sus atributos. Cuando lo reconocemos en esos nombres lo estamos invitando a ser eso con nosotros. Por ejemplo, la palabra sanidad. Cuando decimos "Jesús, tú eres mi sanador" y lo hacemos con fe, ese atributo afecta nuestra vida.

Una de las razones por las que no tenemos la plenitud, la satisfacción y la paz que deseamos es que no hemos reconocido a Dios como la respuesta a todas nuestras necesidades. "Tal vez me dio vida eterna, pero no sé si podría manejar mis problemas financieros", decimos. O pensamos: "Sé que puede guiarme a encontrar un trabajo mejor, pero no creo que pueda arreglar mi matrimonio". "Me sanó la espalda pero no sé si podría quitarme la depresión". La verdad es que Dios es *todo* lo que necesitamos y debemos recordarlo siempre. Es bueno repetirnos cada día: "Dios es todo lo que necesito", y luego invocar el nombre del Señor para que responda a la necesidad específica de ese momento.

¿Necesitas tener esperanza? Dios se llama esperanza. Di: "Jesús, eres mi esperanza".

¿Estás débil? Dios se llama fortalecedor. Di "Jesús, eres mi fortalecedor".

¿Necesitas consejo? Él se llama consejero. Di "Jesús, eres mi consejero".

Treinta atributos del Señor

Es mi confortador (Salmo 23:3)
Es mi consolador (Juan 14:16)
Es mi fortaleza (Isaías 12:2, NVI)
Es mi redentor (Isaías 59:20)
Es mi esperanza (Salmo 71:5)
Es mi paciencia (Romanos 15:5)
Es la verdad (Juan 14:6)
Es mi lugar de reposo (Jeremías 50:6)
Es el vencedor (Juan 16:33)
Es mi luz (Juan 8:12)
Es poder de Dios (1 Corintios 1:24)
Es mi pan de vida (Juan 6:35)
Es mi fortaleza (Salmo 18:2)
Es mi resguardo contra la tormenta (Isaías 25:4, NVI)
Es mi Padre eterno (Isaías 9:6)
Es el autor de mi fe (Hebreos 12:2)
Es mi libertador (Salmo 70:5)
Es mi consejero (Salmo 16:7)
Es mi paz (Efesios 2:14)
Es mi recompensa (Hebreos 11:6)
Es mi salud (Malaquías 4:2, NVI)
Es mi escudo (Salmo 33:20)
Es mi sabiduría de Dios (1 Corintios 1:24)
Es mi purificador (Malaquías 3:3, NVI)
Es mi refugio (Salmo 32:7)
Es mi sombra contra el calor (Isaías 25:4)
Es mi refinador (Malaquías 3:3, NVI)
Es mi resurrección (Juan 11:25)
Es el que levanta mi cabeza (Salmo 3:3)
Es mi fortaleza en el día de la angustia (Nahúm 1:7)

¿Te sientes oprimido? Él se llama liberador.

¿Estás solo? Dios se llama amigo y compañía.

Su nombre también es Emanuel, que significa Dios con nosotros. No es un ser frío, distante, al que no le interesamos. Es Emanuel, el Dios que está contigo en la medida que lo reconoces en tu vida.

He descubierto treinta nombres del Señor en la Biblia que sin ninguna duda serán útiles para quienes necesitan restauración emocional (pág. 47). Hay un nombre que responde a cualquier necesidad en tu vida, incluso si no lo he mencionado aquí.

Repasa la lista, recordando que Dios quiere ser todas esas cosas para ti. Agrega las palabras "Él es mi. . ." antes de cada nombre. O elige un nombre que se aplique a tus necesidades y agradece a Dios con frecuencia por ser eso para ti. Reconocer que él es todo eso es el primer paso hacia el cumplimiento de su atributo en tu vida. Ten en mente que todo lo referente a su personalidad es más fuerte que todo lo negativo en la tuya.

Desarrollar más la relación

Otra buena razón para reconocer el nombre del Señor es que Jesús dijo que si lo reconocemos, él nos reconocerá a nosotros. Y además la intimidad con él crece en la medida en que lo hace nuestro reconocimiento.

Cuando me encerraban durante horas en el armario me sentía desolada y asustada. "Se han olvidado de mí", decía llorando, "nadie recuerda que estoy aquí". A raíz de esa experiencia más adelante tenía miedo que Dios también me olvidara. El rey David dijo en la Biblia:

> Mira a mi diestra y observa, pues no hay quien quiera conocer. ¡No tengo refugio ni hay quien cuide de mi vida! (Salmo 142:4)

Así me sentía yo.

Las personas marcadas por el sufrimiento emocional con frecuencia sienten que nadie sabe ni le importa lo que son. Pero Dios sí sabe y sí se preocupa. Una pregunta común que hacen las personas que han sido abusadas es: "¿Dónde estaba Dios en ese momento?". La respuesta es que Dios está donde se le pide que esté. Él sabía y se preocupaba cuando yo estaba encerrada en el armario. Pero no fue hasta varios años después, cuando se lo pedí, que me liberó y me sanó de los efectos. Hubiera sido antes si yo lo hubiera reconocido y hecho Señor de mi vida antes. No importa quién nos haya abandonado o fallado de alguna forma en el pasado, el Señor siempre estará ahí para nosotros hoy. La Biblia dice:

> Aunque mi padre y mi madre me dejen,
> con todo, Jehová me recogerá. (Salmo 27:10)

Dios nunca se olvidará de nosotros.

Jesús dijo que cuando conocemos la verdad, esta nos hará libres. Siempre pensé que eso significaba saber la verdad sobre una situación, pero en realidad significa conocer la verdad de Dios en cualquier situación. Y nuestros ojos jamás se abrirán a su verdad hasta que nuestro corazón se abra completamente a él.

Dios es la mente superior que nos creó y nos conoce mejor de lo que jamás podremos conocernos nosotros mismos. Su poder está de nuestra parte y nos ama hasta lo imposible. Sin él no tendremos verdadera sanidad en nuestra vida, y nunca aflorarán aquellas cosas que necesitan ser trabajadas. Reconocer a Dios como la respuesta a cada necesidad es la base sobre la que se construye la integridad y el primer paso hacia la salud emocional. Pero hay muchas maneras de hacerlo; si lo quieres, tienes que hacerlo en los términos que él requiere.

Qué dice la Biblia acerca de reconocer a Dios como un nombre que responde a todas las necesidades

Todo aquel que invoque el nombre del Señor, será salvo.
Romanos 10:13

Nuestro socorro está en el nombre de Jehová, que hizo el cielo y la tierra.
Salmo 124:8

Él invocará mi nombre, y yo lo oiré. Yo diré: "Pueblo mío". Él dirá: "Jehová es mi Dios".
Zacarías 13:9

Por eso Dios también lo exaltó sobre todas las cosas y le dio un nombre que es sobre todo nombre.
Filipenses 2:9

A cualquiera que me reconozca delante de los demás, yo también lo reconoceré delante de mi Padre que está en el cielo.
Mateo 10:32, NVI

Capítulo 3

Segundo Paso: Establecer una base

"Continúo sobre terreno movedizo", me dije a mí misma mientras conducía hacia la iglesia un domingo por la mañana, aproximadamente un año después de conocer al Señor. Aunque había mejorado mucho, seguía con esa intranquila sensación de que en cualquier momento podía perder la estabilidad que había ganado. Temía que esa esperanza para el futuro que había vislumbrado terminara en la nada.

Era evidente que había progresado algo desde aquel día de octubre cuando me encontré con Terry y el pastor Jack. Después de todo, al comienzo de mi relación con el Señor, ni siquiera era constante en mi asistencia a la iglesia. Durante meses Terry y su esposo me despertaban los domingos por la mañana con un llamado telefónico y pasaban a buscarme porque sabían que no tenía las fuerzas suficientes para ir por mi cuenta. Cuando ya no me llevaron más, mi asistencia fue esporádica por un tiempo hasta que decidí ir con regularidad a la iglesia aunque nadie me buscara. Ahora, mientras conducía hacia allí por quinto domingo consecutivo, reflexioné en lo que estaba aprendiendo.

Había escuchado al pastor Jack predicar todas las semanas acerca de "avanzar con el Señor", y por fin comenzaba a registrarlo. Cada vez que lo decía, recorría la congregación con el brazo como un pastor que lleva a sus ovejas en cierta dirección. Esa mañana, cuando el pastor repitió ese gesto, *comprendí que uno no se queda en el mismo lugar una vez que conoce al Señor, hay que comenzar a crecer*, comprendí.

Pensaba que después de recibir a Jesús, eso era todo. Se acabaron los problemas. Pero estaba descubriendo que la cosa no era así. La verdad es que me había abierto paso hacia la eternidad, hacia la vida después de la muerte. Pero mi vida aquí en la tierra todavía necesitaba cambios. Tenía que hacer algunas cosas diariamente para sostener esa vida y alcanzar la salud espiritual y emocional. ¡Qué descubrimiento! Como había luchado por mi buen estado físico y por el cuidado corporal adecuado durante muchos años, rápidamente lo relacioné con esa disciplina: hacer algo bueno por uno mismo, aunque *no sienta en absoluto* ganas de hacerlo, con la meta de gozar de buena salud y bienestar. Comencé a comprender que así como el cuerpo necesita ser alimentado, ejercitado y limpiado, el espíritu y el alma necesitan ser renovados y reabastecidos.

No tengo bases lo suficientemente firmes, pensé en la iglesia esa mañana. *Por eso que paso por momentos de duda y siento como si estuviera sobre terreno movedizo. Dios, muéstrame cómo afirmar mi relación contigo para que se refuercen los cimientos.*

Durante los ocho meses siguientes descubrí cinco elementos clave que nos permiten reforzar nuestra relación con Dios, destrabar cualquier nudo emocional escondido y construir una base inquebrantable sobre la cual construir la integridad emocional. Estas cinco rocas para la construcción espiritual son: la Palabra de Dios, la oración, la alabanza, la confesión y el continuo perdón. A medida que estos cinco pasos se transforman *en una forma de vida, el proceso de sanidad será más rápido y más profundo*. Si descuidamos uno solo de ellos, terminaremos con fisuras en nuestra base.

Algunas personas "se las arreglan" sin hacer nada de eso, pero yo no tenía interés en "arreglármelas". Lo había estado haciendo durante años. Quería ser restaurada y estar sana. Para eso tenía que alimentar mi relación con Dios y pasar tiempo de calidad en su presencia. Esta clave —su presencia— es el fundamento de la salud emocional.

Qué dice la Biblia acerca de Establecer una base

Nadie puede poner otro fundamento que el que está puesto, el cual es Jesucristo.
1 Corintios 3:11

Andad en él, arraigados y sobreedificados en él y confirmados en la fe, así como habéis sido enseñados, abundando en acciones de gracias.
Colosenses 2:7

Como pasa el torbellino, así el malo no permanece, mas el justo permanece para siempre.
Proverbios 10:25

A cualquiera, pues, que me oye estas palabras y las pone en práctica, lo compararé a un hombre prudente que edificó su casa sobre la roca.
Mateo 7:24

Pero el fundamento de Dios está firme, teniendo este sello: "Conoce el Señor a los que son suyos" y "Apártese de maldad todo aquel que invoca el nombre de Cristo".
2 Timoteo 2:19

Establecer una base sobre la Palabra de Dios

El pastor Jack nos pidió que trajéramos nuestra propia Biblia, ¿y ahora nos pide que la leamos nosotros?, pensé con asombro cuando nos invitaba una vez más a "avanzar", ahora sobre la Palabra de Dios. Había comprado una Biblia con una traducción que yo pudiera entender, como había dicho el pastor, pero creía que él nos enseñaría sobre la Biblia y nosotros lo seguiríamos.

Había renunciado a leer la Biblia algunos años atrás después de varios intentos con la consiguiente frustración y desaliento. El lenguaje era tan extraño que no lograba entender nada. Pero el pastor Jack hablaba sobre las Escrituras con asombrosa claridad, y yo me aferraba a cada palabra. Era como mirar una película que reflejaba mi propia vida de una manera que pronto me sentí en medio de la acción.

¿Podría ser, que sintiera lo mismo al leer la Biblia sola en casa? La mañana siguiente comencé a leer los Salmos y los Proverbios, que tenían capítulos cortos y parecían lo suficientemente seguros como para abordar por mi cuenta. Durante las semanas que siguieron incursioné en los Evangelios de Mateo, Marcos, Lucas y Juan. Me sorprendió la forma en que cada palabra adquiría vida con un nuevo significado. Pronto tenía tal necesidad de conocer toda la historia que comencé por el principio de la Biblia y seguí leyendo hasta el final. Cuando terminé, meses más tarde, sentía como si conociera el alma del Autor, y mi vida había cambiado.

A medida que leía con cierta fidelidad cada día, noté avances concretos e innegables. Por ejemplo, había estado experimentado dificultad para pensar con claridad, y después de leer la Biblia observé que tenía una claridad mental notable. Me di cuenta de que era beneficioso leer antes que hacer otra cosa por la mañana, porque encaminaba mi mente y mi corazón en la dirección correcta para el día. Y si además leía la Biblia a última hora de la noche me aseguraba dormir sin pesadillas, que habían sido mi problema siempre.

Poco a poco, la Biblia se convirtió en la voz de Dios a mi oído. Cuando escuchaba ciertas palabras antiguas y conocidas en mi mente, como: *No vales nada. Nunca servirás para nada. ¿Para qué intentar?*, también escuchaba las palabras de Dios que decían: *Estás hecha de manera formidable y maravillosa. Te levantaré de las puertas de la muerte. Te bendeciré si pones la confianza en mí* (Salmo 139:14, Salmo 9:13, Salmo 2:12).

Cuanto más leía, más veía que las leyes de Dios eran buenas. Existían para mi beneficio, y podía confiar en ellas. Comprendí que la conciencia no es un indicador adecuado del bien o del mal. Pude ver que en realidad las cosas se podían juzgar buenas o malas solo a la luz de la Palabra de Dios. Esas pautas, en lugar de restringirme, me liberaban.

Incluso cuando la Palabra de Dios no decía específicamente que esto estaba mal o esto estaba bien, mi espíritu se puso tan en línea con el de Dios que podía percibir cuando un pensamiento o una acción eran buenos. Por ejemplo, aunque la Biblia no decía que estaba mal emborracharse, ya no sentía que fuera una buena idea beber alcohol para sentirme "relajada", especialmente por mi historia de abuso de alcohol y de drogas. Además, me sentía mucho mejor al estar en la presencia de Dios de lo que podía lograr de otros medios. Este fue solo uno de los muchos indicadores de la madurez e integridad emocional que se estaban generando en mi alma, y la base estaba en la Palabra de Dios.

¿Qué? ¿Leer, yo?

Tal vez estés pensando: No tengo el tiempo que requiere leer la Biblia todos los días. Puedo asegurarte que cualquiera que tiene heridas emocionales profundas no puede dejar pasar un día sin apropiarse por lo menos unos pocos versículos de la Palabra para su mente y su corazón. Esto no significa que leer la Palabra sanará instantáneamente las heridas. Puede o no puede ocurrir. Pero siempre creará un clima positivo en tu espíritu y tu alma que dará lugar para que ocurra la sanidad.

Buenas relaciones, buena salud, hacer bien lo que se hace... todo requiere algún sacrificio, algo de disciplina, cierta incomodidad y hasta un poco de dolor. La salud emocional también. Leer la Palabra de Dios tiene que convertirse en una disciplina diaria porque necesitamos tener una sólida comprensión de cómo quiere Dios que vivamos. La Biblia dice: "No solo de pan vivirá el hombre, sino de toda palabra que sale de la boca de Dios" (Mateo 4:4). Alimentarse regularmente de la Palabra de Dios satisface el hambre de nuestra alma y nos previene del agotamiento emocional y de la desnutrición espiritual.

Tal vez, como yo, en algún momento te preguntes: *¿Cómo puedo estar segura de que la Biblia es realmente la Palabra de Dios?* Respondo a esa pregunta haciendo otra: ¿Cómo puedes asegurar que no lo es? La única manera segura de conocer bien un libro es leerlo de punta a punta. No se puede juzgar al Autor a menos que se haya leído el libro.

No permitas que otras personas te digan lo que dice la Palabra de Dios (ni siquiera si son grandes maestros de la Biblia, como el pastor Jack). Léela por ti misma, y ten siempre presente que fue escrita para ti. Levántate temprano para leer la Biblia, a la mañana si es posible, para definir el tono del día. Si no puedes hacerlo en ese momento, decide cuándo lo harás. ¿A media mañana? ¿A la hora del almuerzo? ¿Después del almuerzo? ¿Antes de ir a dormir? Haz de ello una cita con Dios y anótalo en una agenda. Si fuera necesario, enciérrate en el cuarto de baño a leer.

Si la Biblia que tienes es difícil de entender, entonces busca otra traducción. En este libro uso la versión Reina Valera y la Nueva Versión Internacional; otras versiones, como la Biblia de las Américas, la versión Dios Habla Hoy, o la Traducción en Lenguaje Actual, también son fáciles de leer. Si no puedes comprar una buena traducción, entonces pide alguna prestada. Atrévete a pedir una en la iglesia o al pastor. En todo el mundo hay personas que están más que dispuestas a darte una Biblia si solamente se la pides.

¿Y si estoy sufriendo?

Durante mi lucha contra el temor y la depresión, me sentaba a leer la Biblia tan agotada, tan atontada o tan preocupada por mi estado mental que apenas podía comprender las palabras. No me

Quince razones para leer la Biblia diariamente

Para librarse de la ansiedad y tener paz (Salmo 119:165)
Para poner las cosas en orden cuando la vida parece fuera de control (Salmo 19:7–8)
Para tener guía y dirección (Salmo 119:105)
Para experimentar sanidad y liberación (Salmo 107:20)
Para crecer en el Señor (1 Pedro 2:2)
Para tener fuerzas, consuelo y esperanzas (Salmos 119:28, 50, 114)
Para ordenarse correctamente uno mismo y a la vida (Salmo 119:11)
Para poder ver con claridad (Salmo 119:130)
Para entender lo que pasa en el corazón (Hebreos 4:12)
Para generar fe (Romanos 10:17)
Para tener gozo (Salmo 19:8)
Para entender el poder de Dios (Juan 1:1)
Para tener más vida en esta vida (Salmo 119:50)
Para distinguir el bien del mal (Salmo 119:101–102)
Para entender el amor de Dios por nosotros (Juan 1:14)

sentía cerca de Dios, y además me parecía inútil creer que él pudiera cambiar mi vida de una forma permanente. A pesar de eso, a medida que leía me sorprendía ver cómo desaparecían esas emociones negativas. Tal vez no hubiera podido aprobar un examen en la clase de estudio bíblico, pero me sentía renovada, fortalecida y con esperanzas.

Cuando te sientas confundida, temerosa, deprimida o ansiosa, toma la Biblia y di: "Este libro está de mi lado. Mi alma está hambrienta y esto es alimento para mi espíritu. Quiero hacer lo bueno, y leer la Biblia siempre es bueno. Señor, te doy gracias por tu Palabra. Revélate a mí mientras la leo, y haz que cobre vida en mi corazón y en mi mente. Muéstrame lo que debo saber para mi vida hoy. Que tu Palabra rompa cualquier barrera que me esté impidiendo recibirla". Luego comienza a leer hasta que sientas que llega la paz a tu corazón.

Aunque la Biblia se escribió para darnos conocimiento de Dios, hace falta el Espíritu Santo para que determinado versículo cobre vida en tu corazón. Cuando eso ocurre tómalo como si Dios te estuviera hablando directamente con palabras de consuelo, esperanza y guía. La Biblia dice: "Las cosas que se escribieron antes, para nuestra enseñanza se escribieron, a fin de que, por la paciencia y la consolación de las Escrituras, tengamos esperanza" (Romanos 15:4).

Si a pesar de leer no sientes en tu vida los efectos que he enumerado en la página anterior, entonces probablemente necesitas liberación. Puede haber una nube de ataduras y de opresión entre la Palabra de Dios y tu corazón. Puede haber grandes fortalezas de resentimiento, temor, dudas, pensamientos suicidas, amargura o desobediencia que te separan de lo que Dios tiene para ti. En el capítulo 5 entraré en detalle sobre eso. Por ahora, continúa leyendo la Palabra de Dios porque algo de su naturaleza se irá abriendo paso hasta tu espíritu, lo sientas o no en el momento.

¡Ya sé todo eso!

No digas "Ya he leído toda la Biblia. He aprendido de memoria muchos pasajes, hasta doy clases bíblicas, no necesito leerla todos los días". Es peligroso pensar así. Cada vez que comes o bebes agua no dices "No tendré que volver a hacerlo", ¿verdad? Claro que no. Tu cuerpo tiene que recibir alimento a diario. Lo mismo vale para tu ser espiritual y emocional. Y como hoy no somos la misma persona que ayer, recibimos la Palabra de Dios de una manera diferente y nueva cada día. Si has leído tu Biblia muchas veces, cómprate una nueva traducción y vuelve a leerla. Te sorprenderás de ver lo fresca y nueva que te resulta la Palabra de Dios.

Algunas personas rechazan la Palabra de Dios, porque viven de una manera que se opone al designio de Dios. Creen que lo saben todo y que no necesitan de su verdad. No obstante, si observas durante un tiempo, verás que finalmente se destruyen a sí mismas. Al principio parece que funcionara, pero no te engañes pensando que siempre lo hará. Cualquiera que rechaza la Palabra de Dios terminará perdiendo. También perdemos parte de nuestro escudo protector cuando conocemos la Palabra de verdad pero no le damos la oportunidad de calar en nuestra vida de formas nuevas y distintas.

Te ayudará tener en mente que la Biblia es la carta de Dios para ti. Cuando recibimos cartas de alguien a quien amamos, no las leemos una sola vez y nunca volvemos a mirarlas. Volvemos a leerlas aspirando la esencia de esa persona, mirando entre líneas en busca de algún otro mensaje. Las cartas de amor de Dios para ti están llenas de mensajes. Nos dicen: "Esto muestra lo mucho que te quiero". No dicen: "Estas son las cosas que tienes que hacer para conseguir que te quiera". La Biblia no es un compendio de información, es un libro de vida. No hay que leerla como un rito ni por temor a que ocurra algo malo si no lo haces. Hay que leerla para que Dios pueda construirte con amor desde adentro hacia fuera, y grabar su carácter en tu corazón para que nada pueda alejarte de su presencia.

QUÉ DICE LA BIBLIA ACERCA DE LA PALABRA DE DIOS

Si permanecéis en mí y mis palabras permanecen en vosotros, pedid todo lo que queráis y os será hecho.
Juan 15:7

La palabra de Dios es viva, eficaz y más cortante que toda espada de dos filos: penetra hasta partir el alma y el espíritu, las coyunturas y los tuétanos, y discierne los pensamientos y las intenciones del corazón.
Hebreos 4:12

Envió su palabra y los sanó; los libró de su ruina.
Salmo 107:20

La ley de Jehová es perfecta: convierte el alma; el testimonio de Jehová es fiel: hace sabio al sencillo. Los mandamientos de Jehová son rectos: alegran el corazón; el precepto de Jehová es puro: alumbra los ojos.
Salmo 19:7–8

La hierba se seca y se marchita la flor, mas la palabra del Dios nuestro permanece para siempre.
Isaías 40:8

ESTABLECER UNA BASE SOBRE LA ORACIÓN

Durante los dos primeros años que caminé con el Señor mis oraciones eran más o menos así:

- Dios, ayúdame a obtener ese trabajo.
- Jesús, por favor sáname la garganta.
- Señor, envía el dinero suficiente para pagar las cuentas.
- Padre, quítame este miedo.

Me llevó tiempo comprender que esas oraciones no lograban gran cosa. Supongo que la idea era hacer todo lo posible por mi cuenta y luego, si necesitaba una cuerda de salvamento de Dios, la pedía. El único problema era que necesitaba la cuerda cada minuto.

Me gustaba el versículo que dice "Pedid, y se os dará; buscad, y hallaréis; llamad, y se os abrirá" (Mateo 7:7). Tomaba a Dios al pie de la letra y me encontraba pidiendo, buscando y llamando, al estilo "aproveche el tiempo mientras conduces". También tomaba en serio el pasaje que dice: "No tenéis lo que deseáis, porque no pedís" (Santiago 4:2). *¡Fantástico! Eso es fácil*, pensé, y comencé a pedir de todo. Pero no me sentía tranquila y tampoco veía el tipo de respuestas que esperaba.

Un día estaba leyendo ese mismo pasaje y mis ojos enfocaron en el siguiente versículo: "Pedís, y no recibís, porque pedís mal, para gastar en vuestros deleites" (Santiago 4:3). ¿Sería que el tipo de oración "Dios dame esto, haz aquello, agita tu varita mágica aquí, sácame de este lío" no era lo que Dios quería para mi vida de oración? Completamente frustrada, dije: "Señor, enséñame a orar".

¡Y eso fue lo que hizo!

Comprendí que orar no es simplemente pedir cosas, aunque es cierto que también se trata de eso. Pero mucho más importante es hablar con Dios. Es acercarse y pasar tiempo con la persona amada. Es buscarlo primero a él, intimar, conocerlo mejor, estar con él, y esperar en su presencia. Es reconocerlo como la fuente de poder de la que uno depende. Es tomarse el tiempo para decir *Háblame al corazón, Señor, y dime lo que necesito oír*.

Cuando descubrí el pasaje que dice "vuestro Padre sabe de qué cosas tenéis necesidad antes que vosotros le pidáis" (Mateo 6:8), me sentí desconcertada.

—Si Dios ya sabe lo que necesito, ¿por qué tengo que pedírselo? —pregunté al pastor Jack.

En su habitual forma clara me explicó:

—Porque Dios nos ha dado una voluntad libre. Ha hecho las cosas de manera que siempre tengamos posibilidad de decidir sobre todo lo que hacemos, aun si queremos o no comunicarnos con él. Dios nunca interviene si no queremos que lo haga.

¡Claro! Pensé. *Dios quiere que decidamos estar con él. No hay relación de amor si una persona define lo que la otra debe pensar, sentir y hacer.*

—Dios conoce nuestros pensamientos —continuó el pastor Jack—, pero responde a nuestras oraciones. Debemos reconocer que orar es un privilegio que siempre está a nuestra disposición. Pero el *poder* en la oración pertenece a *Dios. Sin él, nada podemos hacer. Sin nosotros, Dios no lo hará.*

Eso me dio una nueva luz. Las cosas que deseaba en mi vida no ocurrirían a menos que orara. Pero ya no oraba solamente pidiendo cosas, sino que trabajaba junto con Dios. Estaba alineando mi espíritu con el de él, y juntos nos ocuparíamos de que se cumpliera su perfecta voluntad.

Un ejemplo significativo de esto fue mi oración pidiendo un esposo. Después del fracaso de mi primer matrimonio, tenía serias dudas de que alguna vez pudiera estar felizmente casada. Sin embargo, eso era lo que más anhelaba.

¿Habrá alguien con quien pueda compartir la vida?, me preguntaba. *¿Alguien a quien amar sin ser rechazada? ¿Alguien que ame a Dios y me ame a mí y sea fiel a ambos?*

Hacía solo dos años que había conocido al Señor cuando comencé a salir con Michael Omartian, y tenía un miedo enorme de volver a equivocarme. Pero Dios me había enseñado a orar por estas cuestiones y eso fue lo que hice.

"Señor, te doy gracias por Michael", oraba todos los días. "Pero si no es el esposo que tienes para mí, apártalo de mi vida. Cierra la puerta de nuestra relación. No quiero volver a vivir a mi manera. Quiero que se cumpla tu voluntad en mi vida. Te busco a ti primero, segura de que proveerás todo lo que necesito.

Cuanto más repetía esa oración, más nos acercábamos Michael y yo hasta que finalmente ambos estuvimos decididos a compartir la vida. Ahora, después de dieciocho años de matrimonio, ninguno de los dos teme haberse equivocado de persona, ni siquiera en los momentos más difíciles. Eso se debe a que nuestra relación estuvo cubierta por Dios y entregada a Él desde el comienzo. Estar en la presencia del Señor con el corazón dispuesto a los cambios nos permitió seguir creciendo juntos, en lugar de estancarnos. La oración y nuestro compromiso de hacer las cosas según la voluntad de Dios nos han hecho descartar el divorcio cuando nuestra vieja naturaleza le hubiera dado la bienvenida en los momentos de debilidad.

Desde algo tan importante como casarse con la persona indicada hasta un asunto menor como preparar una comida (que se vuelve importante para alguien con daño emocional), todo lo que hacía lo cubría de oración. Poco a poco comenzó a cambiar la estructura de mi vida, y fui alcanzando la plenitud a medida que las células dañadas se iban restaurando en respuesta a un ungüento sanador.

Cómo orar con eficacia

Sabemos que los amigos se pueden distanciar emocionalmente cuando dejan de verse y comunicarse con frecuencia. Bueno, ocurre lo mismo entre tú y Dios. Si no te mantienes en contacto con él, comienzas a sentirte distanciada de él incluso aunque no lo estés. Por eso es necesario orar diariamente. Además, cuando uno pasa tiempo con alguien a quien respeta, termina contagiándose algo de su carácter. Cuando pasamos tiempo en la presencia de Dios, su carácter se va formando en uno.

QUINCE RAZONES PARA ADORAR

Para buscar el rostro del Señor y conocerlo mejor (Salmos 27:8)
Para dejar de concentrarte en tus problemas, y hacerlo en el Señor (Salmos 121:1)
Para hablarle a Dios (1 Pedro 3:12)
Para aliviar tu corazón (Salmos 142:1–2)
Para presentar tus peticiones a Dios (Mateo 21:22)
Para escuchar a Dios (Proverbios 8:34)
Para dejar de sufrir (Santiago 5:13)
Para resistir a la tentación (Mateo 26:41)
Para ser rescatado de la angustia (Salmos 107:19)
Para recibir la recompensa de Dios (Mateo 6:6)
Para resistir al mal (Efesios 6:13)
Para sentir gozo (Juan 16:24)
Para acercarnos a Dios (Isaías 64:7)
Para recibir sanidad emocional (Santiago 5:13)
Para tener paz (Filipenses 4:6–7)

Las personas con daño emocional severo son particularmente vulnerables a los ataques que el enemigo lanza contra su autoestima. Caen con facilidad en la desesperación, y sentirse alejados de Dios termina por derrumbarlos. Por eso es importante comenzar el día con oración. Tenemos que estar convencidos de que nosotros y nuestra vida están conectados con Dios.

No podemos recibir lo mejor de Dios para nuestra vida, ni hacer desaparecer aquellas cosas que no formaban parte de su propósito para nosotros, salvo por medio de la oración. Tenemos que recordar las muchas razones para orar (ver pág. 64) y hacernos el hábito de no dejar la oración como último recurso. No podemos dejar nuestra vida librada a la suerte. Debemos orar por todo y en todo momento. Tenemos que orar por todo lo que tiene que ver con nosotros, no importa cuán grande sea: "nada hay imposible para Dios" (Lucas 1:37), o cuán pequeño: "aun vuestros cabellos están todos contados" (Mateo 10:30).

Haz todo lo necesario para asegurar un lugar y un tiempo para orar. Cuando era soltera y durante los primeros años de matrimonio, eso no era un problema. Pero después del nacimiento de nuestro primer hijo se hizo mucho más difícil. Cuando llegó nuestro segundo hijo la única manera de pasar un momento con Dios era levantándome a las 5.30 a.m. El único lugar al que podía ir a esa hora sin perturbar a nadie era un pequeño vestidor en el baño principal. ¡Qué contraste con mis primeros años, cuando me encerraban en el armario como castigo! Ahora entraba en un lugar así para estar en comunión con Dios. Eso anduvo bien por un tiempo, hasta que me descubrieron. Primero me visitaba mi hija de dieciocho meses que había aprendido a salir de su cuna y venía a buscarme. Pronto la siguió su hermano de seis años. Una mañana, cuando ambos, además de mi esposo, dos perros y varios hámsters aparecieron en el vestidor, comprendí que era hora de levantarme más temprano o de encontrar un nuevo lugar. A veces tenemos que revisar nuestros planes, pero asegurar un lugar para estar a solas con Dios vale cualquier esfuerzo.

Sin reducir la oración a una fórmula, encontré que es bueno incluir ciertos puntos básicos:

- Decirle a Dios cuánto lo amas.
- Agradecerle por todo lo que ha hecho por ti.
- Declarar tu dependencia de él.
- Expresarle todo lo que está en tu corazón.
- Confesar lo que tengas que confesar.
- Presentarle tus pedidos.
- Esperar a que él hable a tu corazón.
- Alabarlo por su obra poderosa en tu vida.

Nunca te sientas inhibida por creer que no puedes orar. Si puedes hablar, puedes orar. Y no te preocupes por la jerga de oración, la jerga de iglesia o la jerga cristiana. La Biblia nos dice cuál es el único requisito: "Es necesario que el que se acerca a Dios crea que él existe y que recompensa a los que lo buscan" (Hebreos 11:6).

Cuanto más ores, más descubrirás para qué orar, y más serás guiada a orar por otros: miembros de la familia, amigos, enemigos, y quienes tienen autoridad en cualquier esfera de tu vida (pastor, maestro, jefe, gobernador, presidente). Orarás por ellos no solamente porque tienen influencia en tu salud emocional y porque parte de la paz que experimentas depende de eso, sino también porque Jesús te ordenó que lo hicieras.

¿Y si Dios no escucha?

Nunca puedes quedar descalificada para orar, de modo que no te dejes desalentar por pensamientos negativos tales como:

- *No eres lo suficientemente buena como para presentarte ante el trono de Dios.*
- *Has vuelto a fallar, entonces no vengas a Dios llorando otra vez.*

¡Mentiras, mentiras, mentiras! No las escuches. Piensa en un Padre que nunca se queda trabajando hasta tarde, que nunca te rechaza, que nunca está demasiado ocupado y que siempre está a la espera de que vengas a hablar con él. Y aunque tienes muchas hermanas y hermanos, no tienes que competir con ellos porque él no tiene preferidos. Sé que es difícil recibir ese tipo de amor si no fuiste amada así de niña, pero es así como tu Padre celestial está disponible para ti. Como lo resume el pastor Jack Hayford: "Tu Padre celestial está interesado en ti, ¡llámalo!".

No permitas que el desaliento por una oración sin respuesta te haga dudar de que Dios te escucha. Si has recibido a Jesús y estás orando en su nombre, entonces Dios te escucha, y algo está pasando, ya sea que se manifieste en tu vida ahora o no. En realidad, cada vez que oras, estás haciendo avanzar los propósitos de Dios para ti. Sin oración, no se puede cumplir plenamente el propósito completo de Dios para ti.

Poder en números

Es importante entender que la restauración emocional depende de dos tipos de oración. Una es la oración íntima a solas con Dios. La otra es la oración en conjunto con otros creyentes: orar unos por otros. La batalla contra el mal y por alejar el infierno de nuestra vida se vuelve demasiado abrumadora para pelearla solo. Necesitamos que otros oren con nosotros para darnos fuerza, ayudarnos a pensar de manera adecuada y levantar la vista por encima de nuestras circunstancias.

La Biblia dice: "Porque donde están dos o tres congregados en mi nombre, allí estoy yo en medio de ellos" (Mateo 18:20) Hay poder cuando dos o más personas oran juntas, porque la presencia de Dios los asiste. Es una de sus promesas, y cuando Dios promete algo, no intenta cumplir sus promesas como lo hacemos tú y yo; las cumple. Tener uno o dos compañeros de oración es especialmente importante para cualquiera que sale de un trasfondo de profundas heridas emocionales. No creo que se pueda encontrar el grado de restauración que se necesita si no se cuenta con otros que apoyen en oración.

Diana, mi mejor amiga desde la escuela secundaria, conoció al Señor un año después que yo y comenzó a asistir a la misma iglesia. Como teníamos situaciones similares de familias disfuncionales, entendíamos nuestras necesidades de oración y tomamos la costumbre de orar juntas por teléfono varias veces por semana. En cada período de desaliento, en cada decisión difícil, nuestras oraciones fueron decisivas en el crecimiento espiritual y la sanidad emocional. Descubrí que solo se puede orar hasta cierto punto por uno mismo, sin aburrirse ni frustrarse por estar tan cerca de la propia situación. En realidad era más fácil orar por ella que por mí, porque no había límite a las posibilidades que yo veía para ella.

Con el tiempo mis compañeros de oración pasaron de uno a tres, luego a cinco y ahora son siete. Nos encontramos en casa una vez por semana, y también siete matrimonios se reúnen con Michael y conmigo una vez por mes. Con tantas personas unidas en oración unas por otras, siempre hay orando por alguno de nosotros. No puedo imaginarme enfrentando la vida sin ese apoyo.

Tú también necesitas tener con quienes orar, con una frecuencia mensual, semanal o diaria si hiciera falta. Eso funciona en los dos sentidos. *Tú* también tienes que orar por ellos. No tengas miedo, timidez ni dudas de dar ese paso decisivo. Pídele a Dios que te indique por lo menos a una persona y que te dé el valor para preguntarle si quiere orar contigo. Si esa primera persona no puede o no tienen empatía, no te desanimes ni te sientas rechazada; sigue buscando la persona adecuada. Y no dudes de hablar con alguien por temor a que tus oraciones no tengan respuesta, como me sucedió a mí al comienzo. Recuerda que tu responsabilidad es orar; responder a las oraciones es tarea de Dios.

Si tienes la bendición de contar con un cónyuge que estaría dispuesto a orar contigo regularmente, excelente. Pero si tu cónyuge no muestra entusiasmo por la idea, no te enojes ni te fastidies, ni insistas. No nos corresponde establecer cómo deben actuar otras personas, en especial los cónyuges. Déjalo ahí. Tu sanidad, tu integridad o tu felicidad no dependen de ellos. Dependen de Dios. No permitas que la desilusión por la espiritualidad de tu cónyuge afecte tu salud espiritual. Esta es una trampa de Satanás para producir conflictos en el hogar y evitar que recibas todo lo que el Señor tiene para ti.

Ya sea que ores con otros o sola, es útil leer la Palabra de Dios antes de orar porque prepara tu corazón para orar según la voluntad de Dios. Ten papel y lápiz a mano para poder anotar todo lo que el Señor te hable al corazón. Si necesitas aprender a orar más allá de tus capacidades, porque eres débil o porque estás demasiado intranquila o atemorizada, pídele ayuda al Espíritu Santo.

Una vez que hayas orado por algo, déjalo en manos de Dios. Eso no significa que no puedas volver a orar por ello, sino que has dejado la carga a los pies del Señor. Tal vez la respuesta no llegue cómo ni cuándo la esperabas, pero siempre recibirás respuesta. Lo que es más importante, has pasado tiempo en presencia del Señor, y eso es parte de la base de tu recuperación.

QUÉ DICE LA BIBLIA ACERCA DE LA ORACIÓN

La oración eficaz del justo puede mucho.
Santiago 5:16

Y todo lo que pidáis en oración, creyendo, lo recibiréis.
Mateo 21:22

Con mi voz clamaré a Jehová; con mi voz pediré a Jehová misericordia. Delante de él expondré mi queja; delante de él manifestaré mi angustia.
Salmo 142:1-2

¿Está alguno entre vosotros afligido? Haga oración.
Santiago 5:13

Porque los ojos del Señor están sobre los justos, y sus oídos atentos a sus oraciones.
1 Pedro 3:12

ESTABLECER UNA BASE SOBRE LA ALABANZA

—¡No lo puedo hacer! —clamé a Dios en oración poco después de que Michael y yo nos casamos—. No puedo con la vajilla, no puedo con la casa, no puedo con el trabajo, no puedo con la soledad de estar casada con alguien que trabaja todo el día, no puedo con mis altibajos emocionales, ¡mucho menos con los de él!, no puedo hacer todo eso, Dios, ni siquiera una parte.

Lloré ante Dios con una mezcla de frustración y de culpa por sentirme así en relación con mi esposo, con mi casa y con mi vida. Dios me había rescatado del pozo del infierno y de la muerte tres años antes, y me había dado esperanza y futuro. ¿Cómo podía alguien como yo, que sabía lo que era ser pobre y tener hambre y sentir que no había amor ni propósito en la vida, decirle a Dios que ahora no podía arreglármelas con lo que él me había dado como respuesta a mis oraciones?

Afortunadamente, el Señor no me castigó con un rayo; en lugar de eso esperó con paciencia hasta que yo terminé de protestar y luego me recordó: Estás tratando de hacerlo todo con tus propias fuerzas. Sentada ahí, con mi frustración a cuestas, comencé a sentir que el Espíritu Santo hablaba al corazón, y me decía: Lo único que tienes que hacer es alabarme en medio de tu situación, y yo haré el resto.

—Gracias Señor —dije, en medio de las lágrimas—, creo que por lo menos puedo hacer eso.

Levanté las manos y dije en voz alta:

—Señor, te alabo en medio de esta situación. Gracias porque tú eres todopoderoso y nada te es imposible. Gracias por ser quien eres y por todo lo que has hecho por mí. Te alabo Jesús, Dios todopoderoso, Padre santo, Señor de mi vida —a medida que seguí orando y dando gracias a Dios por todo lo que él es, esa sensación de impotencia y de ausencia de control fue disminuyendo—. Señor, te doy mi casa, mi matrimonio, mi esposo y mi trabajo. Son tuyos —dije, y mientras aflojaba los hombros, suspiraba con lágrimas de alivio y desaparecía el nudo del estómago. Ya no sentía esa presión. Ahora la carga era de él. No necesitaba tratar de ser perfecta y tampoco tenía que castigarme cuando no lo lograba.

Desde esa oportunidad, la oración se ha convertido en una actitud habitual de mi corazón, que dice: No importa qué esté ocurriendo conmigo y alrededor de mí, ¡Dios está a cargo! Confío en que él hará algo bueno de esta situación y que todo será para bendición.

La alabanza no siempre es la primera reacción ante las dificultades, y es por eso que con frecuencia tengo que recordar la enseñanza sobre la oración del pastor Jack Hayford: "No se trata de decir 'pongo todo de mi parte y Dios lo bendecirá', más bien es el Señor quien te dice: 'Simplemente bendice mi nombre y yo pondré todo de mi parte'." Ahora, cuando llego a un punto en que mi cuerpo no puede más, me detengo y alabo a Dios. Esta llave abre las puertas del armario más sólido e ilumina las noches más oscuras.

Una llave para la transformación

La adoración es poderosa porque la presencia de Dios está en medio de nosotros cuando lo adoramos. En su presencia encontramos sanidad y transformación para nuestra vida. En realidad, cuanto más tiempo pasamos alabando al Señor, más veremos que aumenta la armonía en nosotros y en nuestras circunstancias. Eso es porque la alabanza aligera nuestro corazón y lo vuelve dócil. También nos cubre de manera protectora. Cuanto más mantenemos la docilidad y la cobertura, más rápido puede ser modelado y restaurado nuestro corazón.

Por favor relee el párrafo anterior. Subráyalo, rodéalo con un círculo, haz flechas que converjan hacia él, apréndelo de memoria, escríbetelo en la mano y haz cualquier cosa que sea necesaria para recordarlo. Es lo primero que olvidamos y lo último que recordamos, porque nuestro cuerpo no quiere hacerlo espontáneamente.

La alabanza y la adoración al Señor siempre son actos de la voluntad. Tenemos que querer alabar a Dios incluso si no tenemos deseos de hacerlo. A veces nuestros problemas o las cargas que tenemos ahogan nuestras buenas intenciones, de manera que debemos hacer el esfuerzo de establecer la alabanza como una forma de vida. Y se convierte en una forma de vida cuando hacemos de ella nuestra primera reacción ante las circunstancias, y no el último recurso. Este es el momento para comenzar a agradecer a Dios por todo lo que tenemos en la vida. Agradécele por su Palabra, por su fidelidad, por su amor, por su misericordia y su sanidad. Por lo que ha hecho personalmente por ti. Si tienes dificultad en encontrar algo, entonces agradécele porque todavía respiras y puedes leer. Ten en cuenta que cualquier cosa por la que agradezcas: la paz, las bendiciones económicas, la salud, un nuevo empleo, o el haber salido de la depresión iniciará en ese momento el proceso de su cumplimiento.

En el Antiguo Testamento, las personas que llevaban el Arca del Pacto se detenían cada siete pasos para adorar. Nosotros también tenemos que recordarnos de no avanzar sin detenernos a adorar. Para obtener sanidad y restauración emocional tenemos que ser personas de "siete pasos" e invitar continuamente la presencia del Señor para que gobierne nuestras situaciones.

La razón por la cual las personas no dan gracias a Dios en alabanza es que todavía no lo conocen bien. Cuanto más se lo conoce, más se percibe su bondad, y no se puede hacer otra cosa que agradecerle, alabarlo y adorarlo por quién es y por lo que ha hecho. Cuanto más lo hacemos más gozo tenemos en el corazón. El pastor Jack Hayford describe el gozo como "esa feliz confianza interior en que no hay nada que pueda resistir con éxito la indudable victoria de Cristo en mí". ¡Qué maravilla darse cuenta de eso! Ese conocimiento del Señor es la base para tu sanidad.

La adoración, al estilo de Dios

Para lograr la sanidad y la integridad que deseamos, tenemos que adorar a Dios a su manera. Sin embargo, su manera no siempre se acomoda a nuestra agenda o a nuestro estilo. He descubierto varias maneras de alabar a Dios, formas que no siempre surgen fácilmente pero que son fundamentales para la salud emocional. La flexibilidad en la adoración desencadena una poderosa liberación.

1. *La adoración era originalmente cantada.* El rey David dice en el Salmo 147:1:

Es bueno cantar salmos a nuestro Dios,
porque suave y hermosa es la alabanza.

QUINCE RAZONES PARA ALABAR AL SEÑOR

Para entronizar a Dios y reconocer su grandeza (Salmo 95:1–5)
Para aumentar nuestra conciencia de la presencia de Dios (Salmo 103)
Para sentir el gozo del Señor (Salmo 30)
Para reconocer la mano del Señor en todas las esferas de nuestra vida (Salmo 91)
Para liberar el poder de Dios en nuestras situaciones (Salmo 144)
Para conocer mejor a Dios (Salmo 50:23)
Para romper las cadenas que nos esclavizan y para producir liberación (Salmo 50:14–15)
Para estar bajo su cobertura de seguridad y protección (Salmo 95:6–7)
Para fortalecer el corazón y ser transformados (Salmo 138:1–3)
Para recibir la guía del Señor y confirmar sus propósitos en nuestra vida (Salmo 16:7–11)
Para frustrar los planes de Satanás que procuran nuestra destrucción (Salmo 92)
Para disipar las dudas y aumentar la fe (Salmo 27)
Para ser liberados del temor (Salmo 34)
Para ser nuevamente llenos del Espíritu Santo (Salmo 40)
Para obtener todo lo que Dios nos ha prometido (Salmo 147)

Esto es difícil para nosotros porque, en algunos momentos, cantar es lo último que quisiéramos hacer o porque somos tan acomplejados con nuestra voz que no abrimos la boca ni siquiera cuando estamos solos. Sin embargo en la Biblia los cantores iban delante de las tropas en las batallas. Las alabanzas que cantaban a Dios confundían a los enemigos. Funciona exactamente igual para nosotros hoy.

En muchas oportunidades yo tenía el alma tan atormentada por la depresión que me levantaba en medio de la noche, me encerraba en el "vestidor de oración" para no despertar a nadie y cantaba al Señor suavemente. Cantaba un himno o alguna canción, o inventaba alguna. En ocasiones lo único que podía cantar era "Gracias Jesús, te alabo Señor" vez tras vez hasta que sentía que la opresión se levantaba, y las fuerzas y la vida volvían a mi alma.

Quizás te sientas tan deprimida o dolida que ni siquiera puedas separar las mandíbulas. Cuando eso ocurra, di: "Señor dame una canción en el corazón para poder cantarte" y comienza a tararear cualquier melodía para el Señor que te venga a la mente. Luego agrégale letra que surja de tu corazón para Dios. No te preocupes por la entonación, por el ritmo, la melodía o el sonido de tu voz. Usa una sola nota si lo deseas. Recuerda que el verdadero cantor es el que tiene la melodía de Dios en el corazón. El Señor considera que tu voz es bellísima. La diseñó para que pudieras alabarlo. Continúa cantando en medio de tu situación, porque a medida que lo hagas algo ocurrirá en el reino espiritual y sentirás que se levanta la opresión.

2. *La alabanza debería expresarse con las manos en alto.*

Alzad vuestras manos al santuario
y bendecid a Jehová (Salmo 134:2).

Levantar nuestras manos hacia Dios mientras alabamos es un acto que tampoco nos sale por naturaleza. No es la fuerza de nuestros brazos lo que nos hace levantar las manos, sino el corazón. Cuando nuestro corazón está lleno de agradecimiento a Dios es mucho más fácil levantar nuestras manos y adorarlo. No obstante, cuando nuestro corazón está cargado, triste, deprimido, enojado, desalentado, o cansado, debemos obligarnos a levantar las manos. La adoración es la experiencia del triunfo de nuestro espíritu sobre la carne. Tenemos que hablar a nuestro espíritu y decirle: "Me alegraré y me regocijaré. Levantaré mis manos al Señor". No esperemos buenos sentimientos al comienzo. Tenemos que levantar nuestras manos y soltarnos para que pueda aflorar en nuestro corazón el gozo del Señor.

El principal motivo para hacer esto es soltarnos de aquello de lo que nos estamos aferrando y entregarnos a Dios: "Me rindo, Señor". También podemos imaginar que tomamos nuestra vida en las manos y se la ofrecemos a él. "Señor, te entrego todo lo que soy".

Cuanto más nos sometamos al Señor, más libertad sentiremos. Recuerda que todo lo que Dios te pide que hagas es para tu beneficio, no para el suyo. No te pedirá cosas que te harán sentir incómoda o ridícula. Te pide cosas que te harán más íntegra.

3. *La alabanza debe hacerse tanto a solas como junto con otros.*
"En medio de la congregación te alabaré" (Hebreos 2:12). Los domingos solía entrar de prisa a la iglesia veinte minutos tarde. Para cuando encontraba un asiento y me ubicaba, ya había terminado el tiempo de adoración y el pastor estaba predicando. No me preocupaba porque llegaba a tiempo para la enseñanza. Pero mi mente deambulaba por todas partes y no me concentraba en la predicación hasta que había pasado la mitad.

Los días que llegaba con tiempo para encontrar un asiento antes del servicio, y participaba durante la alabanza, descubría que estaba dispuesta para recibir el mensaje como si Dios me estuviera hablando directamente a mí. El tiempo que había pasado adorando a Dios en unidad con otros creyentes me ablandaba el corazón y lo volvía receptivo a lo que el Espíritu Santo quería enseñarme. Las actitudes negativas con las que había entrado se disipaban y eran remplazadas con otras más acordes con el deseo de Dios. Estaba preparada y dispuesta a recibir de él.

No te pierdas el momento de adoración con otros creyentes. La adoración conjunta es poderosa, y rompe las fortalezas en tu vida y permite cambios que de otra manera no ocurrirían. En la adoración conjunta es posible liberarse de muchas emociones negativas. Y será una protección contra todo aquello que te robe vida.

Un arma contra la inutilidad

Sin alabanza experimentamos un desgaste que nos conduce a la esclavitud y a la muerte. La Biblia dice: "A pesar de haber conocido a Dios, no lo glorificaron como a Dios ni le dieron gracias, sino que se extraviaron en sus inútiles razonamientos, y se les *oscureció* su insensato *corazón*" (Romanos 1:21, NVI, énfasis agregado). Con la alabanza, tú y tus circunstancias pueden cambiar, porque ella permite la entrada a Dios en cada área de tu vida, y que allí sea entronizado.

De modo que cada vez que luches con emociones negativas como la ira, la falta de perdón, el temor, el dolor, la opresión, la depresión, el odio a ti misma o la falta de valor, agradece a Dios porque él es más grande que todo eso. Agradécele porque sus planes para tu vida son buenos. Agradécele porque aunque haya debilidades en tu vida, él seguirá siendo fuerte. Agradécele porque vino a restaurarte, recuerda los nombres del Señor y úsalos para alabarlo: "Te alabo, Señor, porque eres mi Libertador y mi Redentor". "Gracias, Señor, porque eres mi Sanador y mi Proveedor". Una vez que te has puesto en línea con los propósitos de Dios por medio de la alabanza, puedes pedir cosas que todavía no ves como si estuvieran allí. "Señor, no tengo ninguna posibilidad de lograr mi sanidad, pero tú eres todopoderoso y puedes hacerlo. Te doy gracias y te alabo por tu poder sanador en mi vida". Esta es tu principal arma contra los sentimientos de ineptitud, de falta de propósito y de inutilidad, que socavan todo aquello que Dios te preparó para ser.

Los que tenemos profundas heridas emocionales jamás podremos encontrar restauración completa fuera de la presencia de Dios, y la alabanza es lo que nos eleva poderosamente a su presencia, donde hallaremos sanidad y liberación. Nunca descuides esta llave. Sobre ella estará asentada la integridad de tu vida.

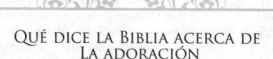

Qué dice la Biblia acerca de la adoración

Así que, ofrezcamos siempre a Dios, por medio de él, sacrificio de alabanza, es decir, fruto de labios que confiesan su nombre"
Hebreos 13:15

Pero la hora viene, y ahora es, cuando los verdaderos adoradores adorarán al Padre en espíritu y en verdad, porque también el Padre tales adoradores busca que lo adoren.
Juan 4:23

Estad siempre gozosos. Orad sin cesar. Dad gracias en todo, porque esta es la voluntad de Dios para con vosotros en Cristo Jesús.
1 Tesalonicenses 5:16–18

Te ofreceré sacrificio de alabanza, porque has librado mi alma de la muerte.
Salmo 56:12b–13a

Para que anunciéis las virtudes de aquel que os llamó de las tinieblas a su luz admirable.
1 Pedro 2:9

Establecer una base sobre la confesión

A pesar de lo mucho que la Palabra de Dios estaba alimentando mi alma y calmando mis temores, y aunque estaba pasando mucho tiempo en la presencia del Señor en oración y alabanza, seguía experimentando las intensas depresiones periódicas con las que luchaba desde hacía años. En realidad, todo el primer año de mi matrimonio las depresiones parecían estar empeorando en lugar de mejorar. Cuando comencé a sentir una fuerte inclinación hacia el suicidio, Michael me sugirió que pidiera ayuda en la iglesia. Me indicaron que fuera de inmediato a conversar con uno de los consejeros.

—Tengo estas depresiones con frecuencia, bloqueos emocionales que duran por lo menos dos semanas cada vez. Apenas logro funcionar, y continuamente pienso en el suicidio como la única salida posible. Ni siquiera logro levantarme de la cama, salvo para las necesidades básicas. ¿Qué me ocurre? —pregunté a Mary Anne, la consejera que me recibió en la iglesia. Su rostro hermoso y compasivo me alentó a hablar con toda confianza—. Tengo al Señor, un esposo bueno, un hogar, y por primera vez en la vida ninguna preocupación económica. Leo la Biblia y oro. ¿Por qué me sigue ocurriendo esto?

—Cuéntame de tu niñez, Stormie —dijo suavemente—. ¿Cómo fue?

Como me sentía segura con ella, conté más de lo que nunca había revelado. Escuchó durante más de media hora, hablando solamente para hacer una o dos preguntas. Cuado terminé, dijo en forma muy directa:

—Tienes ataduras Stormie, y necesitas liberación.

¿Tengo qué? ¿Qué necesito?, me pregunté a mí misma.

Mary Anne debió haber leído mi expresión porque añadió rápidamente:

-No tengas miedo. Las ataduras son la opresión que nos viene cuando no vivimos como debemos vivir. La liberación rompe esa opresión.

Luego me dio algunas indicaciones:

—Quiero que vuelvas a tu casa y anotes cada pecado que te

venga a la memoria. Pídele a Dios que te ayude a recordar cada incidente, y a medida que lo escribas, di: "Dios, confieso esto delante de ti y te pido perdón".

—Pensé que había recibido el perdón de todos mis pecados cuando acepté a Jesús —dije amablemente. No quería parecer poco dispuesta a colaborar.

—Es cierto, así fue. Pero con frecuencia seguimos viviendo en medio de pecados de los que Dios ya nos ha liberado. La muerte de Jesús en la cruz significa que tomó aquello que nos esperaba (la consecuencia del pecado: la muerte) y en lugar de eso nos dio lo que le correspondía a él (la recompensa por la ausencia de pecado: la vida eterna). Recibir a Jesús significa ser libre de las garras de la muerte. Sin embargo, la atadura que acompaña cada pecado debe tener un punto de ruptura por medio de la confesión. Lo que confiesas ante Dios te libera de las ataduras. Ve a tu casa, confiesa todo y vuelve dentro de una semana para que oremos por ello.

Qué bien me evaluó, pensé mientras salía de su oficina, reflexionando en las indicaciones que me había dado. *¡Sabe que me va a llevar toda una semana poner mis pecados por escrito!* Me dio la seguridad de que ese escrito nunca sería usado en mi contra, de manera que acepté hacerlo.

Había recibido suficiente enseñanza en la Iglesia en el Camino como para saber que la palabra pecado es un antiguo término de la arquería que significa errar al blanco. Todo lo que no dé en el centro exacto es pecado. De manera que pecar no significa simplemente robar en un supermercado, asesinar a alguien, o jugar a los naipes el domingo. Es mucho más que eso. En realidad, todo lo que yerra el centro de la excelente y perfecta voluntad de Dios para nuestra vida es pecado. ¡Eso abarca mucho terreno!

En esos días de oscura depresión tenía tan poca energía que debía tomarme un descanso antes de poder hacer algo. Eso fue lo que hice antes de comenzar con la lista. Una vez que comencé, logré hacer una lista considerable de fallas evidentes, incluso antes de atreverme a pedirle al Señor que me mostrara los pecados *ocultos*.

Cuando creía que ya no tenía más para confesar, leí en la Biblia "Si decimos que no tenemos pecado, nos engañamos a nosotros mismos y la verdad no está en nosotros. Si confesamos nuestros pecados, él es fiel y justo para perdonar nuestros pecados y limpiarnos de toda maldad" (1 Juan 1:8-9). A pesar de que había confesado mucho, supe que me estaba engañando a mí misma al pensar que no había más. De hecho, Dios debe haber sabido que era imposible que lo hiciera todo en una semana, porque el día que debía volver a la consulta, Mary Anne llamó para decirme que estaba enferma y me preguntó si podía ir la semana siguiente.

Me sentí terriblemente desilusionada con eso porque mi depresión había llegado a un punto inaguantable. Sin más remedio, continué haciendo la lista y confesando. ¡La pila de hojas crecía a medida que afloraban a mi mente incidentes que no había recordado por años!

Pronto comprendí que el pecado no confesado es como andar llevando a cuestas pesadas bolsas de desperdicios. Cuanto más pesan, más nos debilitan, hasta que andamos como tullidos bajo ese peso. Habría de conocer todo el sentido de esa verdad cuando volví a la oficina de Mary Anne.

—¿Tienes tu lista? —me preguntó extendiendo la mano.

—Sí —contesté con incomodidad. Le mostré mi montón de hojas, avergonzada por la idea de que ella supiera toda la terrible verdad.

—Bien —dijo, y llamó a otro consejero a la oficina. Supuse que estaba buscando refuerzos por si quedaba agotada después de horas de orar por todo eso. Para mi gran sorpresa y alivio, ella y el otro consejero sencillamente pusieron una mano sobre mí y otra sobre el montón de hojas. No mostraron el menor interés en leerlos.

—¿Confesaste cada pecado a medida que te venía a la mente? —preguntó Mary Anne.

—Sí —asentí.

—Entonces tómalos y entrégaselos al Señor reconociéndolos como pecado y pídele perdón. Vamos a orar para que Dios te libere de la destrucción que todo esto ha producido en tu vida.

Hice lo que me indicaron y mientras oraban sentí una notable liberación física desde la cabeza, el cuello y los hombros. El dolor de cabeza que había tenido durante muchos días desapareció, mi cuerpo cobró nuevas fuerzas y me sentí más liviana y más limpia de lo que jamás había estado en mi vida. Otras cosas que ocurrieron ese día en la oficina de consejería tuvieron un efecto igualmente profundo (los relataré en los próximos capítulos), pero la liberación inmediata que experimenté con esa confesión fue única e inolvidable. El resultado de aquellas dos horas de oración con los consejeros fue que volví a casa libre de la depresión crónica, y nunca he vuelto a experimentar esa opresión que me paralizaba.

El peso del pecado inconfesado

Cuando hay pecado sin confesar, se convierte en un silencioso tumor que envuelve sus tentáculos cada parte de nuestro ser hasta que nos paraliza. La agonía que produce su carga está acertadamente descrita por el rey David en la Biblia.

Mientras callé, se envejecieron mis huesos
en mi gemir todo el día,
porque de día y de noche se agravó sobre mí tu mano;
se volvió mi verdor en sequedades de verano.
Mi pecado te declaré
y no encubrí mi iniquidad.
Dije: "Confesaré mis rebeliones a Jehová",
y tú perdonaste la maldad de mi pecado. (Salmos 32:3–5)

Cuando hay pecado sin confesar se levanta una pared entre tú y Dios. Aunque hayas dejado de cometerlo, si no lo has confesado delante del Señor seguirá pesando, arrastrándote hacia el pasado que intentas olvidar. Lo sé porque solía cargar una bolsa de fracasos en la espalda, tan pesada que apenas podía moverme. No me daba cuenta cuán espiritualmente encorvada estaba. Cuando aquel día confesé mis pecados sentí que el peso desaparecía.

Todos los que tenemos profundas heridas emocionales del pasado sufrimos por la baja autoestima, el temor y la culpa. Nos castigamos mentalmente, tendemos a pensar lo peor respecto de nuestra situación y nos hacemos responsables de todo lo que está mal. Es cierto que a veces nos sentimos culpables por cosas que realmente hicimos, pero no podemos vivir torturándonos indefinidamente con la culpa. Dios proveyó la llave de la confesión para librarnos de todo eso.

Con frecuencia no nos consideramos responsables de ciertas acciones. Por ejemplo, aunque no es tu culpa si alguien abusó de ti, tu reacción actual sí es tu responsabilidad. Puedes parecerte que tu ira y tu amargura son justificadas, pero igual debes confesarlas porque no dan en el blanco de lo que Dios tiene para ti. Si no lo haces, su peso finalmente te aplastará.

La llave es el arrepentimiento

Para que la confesión funcione, debe ir acompañada de arrepentimiento. Arrepentirse significa literalmente cambiar la manera de pensar. Significa volverse, caminar en el otro sentido, y decidir no reincidir. Significa alinear tus pensamientos con los de Dios. Es posible confesar sin aceptar la culpa en realidad. De hecho, podemos volvernos expertos en pedir disculpas pero no tener ninguna intención de cambiar. La confesión y el arrepentimiento significan decir: "Esto es mi culpa. Me arrepiento y no volveré a hacerlo".

Para ser libres de las ataduras, tenemos que arrepentirnos y confesar todos los pecados, nos sintamos mal por ellos o no y los reconozcamos o no como pecado. En esa oportunidad confesé los dos abortos que había tenido, aunque todavía no tenía claro lo malo que era el aborto. Siempre lo había considerado como un medio de supervivencia, no como un pecado, pero eso no lo justificaba ante los ojos de Dios. Había leído en la Biblia sobre el valor de la vida cuando todavía está en el vientre. También había leído que "Aunque la conciencia no me remuerde, no por eso quedo absuelto" (1 Corintios 4:4, NVI). No quedé libre de la garra mortal producida por los abortos hasta que me arrepentí y recibí el perdón total de Dios.

Cada vez que confieses algo, asegúrate de que no quieres volver a hacerlo nunca más. Y recuerda que Dios "conoce los secretos del corazón" (Salmo 44:21). El haberte arrepentido no significa que jamás volverás a cometer un pecado, pero sí que tienes la intención de no hacerlo. Si descubres que estás cometiendo el mismo pecado otra vez, necesitas volver a confesarlo. Si cometes un pecado del que te has arrepentido y confesado el día anterior, no permitas que eso interfiera en tu relación con Dios. Confiésalo otra vez. Mientras estés sinceramente arrepentida en cada oportunidad, serás perdonada y con el tiempo serás liberada. La Biblia dice: "Arrepentíos y convertíos para que sean borrados vuestros pecados; para que vengan de la presencia del Señor tiempos de consuelo" (Hechos 3:19).

Como no somos perfectos, la confesión y el arrepentimiento son continuos. Siempre hay niveles nuevos de la vida de Jesús que necesitan ser aplicados en la nuestra. Nos alejamos de la gloria de Dios de maneras que ni siquiera podemos imaginar.

Confesar nuestras fallas ocultas

Cuando se está levantando un cimiento, primero hay que sacar la tierra. El problema es que la mayoría de nosotros no cava lo suficiente. Aunque no podemos ver todas nuestras fallas de una vez, sí podemos tener un corazón dispuesto a que el Señor nos las revele. Pídele a Dios que ilumine los pecados de los que no eres consciente para que puedas confesarlos, arrepentirte y recibir el perdón. Admite que todos los días hay algo para confesar y ora como lo hacía David:

- Ve si hay en mí camino de perversidad
  y guíame en el camino eterno. (Salmo 139:24)
- ¡Crea en mí, Dios, un corazón limpio,
  y renueva un espíritu recto dentro de mí! (Salmo 51:10)
- ¿Quién puede discernir sus propios errores?
  Líbrame de los que me son ocultos. (Salmo 19:12)

A veces, cuando nos parece que no tenemos nada que confesar, el orar pidiendo la revelación de Dios puede poner de manifiesto alguna actitud rebelde, como la crítica o la falta de perdón que se arraigaron en nuestro corazón. Confesar nos evita pagar el precio emocional, espiritual y físico. También beneficiará nuestra vida social, ya que esas imperfecciones que no vemos en nuestra personalidad, con frecuencia son obvias para otros.

El pecado lleva a la muerte; el arrepentimiento lleva a la vida. El tiempo que transcurra entre el pecado y el arrepentimiento determinará cuánta muerte coseches en tu vida. Si has cosechado mucha muerte, los problemas no se irán de inmediato en la confesión. Pero has iniciado el proceso de revertir lo que ocurrió como consecuencia del pecado.

También hay mucha sanidad cuando confesamos las culpas a otra persona para que ore por nosotros. La Biblia dice: "Confesaos vuestras ofensas unos a otros y orad unos por otros, para que seáis sanados" (Santiago 5:16). Pídele al Señor que te muestre cuándo hacerlo. Pero asegúrate que la persona a la que le confieses sea confiable y que no usará la información en tu contra.

Siempre ten en mente que los caminos de Dios son para tu beneficio. La confesión no es para que Dios se entere de algo. Él ya lo sabe. La confesión es para que tú puedas alcanzar la integridad. Dios no está esperando para castigarte por lo que has hecho. No necesita hacerlo porque el pecado trae consigo el castigo. Dios lo sabe, y por eso nos ha dado la llave de la confesión. La gente que confiesa halla misericordia y el poder ilimitado de Dios.

Qué dice a Biblia acerca de la confesión

El que oculta sus pecados no prosperará, pero el que los confiesa y se aparta de ellos alcanzará misericordia.
Proverbios 28:13

Amados, si nuestro corazón no nos reprende, confianza tenemos en Dios, y cualquiera cosa que pidamos la recibiremos de él, porque guardamos sus mandamientos y hacemos las cosas que son agradables delante de él.
1 Juan 3:21–22

Bienaventurado aquel cuya transgresión ha sido perdonada.
Salmo 32:1

Y no hay cosa creada que no sea manifiesta en su presencia; antes bien todas las cosas están desnudas y abiertas a los ojos de aquel a quien tenemos que dar cuenta.
Hebreos 4:13

Nada hay sano en mi carne a causa de tu ira;
ni hay paz en mis huesos a causa de mi pecado,
porque mis maldades se acumulan sobre mi cabeza;
como carga pesada me abruman.
Hieden y supuran mis llagas a causa de mi locura.
Salmo 38:3–5

ESTABLECER UNA BASE SOBRE EL PERDÓN CONTINUO

¿Perdonar a alguien que me trató con odio y abusó de mí? ¿Alguien que arruinó mi vida y me convirtió en una incapacitada emocional? ¿Cómo puedo hacerlo? me pregunté, abrumada ante la posibilidad de una tarea tan enorme. Ya había confesado mis pecados, y ahora Mary Anne me estaba pidiendo que perdonara a mi madre, todo en la misma sesión de consulta. ¿Acaso esto no requiere meses, incluso años de terapia?

—No tienes que sentir el perdón para perdonar a alguien —explicó Mary Anne—. El perdón es algo que haces por obediencia al Señor porque él te ha perdonado a ti. Tienes que estar dispuesta a decir: "Señor, te confieso que odio a mi madre y te pido perdón por ello. La perdono por todo lo que me hizo, y la dejo en tus manos".

Por difícil que resultara, hice lo que me indicaba porque quería perdonar a mi madre aunque en ese momento no sentía nada parecido al perdón.

—Señor, perdono a mi madre —dije al final de la oración. Sabía que para que pudiera pronunciar esas palabras, el poder de Dios estaba obrando en mi vida. Y en ese momento sentí su amor como nunca antes.

La mañana siguiente después de esa sesión de consulta y liberación con Mary Anne, me desperté sin depresión y sin pensamientos suicidas. Me sentía extraña, porque desde que podía recordar siempre los había tenido. Más sorprendente aun fue que la siguiente mañana, y la siguiente, y la siguiente, comprobé que no volvía a sufrir ese estado de depresión. Quizá tuve algún momento depresivo o algún pensamiento suicida, pero no volvieron a controlarme ni me impidieron funcionar.

Sin embargo, pronto aprendí que una falta de perdón tan arraigada como la que tenía hacia mi madre debía ser arrancada de a una capa por vez. Esto fue así conmigo porque el abuso verbal de mi madre había aumentado en intensidad a medida que pasaba el tiempo. Cada vez que sentía ira, odio o falta de perdón hacia ella tenía que hacerme cargo de mi voluntad y decir: "Señor, deseo perdonar a mi madre. Ayúdame a perdonarla completamente".

Durante los años que siguieron tuve que hacer eso con más frecuencia de la que me imaginaba. Un día en el que estaba de nuevo pidiendo a Dios un corazón capaz de perdonar, me sentí guiada a orar: "Señor, ayúdame a tener un corazón como el tuyo para con mi madre".

Casi inmediatamente tuve una visión de ella que nunca antes había visto. Era hermosa, divertida, talentosa, una mujer que no se parecía en nada a la que yo conocía. Pude comprender que la veía como Dios la había hecho y no como había terminado siendo. ¡Qué asombrosa revelación! Nunca hubiera podido crear por mi cuenta esa imagen. Nada era más grande que el odio que sentía por mi madre, salvo tal vez la profundidad de mi propio vacío. Sin embargo ahora sentía compasión y aprecio por ella.

En un instante repasé los momentos de su vida: la trágica y repentina muerte de su madre cuando ella tenía once años, el suicidio de su querido tío y padre sustituto poco tiempo después, los sentimientos de abandono, culpa, amargura y falta de perdón que contribuyeron a su enfermedad mental y emocional. Pude ver cómo su vida, al igual que la mía, había sido torcida y deformada por circunstancias que escapaban a su control. Repentinamente dejé de odiarla. En lugar de eso sentí compasión por ella.

La percepción de la manera de sentir de Dios por mi madre me produjo tal disposición a perdonarla que, cuando murió unos años después, no tenía ningún resentimiento hacia ella. Aunque su enfermedad mental y su conducta irracional habían empeorado, lo cual nos impidió relacionarnos de una manera restaurada, ya no abrigaba nada de amargura, y hasta el día de hoy no la tengo. En realidad, mientras más la perdonaba, más buenos recuerdos traía el Señor a mi memoria. Estaba sorprendida de que hubiera alguno.

Una escalera hacia la integridad

El perdón conduce a la vida. La falta de perdón es como una muerte lenta. No significa que no eres salva, o que no irás al cielo. Pero sí que no podrás tener todo lo que Dios tiene preparado para ti y tampoco estarás libre del dolor emocional.

El primer paso para perdonar es recibir el perdón de Dios y permitir que esa realidad penetre en lo más profundo de nuestro ser. Cuando comprendemos lo mucho que se nos ha perdonado, es más fácil entender por qué no debemos juzgarnos unos a otros. Si el hecho de ser perdonados y liberados de todas nuestras faltas es un regalo tan asombroso, ¿cómo podemos negarnos a obedecer a Dios cuando nos pide que perdonemos a otros como él nos ha perdonado a nosotros? Eso nos ocurre porque centramos la atención en la persona que nos ha hecho mal en lugar de centrarla en Dios, quien produce el bien en todas las cosas.

El perdón es una avenida de dos direcciones. Dios te perdona y tú perdonas a otros. Cuando confiesas haber obrado mal, Dios te perdona de inmediato y completamente. Tú debes perdonar a otros de inmediato y completamente, ya sea que admitan o no su error. De todas maneras, las personas casi nunca sienten que hayan hecho algo malo, y si lo reconocen, con seguridad no quieren admitirlo frente a ti.

Perdonar es una decisión. No la hacemos sobre la base de lo que sentimos, sino de lo que sabemos que es correcto. Yo no sentía deseos de perdonar a mi madre. Pero decidí perdonarla porque la Palabra de Dios dice: "Perdonad y seréis perdonados" (Lucas 6:37). Este versículo también dice que no debemos juzgar si no queremos ser juzgados.

Me costó mucho entender que Dios ama a mi madre tanto como me ama a mí. Él ama a todas las personas. Ama al asesino, al violador, a la prostituta, y al ladrón. Y odia todos sus pecados tanto como odia los míos. Odia sus asesinatos, sus violaciones, su prostitución y sus robos tanto como odia mi orgullo, mis chismes, y mi falta de perdón. Podemos comparar nuestro pecado con el de otras personas y decir: "Los míos no son tan graves." Pero Dios dice que todos hieden, de manera que no deberíamos preocuparnos de cuáles huelen peor. Cuando se trata de perdonar, lo más importante es recordar que el perdón no justifica a la otra persona, sino que te libera a ti.

Cómo perdonar al abusador

Con frecuencia sentimos que la persona abusadora es un obstáculo para la liberación y la sanidad en nuestra vida, pero nunca podremos ser completamente liberados de o reconciliados con una persona a la que no hemos perdonado. Tenemos que estar dispuestos a decir: "Señor, elijo perdonar completamente a esta persona". Cuando lo hacemos ya ha comenzado el proceso de limpieza. Esto es así porque la ley del Señor es soltar, no ajustar cuentas.

Si un día perdonas y al día siguiente descubres que sigues airada, dolida y amargada con respecto a la misma persona, no te desanimes. Lleva todo ante el Señor una y otra vez. En algunas ocasiones podemos perdonar rápido, pero perdonar a una persona que te ha provocado heridas profundas es por lo general un proceso, especialmente si no hubo reconciliación o si el abuso todavía se produce. Sabrás que la obra está completa cuando con sinceridad puedas decir que deseas lo mejor de Dios para esa persona.

Una joven llamada Donna vino a mi oficina en busca de ayuda.

—Mi padre me violó muchas veces —dijo, mientras me relataba su pasado llorando—. Por su culpa me siento paralizada. Jamás podré perdonarlo.

—Donna, tienes todo el derecho de sentirte como te sientes. Lo que te hicieron fue terrible. Si tu padre te golpeó y te destruyó tan brutalmente que no puedes pronunciar la palabra perdón junto a su nombre, entonces habla de ello con Dios. Dile que necesitas que te dé la fuerza para decir esta oración: "Dios, ya no tengo cariño por mi padre, y solo pensar en él me hace sentir herida. No quiero perdonarlo ni orar por él. En realidad, una parte de mí quiere que pague por lo que hizo. Pero como tú me lo pides, oro para que lo bendigas y lo guíes a conocerte plenamente. Haz que pueda ser la persona para lo que tú lo creaste. Me niego a mantenerlo atado a mí por la falta de perdón. Te lo entrego y hoy elijo perdonarlo. Oh Señor, haz que haya verdadero perdón en mi corazón".

Perdonar a tus padres es una de las cosas más importantes que puedes hacer: "Honra a tu padre y a tu madre, para que tus días se alarguen en la tierra que Jehová, tu Dios, te da" (Éxodo 20:12). Perdonarlos es parte de esa honra y afectará la duración y la calidad de tu vida.

El pastor Jack Hayford dijo algo acerca de perdonar a mi madre que me afectó profundamente: "Terminas odiándote a ti misma cuando odias a tus padres, porque despreciarás lo que ves de ellos en ti".

Cuando desprecias algo de ti, analiza si es porque te recuerda algo de uno de tus padres. Si es así, tal vez haya algo sin perdonar.

He descubierto que la mejor manera de convertir en amor el odio, la ira, la amargura y el resentimiento que tienes por alguien es orar por esa persona. Dios te ablanda el corazón cuando lo haces. También es de ayuda recordar que todos seremos juzgados y que nadie está libre de pecado. En algún momento todos pagamos por nuestros pecados. Si te parece que la persona abusadora no lo está pagando, recuerda que Dios le extiende la misma misericordia que te extiende a ti. En otras palabras, Dios tampoco te está castigando a ti ni a mí como realmente lo merecemos.

Cuando tienes heridas muy profundas, es importante que no solo perdones a la persona que te ha herido, sino que perdones cada suceso a medida que te vienen a la memoria. En otras palabras, tienes que ser específica cuando encaras cada una de tus heridas. Yo tuve que perdonar cada incidente con mi madre, cuando lo recordaba o mientras ocurría. Cada vez que perdonaba, hacerlo me ayudaba a dejar atrás algo más de mi pasado y a seguir adelante con mi vida.

Es posible que sientas que el abuso en el pasado te haya impedido ser lo que podrías haber sido. Pero en realidad lo que está impidiéndolo es no perdonar el abuso. Si no perdonas el abuso que sufriste cuando eras niña puedes llegar a ser una madre abusadora, no importa las buenas intenciones que tengas de no serlo. Si no perdonas los arranques de ira que tu padre tuvo contigo, tal vez tengas muchas dificultades en dominar tu propia ira. Si entregas tu vida a Dios y vives como él quiere, podrás llegar a ser aquello para lo que fuiste creada, no importa lo que te haya ocurrido. Eso se debe a la habilidad milagrosa de Dios para alcanzarte donde estás y transformar tu vida.

Si tú hiciste cosas a otras personas que pudieron ser hirientes y necesitan ser perdonadas, primero pide perdón al Señor y luego a la persona que has ofendido. Sin embargo, ten en cuenta que aunque Dios siempre perdona, los seres humanos podrían no hacerlo. No puedes controlar a otros.

Cómo enfrentar al abusador

Si confrontas a la persona que ha abusado de ti, estás en terreno delicado, porque corres el riesgo de una reacción defensiva o la total negación. Una joven de veintiocho años llamada Linda relató que encaró a su padre y le dijo: "Papá, te perdono por todas las veces que me acosaste sexualmente".

El padre se puso incómodo y se enfureció; la acusó de inventar la historia. Esto desanimó a Linda y se sintió peor que antes.

—Permíteme que te dé algunas sugerencias —le dije—. Antes que nada, tu propia recuperación no depende de que él admita la culpa o pida perdón por la ofensa. Si fuera así, muchos de nosotros todavía seríamos incapacitados emocionales. Aunque él lo reconozca, puedes encontrar sanidad y liberación de tu falta de perdón. En realidad, creo que será mejor si logras algo de sanidad emocional antes de confrontarlo. El abusador debe ser confrontado desde un corazón que perdona y deseos de reconciliación; de lo contrario, no mejorarás las cosas, solo removerás un antiguo problema y seguirás dejando la responsabilidad en otra persona. Cuando enfrentas a una persona abusadora o que te haya ofendido, asegúrate de hacerlo con humildad, sin esperar nada a cambio. Y observa que la única confesión que hagas sea la que admite tu culpa, no la de la otra persona. Si no lo haces, automáticamente darás a entender que la otra persona es culpable, y eso la pondrá a la defensiva.

No me presenté a mi madre diciéndole: "Mamá, te perdono por todas las veces que me encerraste en el armario, me golpeaste en la cara por motivos que no entendía y me gritaste palabras obscenas". Lo que hice fue confesarle mis faltas y pedirle su perdón. Dije: "Mamá. Sé que fui una adolescente terrible. Me mostré irrespetuosa y odiosa, y me arrepiento. Por favor perdóname".

Hubiera sido maravilloso escucharla decir: "Por supuesto que te perdono querida. Además, no eras tan terrible, y yo tampoco fui la mejor madre. Eso ya pasó y mira qué joven maravillosa eres ahora". Pero yo no lo esperaba, y gracias a eso solo tuve una leve desilusión cuando ella continuó diciéndome una y otra vez lo terrible que yo había sido.

Más allá de perdonar a las personas que te han hecho daños evidentes, tienes que pedirle al Señor que te muestre aquellas faltas menos visibles que todavía no has perdonado. Necesitas perdonar a las personas que de alguna manera te han fallado, descuidado o decepcionado.

Tuve una de las mayores revelaciones de mi vida cuando comprendí que guardaba rencor hacia mi padre. Como él no era el abusador, ni siquiera me había dado cuenta que estaba enojada con él hasta que Mary Anne me sugirió que pidiera a Dios que me revelara cualquier falta de perdón oculta. Cuando lo hice, salió a la superficie la rabia que sentía porque él jamás me había rescatado del armario ni me había protegido de la locura de mi madre. Siempre había sentido que él no estaba cerca para ayudarme. Ese día lloré más tiempo y con más sentimiento que por cualquier otra cosa, y después sentí que se me sacaba un enorme peso de los hombros. Siempre había querido a mi padre, pero el perdón me dio la libertad de amarlo más. Una vez que hemos podido perdonar a una persona la vemos de una manera completamente diferente.

Mi padre ahora tiene ochenta y tres años, ha vivido conmigo, Michael y los niños durante por lo menos tres años y es una gran bendición para todos nosotros. No solamente alienta a mis hijos y es un compañero entusiasta en los deportes de Michael, sino que también ahora está siempre cerca de mí, de una manera notablemente sanadora. Le gusta cocinar y prepara comidas maravillosas para nosotros cuando yo estoy demasiado ocupada. Cuida de los niños cuando tengo que salir. Se ocupa de muchas actividades domésticas que yo odio, como limpiar la chimenea y sacar la basura. No creo que esta convivencia hubiera funcionado si yo no hubiera estado dispuesta a perdonar.

Perdonarse uno mismo y a Dios

Aunque es fundamental perdonar a otros, también en necesario perdonar en otras dos esferas. Una de ellas es *perdonarse a uno mismo.* Con frecuencia las personas emocionalmente heridas se sienten culpables de no ser lo que piensan que deberían haber sido. En lugar de castigarnos, debemos tenernos compasión, y poder decir: "Me perdono por no ser perfecta, y te doy gracias, Dios, porque ahora me estás transformando en aquello para lo que me creaste".

Además de perdonar a otros y de perdonarte a ti misma, también tienes que examinar si necesitas perdonar a Dios. Si has estado enojada con él, díselo. "Dios, estoy enojada contigo desde que mi hermano murió en ese accidente". "Dios, estoy enojada contigo desde la muerte de mi bebé". "Dios estoy enojada contigo desde que perdí ese trabajo por el que había orado". Sé sincera. No hay peligro de dañar el ego de Dios. Libera el dolor y date permiso para llorar. Las lágrimas son liberadoras y sanadoras. Di: "Señor, confieso mi dolor y mi enojo, y la dureza de mi corazón hacia ti. Ya no tengo ese sentimiento contra ti".

El perdón es continuo porque, una vez que se ha encarado el pasado, aparecen las constantes faltas que ocurren en el presente. Ninguno de nosotros está eximido de tener alguna vez el orgullo herido, sentirse manipulado, ofendido o dolido con alguien. Si no se confiesa y se lo trata delante del Señor cada vez que eso ocurre, queda una cicatriz en el alma. Además esa falta de perdón también te separa de las personas a las que amas. Ellas perciben tu falta de perdón, aunque no pueden puntualizarla, y les provoca incomodidad y distanciamiento.

Tal vez estés pensando que necesitas preocuparte porque no tienes falta de perdón hacia nadie. Pero perdonar también tiene que ver con no ser críticos hacia otros. Es considerar que con frecuencia las personas son como son por la manera en que la vida los ha formado. Y con recordar que Dios es el único que conoce la historia completa, y por esa razón no tenemos derecho a juzgar. Estar encadenado a la falta de perdón te priva de la sanidad, del gozo y de la restauración que están a tu disposición. Ser libre para recibir todo lo que Dios tiene para ti ahora y en el futuro, requiere dejar atrás todo lo que ocurrió en el pasado.

Qué dice la Biblia acerca del Perdón continuo

Y cuando estéis orando, perdonad, si tenéis algo contra alguien, para que también vuestro Padre que está en los cielos os perdone a vosotros vuestras ofensas.
Marcos 11:25

Quítense de vosotros toda amargura, enojo, ira, gritería, maledicencia y toda malicia. Antes sed bondadosos unos con otros, misericordiosos, perdonándoos unos a otros, como Dios también os perdonó a vosotros en Cristo.
Efesios 4:31–32

No juzguéis y no seréis juzgados; no condenéis y no seréis condenados; perdonad y seréis perdonados.
Lucas 6:37

El que ama a su hermano, permanece en la luz y en él no hay tropiezo. Pero el que odia a su hermano está en tinieblas y anda en tinieblas, y no sabe a dónde va, porque las tinieblas le han cegado los ojos.
1 Juan 2:10–11

Capítulo 4

Tercer paso: Vivir en obediencia

"¿Cuándo llegará el momento en que deje de sufrir interiormente?", le pregunté a Dios en oración algunos meses después de mi sesión de consulta con Mary Anne. Aunque había sido liberada de las depresiones y mi vida era mucho más estable de lo que jamás había sido, todavía vivía en una montaña rusa emocional. En ese tiempo seguía preguntándole a Dios cosas como:

- ¿Cuándo dejaré de sentirme fracasada?
- ¿Cuándo dejaré de sentirme afectada por lo que otras personas me digan?
- ¿Cuándo dejaré de considerar la mínima desgracia como si fuera el fin del mundo?
- ¿Cuándo podré pasar por las situaciones normales de la vida sin quedar traumatizada?

No recibí respuestas de Dios en ese momento. Pero al leer la Biblia la mañana siguiente, mis ojos se detuvieron en las palabras "¿Por qué me llamáis Señor, Señor y no hacéis lo que yo digo?" El pasaje continuaba diciendo que cualquiera que oye las palabras del Señor y no las pone en práctica está construyendo una casa sin cimientos. Cuando soplen las tormentas, se derrumbará y se destruirá por completo.

¿Será que cualquier viento de circunstancias que me golpea me destruye porque no estoy haciendo lo que el Señor dice que haga en alguna esfera de mi vida? Sabía que estaba construyendo sobre roca

sólida (Jesús) y que estaba poniendo cimientos firmes (en la Palabra, la oración, la alabanza, la confesión y el perdón permanente), pero al parecer esa base solo tendría estabilidad y protección por medio de la obediencia.

Busqué más información en la Biblia, y en cada lugar que leía encontraba más sobre la recompensa de obedecer a Dios.

- ¡Bienaventurados los que oyen la palabra de Dios y la obedecen! (Lucas 11:28)
- No quitará el bien a los que andan en integridad. (Salmo 84:11)
- Mirad: Yo pongo hoy delante de vosotros la bendición y la maldición: la bendición, si obedecéis los mandamientos de Jehová, vuestro Dios, que yo os prescribo hoy. (Deuteronomio 11:26-27)

Cuanto más leía, más veía el vínculo entre la obediencia y la presencia de Dios: "El que me ama, mi palabra guardará; y mi Padre lo amará, y vendremos a él y haremos morada con él" (Juan 14:23). Ya estaba convencida de que solo podría encontrar restauración e integridad en su presencia, y por esa razón esta promesa de que mi obediencia abriría la puerta para que Dios morara en mí me resultó muy significativa.

También pude ver una conexión evidente entre la obediencia y el amor de Dios: "El amor de Dios se manifiesta plenamente en la vida del que obedece su palabra" (1 Juan 2:5, NVI). Según la Biblia, Dios no deja de amarnos si no obedecemos. Aunque Dios no apruebe la forma en que vivimos, seguirá amándonos. Pero seremos incapaces de sentir o disfrutar ese amor plenamente a menos que vivamos como Dios quiere que lo hagamos. Vivir a la manera de Dios nos lleva a experimentar su amor y su vida en nosotros; de la misma manera, hacer cosas que se oponen a su voluntad nos separará del amor de Dios, lo cual significa la muerte para nosotros. La Biblia dice claramente:

> Como la justicia conduce a la vida,
> así el que sigue el mal lo hace para su muerte.
> (Proverbios 11:19)

Cuanto más leía sobre la obediencia, más comprendía que mi desobediencia a las indicaciones de Dios podría ser la explicación de que no hubiera cambios a pesar de que repitiera las mismas oraciones una y otra vez. La Biblia dice:

> Incluso la oración le es abominable
> al que aparta su oído para no escuchar la Ley.
> (Proverbios 28:9)

Si no estoy obedeciendo, no puedo esperar que mis oraciones tengan respuesta, pensé.

Beneficios de la obediencia

¿Cuántas veces pedimos a Dios que nos dé lo que anhelamos, pero no queremos dar a Dios lo que él nos pide? No tenemos lo que más deseamos: integridad, paz, plenitud y gozo, porque no obedecemos a Dios.

A veces no obedecemos porque no entendemos que Dios ha establecido ciertas reglas para protegernos y para nuestro beneficio. Él nos ha diseñado y conoce aquello que nos dará verdadera satisfacción. Los Diez Mandamientos no fueron entregados para producirnos culpa, sino como un paraguas de protección contra la lluvia del mal. Si escogemos vivir fuera de esa protección, sufrimos las consecuencias. La oscuridad espiritual y la confusión tendrán acceso a nuestra vida, y quedaremos privados de las bendiciones de Dios para nosotros. Cuando obedecemos, la vida se simplifica y tenemos claridad y bendiciones ilimitadas. Necesitamos la ley de Dios porque sin ella no sabemos cómo vivir. La Biblia dice: "El que lucha como atleta, no es coronado si no lucha legítimamente" (2 Timoteo 2:5). Si es un juego de restauración, entonces la obediencia es una de sus reglas. A medida que más busco, más encuentro en las Escrituras promesas para aquellos que obedecen a Dios:

- *Hay promesas de sanidad:* Haced sendas derechas para vuestros pies, para que lo cojo no se salga del camino, sino que sea sanado. (Hebreos 12:13)
- *Hay promesas sobre la respuesta a las oraciones:* Si en mi corazón hubiera yo abrigado maldad, el Señor no me habría escuchado. (Salmo 66:18, NVI)

- *Hay promesas de que Dios peleará la batalla por nosotros:* ¡Si me hubiera oído mi pueblo! ¡Si en mis caminos hubiera andado Israel! En un momento habría yo derribado a sus enemigos y habría vuelto mi mano contra sus adversarios. (Salmo 81:13–14)
- *Hay promesas de vivir una larga vida en paz:* Hijo mío, no te olvides de mi Ley, y que tu corazón guarde mis mandamientos, porque muchos días y años de vida y de paz te aumentarán. (Proverbios 3:1–2)

Hay muchas más promesas como estas, y también otras advertencias de lo que no ocurrirá en nuestra vida si no obedecemos. Después de leerlas, sentí la inspiración de pedirle a Dios que me mostrara exactamente lo que tenía que hacer. Dios fue muy rápido en responderme.

La elección es nuestra, el poder es suyo

He aprendido que Dios no nos obliga a obedecer. A veces quisiéramos que lo hiciera porque sería más fácil, pero Dios nos permite elegir. Tuve que pedirle que me enseñara a obedecer por amor a él y por el deseo de servir a quien hizo tanto por mí. Si deseas los mismos beneficios, tendrás que hacer lo mismo. Será más fácil si entiendes que el Señor está de tu lado y que el llamado a obedecer no es para hacerte sentir como una fracasada sin esperanzas si no logras hacerlo todo bien. Dios te pide que vivas de determinada manera para tu propio beneficio porque sabe que la vida solo termina bien si la vives así. Entender esto te ayudará a buscar sus caminos y a vivir en ellos.

La ley fue establecida en el Antiguo Testamento para demostrar que no podemos cumplirla con nuestras fuerzas, sino que dependemos de Dios. Necesitamos su poder para escapar del síndrome de muerte que nos rodea. La Biblia dice que a Noé se le dio nueva vida porque hizo todo lo que Dios le dijo que hiciera (Génesis 6:22). La palabra todo atemoriza porque nos conocemos lo suficiente como para dudar de nuestra capacidad para obedecer en todo. Y la verdad es que no podemos hacerlo. Pero sí podemos dar pasos en la dirección correcta y ver cómo interviene Dios.

En cuanto damos un paso en obediencia, Dios nos abre oportunidades de nueva vida. Por el contrario, cuando comenzamos a pensar que no es necesario obedecer, abrimos la puerta al mal. Oswald Chambers dice: "Si una persona quiere entender lo que Jesús enseña, solo puede hacerlo obedeciendo [...] la oscuridad espiritual viene por algo que no quiero obedecer" (*My Utmost for His Highest, Barbour & Co.*, Westwood, NJ, 1984, p. 151; hay versión en castellano: *En pos de lo supremo*).

Para aquel que tenga heridas emocionales, habrá cierta liberación y sanidad simplemente por obedecer a Dios. La Biblia dice: "El que cumple el mandamiento cumple consigo mismo" (Proverbios 19:16, NVI). Cuanto más obedeces, más ataduras de tu vida serán rotas. También encontrarás una saludable confianza que es el resultado de saber que has obedecido a Dios. Esta confianza construye la autoestima y restaura a la personalidad destruida. Tú comienzas el proceso al mostrarte dispuesta a decir: "Dios, no quiero venirme abajo cada vez que algo me sucede. Quiero que nada me separe de tu presencia y de tu amor. Y quiero obedecer de corazón. Por favor, muéstrame en qué no estoy viviendo en obediencia, y ayúdame a hacer lo que debo".

Hay muchas esferas diferentes de obediencia, pero las que voy a mencionar en este capítulo son importantes para la salud emocional. No te desalientes por la cantidad. Son pautas, no amenazas. Solo da un paso a la vez, recordando que el poder del Espíritu Santo que está en nosotros nos permite obedecer a Dios.

Me llevó años descubrir que debía hacer estas cosas, y todavía las analizo regularmente para ver dónde erré el blanco. Tengo la esperanza de que accedas a ellas más rápido que yo y comiences antes a disfrutar de los beneficios.

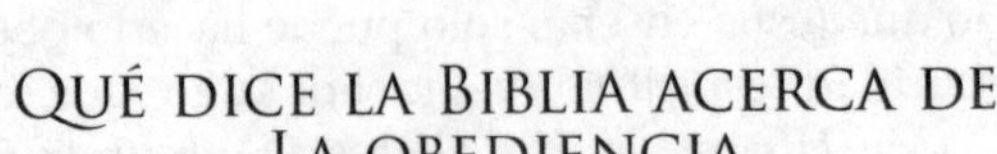

Qué dice la Biblia acerca de la obediencia

Mucha paz tienen los que aman tu Ley,
y no hay para ellos tropiezo.
Salmo 119:165

Si queréis y escucháis,
comeréis de lo mejor de la tierra.
Isaías 1:19

No se contenten solo con escuchar la palabra, pues así se engañan ustedes mismos.
Santiago 1:22, NVI

El que sabe hacer lo bueno y no lo hace, comete pecado.
Santiago 4:17

El que dice: "Yo lo conozco", pero no guarda sus mandamientos, el tal es mentiroso y la verdad no está en él.
1 Juan 2:4

Vivir en obediencia
Decirle sí a Dios

Cuando compras una casa, primero pagas un adelanto. Luego, tienes que pagar cuotas mensuales. No puedes cambiar de idea y decir: "¡No pagaré las cuotas!" sin tener consecuencias.

Lo mismo ocurre con tu relación con Dios. Para hacer de él tu morada permanente, tu depósito inicial consiste en hacerlo Señor de tu vida. Después de eso, tienes que pagar cuotas constantemente, lo cual significa decir sí a todo lo que Dios te indique. Todo es parte de la misma compra: una ocurre inicialmente y las demás son permanentes (¡como las cuotas de una casa!). La diferencia es que el Señor solo toma de mí lo que estoy dispuesta a darle. Y solo podré recibir de él lo que estoy dispuesta a asegurar por medio de la obediencia.

El paso inicial de hacerlo Señor de tu vida es igual para todos. Decirle sí a Dios cada día es un asunto individual. Dios guía en forma personalizada. Puede pedirte que hagas algo que no le pide a otro. Por ejemplo, puede indicarte que dejes cierto empleo o te mudes a otra ciudad. Debes confiar que Dios tiene en mente lo que más te conviene y debes estar dispuesta a hacer lo que te pide, incluso si en ese momento no entiendes la razón. La obediencia comienza por tener un corazón dispuesto a decirle sí al Señor.

Entregar tus sueños

Siempre quise ser una animadora exitosa. Ahora hasta mencionarlo me resulta incómodo y superficial, pero en otras épocas era un deseo apremiante. Quería ser famosa y respetada, a pesar del hecho de que posiblemente no tenía lo necesario para lograrlo. Después de aceptar al Señor y estar unos meses casada, Dios me indicó claramente en el corazón que no trabajaría en televisión ni volvería a hacer avisos publicitarios. No sabía por qué, pero ya no lo veía bien para mí. Cada vez que mi agente concertaba una entrevista por las que antes hubiera dado cualquier cosa, la sola idea me provocaba una sensación de vacío, de inquietud y de muerte. Como la paz de Dios no acompañaba la idea de hacerlo, rechazaba cada propuesta que me hacían.

Bien, Señor, no voy a hacer esa publicidad. Sí, Señor, no acepto ese espectáculo de televisión. Está bien, Señor, no volveré a cantar en ese club. Sí, voy a dejar la agencia.

Poco a poco, perdí todo mi trabajo. Dios había cerrado todas las puertas y me pedía que dejara de golpear a las que no estaban en su plan para mí. La experiencia me asustaba, pero mirando hacia atrás, veo claramente por qué. Actuar era un ídolo para mí. No lo hacía porque amara el trabajo sino para conseguir atención y aceptación. Mi identidad estaba completamente ligada a lo que hacía. Para que Dios pudiera cambiar eso, tenía que quitarme los medios por los que yo definía quién creía ser, y ayudarme a establecer mi identidad en Jesús. Dios sabía que no podría sanar mi profundo sentimiento de inferioridad si a diario me metía en situaciones en las que se me juzgaba con parámetros superficiales.

La parte que no queremos escuchar es que hay un momento en que cada uno de nosotros debe poner sus deseos y sus sueños en manos de Dios para que él nos libere de aquellos que no son parte de su plan. En otras palabras, garantizas tu futuro cuando permites que mueran tus sueños y los reemplazas por los que están de acuerdo con el plan de Dios. Si mantuviste una imagen de lo que crees que debes hacer, tienes que estar dispuesta a permitir que esa imagen sea destruida. Si realmente es lo que Dios quiere que hagas, te dará fuerzas para hacer aun más que eso. Si no lo es, te verás frustrada mientras sigas aferrándote. A veces los deseos de tu corazón son los deseos de su corazón, pero todavía falta que los logres a su manera, no a la tuya, y debes saber que es Dios quien los está cumpliendo en ti, en lugar de lograrlos por tu cuenta. Dios quiere que dejemos de aferrarnos a nuestros sueños y comencemos a aferrarnos a él, para que él pueda hacernos remontar por encima de nosotros mismos y de nuestras limitaciones. Cada vez que soltamos algo que anhelamos, Dios nos lo devolverá en otra dimensión.

El arte de responder rápidamente

Decir sí a Dios significa estar dispuesto a obedecer inmediatamente cuando escuchamos su voz, en lugar de esperar hasta que todo lo demás falle, hasta que tengamos ganas, o hasta que no resistamos más. Para que Dios nos dé integridad tenemos que estar totalmente a su disposición. Si Dios nos dice "Haz esto" y respondemos de inmediato "Sí, Señor", se producirán más rápido los resultados que deseas.

Como ya dije, esto se logra paso a paso. Si todavía no puedes confiar en Dios como para decir "Haré cualquier cosa que me pidas", entonces sigue intentándolo. Debo admitir que me fue muy difícil decirle sí a Dios hasta que leí sus palabras en la Biblia: "Como no me escucharon cuando [yo] los llamé, tampoco yo los escucharé cuando ellos me llamen" (Zacarías 7:13, NVI, énfasis agregado). Si queremos que Dios escuche nuestra oración, tenemos que escuchar y responder a su voz.

Estar dispuesta a decirle sí a Dios me puso en condiciones de recibir mucha más sanidad y bendiciones. Por supuesto, no siempre lo escucho y tampoco digo sí enseguida, pero quiero hacerlo. Decir sí a Dios sin reservas es el primer paso de obediencia que comienza a construir la estructura de la integridad emocional sobre el cimiento que hemos establecido en la Palabra, la oración, la confesión, la adoración y el perdón continuo.

Qué dice la Biblia acerca de decirle sí a Dios

Los que son de la carne piensan en las cosas de la carne; pero los que son del Espíritu, en las cosas del Espíritu.
Romanos 8:5

Si alguno quiere venir en pos de mí, niéguese a sí mismo, tome su cruz cada día y sígame. Todo el que quiera salvar su vida, la perderá; y todo el que pierda su vida por causa de mí, este la salvará.
Lucas 9:23–24

Deléitate asimismo en Jehová
y él te concederá las peticiones de tu corazón.
Salmo 37:4

Al Señor tu Dios adorarás y solo a él servirás.
Mateo 4:10

El hacer tu voluntad, Dios mío, me ha agradado.
Salmo 40:8

VIVIR EN OBEDIENCIA SEPARARSE DEL MUNDO

La primera vez que escuché hablar a Dolores Hayford, supe que el pastor Jack había heredado de su madre el don de enseñar. Con una voz suave y clara relató algo sobre su hijo menor, Jim.

—¿Por qué a algunos Dios les da todas las oportunidades? —preguntó Jim a su madre un día, al observar que ciertas personas reciben bendición tras bendición, y otras no.

Después de reflexionar unos minutos la señora Hayford dijo:
—Hijo, aquellos que reciben oportunidades de Dios son los que antes renunciaron a las que el mundo les ofrecía.

Ese consejo de madre me impresionó tanto que estuve pensando en ello durante varias semanas. *¿Qué es en realidad el mundo?*, pregunté a Dios en oración. *¿Y cómo me alejo de él?*

Durante los siguientes cinco meses de estudio bíblico pude comprender que el mundo es todo lo que nos pone en contra de Dios y sus caminos. La Biblia dice: "Cualquiera, pues, que quiera ser amigo del mundo se constituye en enemigo de Dios" (Santiago 4:4).

¡Yo sabía que no quería ser enemiga de Dios!

También leí: "Sed sobrios y velad, porque vuestro adversario el diablo, como león rugiente, anda alrededor buscando a quién devorar" (1 Pedro 5:8). La Biblia describe a Satanás como nuestro enemigo y quien gobierna el mundo, y cuando nos alineamos con los sistemas y el estilo del mundo, nos alineamos con él.

Años atrás había rechazado la idea del diablo como algo simplista. Solo las personas necias e ignorantes podían aceptar semejante tontería. Además, mis prácticas ocultitas me habían convencido de que el mal existía solo en la mente de las personas. Pero cuanto más estudiaba la Palabra de Dios y la entendía, más me enfrentaba a la realidad de una oscura fuerza del mal que controla la vida de las personas cuando estas le dan lugar. ¿Cómo podía negar su existencia cuando lo veía manifestado en toda clase de males en el mundo que me rodeaba? Ahora reconozco que la gente necia e ignorante es la que niega el reino de Satanás. Apartarse del mundo significa reconocer a nuestro enemigo y negarse a estar alineado con él en cualquier forma.

El que gobierna este mundo

Con mucha frecuencia en el Antiguo Testamento, hubo reyes que servían a Dios en casi todos los órdenes, pero no destruían los lugares sagrados donde se adoraban dioses paganos. Como resultado, él y su pueblo no disfrutaban de las bendiciones, de la protección, la sanidad, y la respuesta a las oraciones que Dios tenía para ellos. Ellos, como nosotros, no identificaban claramente a su enemigo ni se separaban por completo del mundo.

Nuestro enemigo es Satanás, el que gobierna este mundo, que fue creado originalmente bello, inteligente, sabio y sin pecado. Tenía acceso al trono de Dios, pero cayó de su posición elevada cuando eligió ejercer su voluntad sobre la de Dios. Nadie lo tentó, decidió por sí mismo rebelarse. Cuando por su rebelión fue expulsado del reino de Dios, se dedicó a oponerse a todo lo que Dios es y hace.

Pero Satanás está limitado. No puede estar en todas partes, no es capaz de hacerlo todo, no es todopoderoso, ni omnisciente. Por otra parte Dios es todo eso. Lo que Satanás y Dios tienen en común es que ambos conciben planes para nuestra vida, que solamente pueden cumplirse si nos sometemos a ellos. No debemos temer a Satanás porque la Biblia dice: "Mayor es el que está en vosotros que el que está en el mundo" (1 Juan 4:4). Jesús, que vive en nosotros, siempre será mayor que el diablo, que vive en el mundo. No puede intimidarnos porque la muerte de Jesucristo en la cruz ha quebrado su poder.

No hay ninguna indicación en la Biblia de que Satanás podría triunfar sobre Dios; el poder de Dios sobrepasa infinitamente al suyo. El único éxito que puede tener Satanás viene por medio del engaño: hacernos creer que no existe, que no es nuestro enemigo, o inculcarnos mentiras sobre nosotros mismos, sobre nuestra situación, la de otros o la de Dios. Cuando creemos sus mentiras, comienza a controlar nuestra vida.

Satanás domina tanto el engaño que incluso intentará vestirse de ángel de luz y dejarnos ciegos a su existencia. Me siento mal cuando otras personas dicen que el diablo no existe. Veo sus vidas, el matrimonio desecho, hijos que están en las drogas, hijas que abortan, esposos alcohólicos, madres deprimidas o con aventuras amorosas, y pienso: *Amigos, todo lo que veo en su vida me convence de que Satanás existe*. Su situación es dramática, porque tienen un enemigo y ni siquiera lo saben. Él los guiará por el camino de la destrucción y ellos lo seguirán, y luego culparán a Dios por las consecuencias. El plan del diablo para tu vida tendrá éxito si crees que no existe o que está de tu lado.

Aceptar los patrones del mundo para nuestra vida adormece nuestra sensibilidad hacia la voluntad de Dios. Nos aleja de lo que él nos ha llamado a ser. Una parte de nosotros siempre cree que somos la excepción, y pensamos: "Estoy por encima de las leyes de Dios, no necesito obedecerlas". Pero eso es lo que dijo Satanás antes de la caída.

La manera de combatir ese engaño es sencilla. La Biblia dice: "Someteos, pues, a Dios; resistid al diablo, y huirá de vosotros" (Santiago 4:7). Necesitamos alejarnos de las costumbres y maneras de pensar del mundo y destruir los altares levantados en nuestro corazón. Debemos decirle a Satanás que nos negamos a creer en sus mentiras o a hacer las cosas a su manera. Cuando rechazamos a Satanás, la promesa es que:

Porque Jehová irá delante de vosotros,
y vuestra retaguardia será el Dios de Israel. (Isaías 52:12)

El Señor nos protegerá de cualquier cosa que debamos enfrentar, y nos cuidará contra los peligros que nos acechan.

Detectar los "altares"

Alejarse del mundo no significa que vivas como una ermitaña el resto de tu vida. Pero es necesario que revises con frecuencia tu corazón para asegurarte de que no se estás demasiado atada al mundo. Puedes hacerte las siguientes preguntas:

- ¿Me juzgo con los patrones de belleza, aceptación y éxito del mundo?
- ¿Dependo de revistas y de libros mundanos para saber cómo vivir?
- ¿Estoy dispuesta a ignorar algunas convicciones propias para obtener el favor de otros?
- ¿Tiendo a imitar el estilo de vida de personas célebres en lugar de convertirme en la persona que Dios me creó para ser?
- ¿Estoy dispuesta a ceder en lo que sé de Dios para obtener algo que deseo?

Si has respondido sí a cualquiera de esas preguntas, estás cerrando el paso a las posibilidades que Dios tiene para tu vida. "Si con Cristo ustedes ya han muerto a los principios de este mundo, ¿por qué, como si todavía pertenecieran al mundo, se someten a [sus] preceptos?" (Colosenses 2:20, NVI). "No os conforméis a este mundo, sino transformaos por medio de la renovación de vuestro entendimiento, para que comprobéis cuál es la buena voluntad de Dios, agradable y perfecta" (Romanos 12:2).

Créeme, yo sé que no se puede abandonar todo de una sola vez. Construimos muchos de nuestros altares para sobrevivir, y creemos que todavía los necesitamos; pero cuanto más permitas que Dios viva en ti, más fácilmente podrás renunciar a cualquier cosa que pretenda ser más importante que él.

No hago una lista de "no hagas esto o a aquello" porque tú tienes que resolverlo en tu corazón. Sabrás qué elementos eliminar a medida que busques a Dios y ores diciendo: "Señor, si hay cosas en mi vida que no vienen de ti, no las quiero. Quítalas. Ayúdame a tomar de ti para satisfacer todas mis necesidades. Enséñame a reconocer a mi enemigo y dame fuerzas para resistirlo." Al expresar esa oración y tomarla en serio, has encontrado las condiciones para que tu pedido se cumpla.

Yo no pensaba que me oponía a Dios, pero he aprendido que casi todo lo que hice antes de aceptar a Jesús se oponía a su voluntad. Hasta podemos enfermarnos por no estar satisfechos con lo que Dios nos da o por perseguir cosas que no vienen de él. Dios quiere quitar de nuestro corazón todas esas ansias por las cosas del mundo y reemplazarlas con el hambre por Jesús. Dios quiere que experimentemos la paz y la satisfacción de saber que tenemos todo lo que necesitamos y que todo lo que tenemos viene de él.

La Biblia dice: "Salid de en medio de ellos y apartaos" (2 Corintios 6:17). No puedes avanzar si te aferras a las cosas que te separan de Dios. Es un paso de obediencia que se da en el corazón y que prepara el camino para tu recuperación total.

Qué dice la Biblia acerca de apartarse del mundo

No améis al mundo ni las cosas que están en el mundo. Si alguno ama al mundo, el amor del Padre no está en él, porque nada de lo que hay en el mundo —los deseos de la carne, los deseos de los ojos y la vanagloria de la vida— proviene del Padre, sino del mundo. Y el mundo pasa, y sus deseos, pero el que hace la voluntad de Dios permanece para siempre.
1 Juan 2:15–17

Cuando alguno es tentado no diga que es tentado de parte de Dios, porque Dios no puede ser tentado por el mal ni él tienta a nadie; sino que cada uno es tentado, cuando de su propia pasión es atraído y seducido.
Santiago 1:13–14

Escapen del lazo del diablo, en que están cautivos a voluntad de él.
2 Timoteo 2:26

El que practica el pecado es del diablo, porque el diablo peca desde el principio. Para esto apareció el Hijo de Dios, para deshacer las obras del diablo.
1 Juan 3:8

Vivir en obediencia
Ser bautizados

—Tenemos que bautizarnos, Michael —dije una noche, poco después de nuestro casamiento. El día anterior habíamos estado conversando sobre el sermón del pastor Jack acerca del bautismo, y sobre cómo Jesús había sido bautizado por Juan el Bautista (Mateo 3:13–16).

Durante meses había visto a personas que se bautizaban en la iglesia los domingos por la noche pero lo desechaba como un mero rito religioso que yo no necesitaba. Además, me habían bautizado cuando era bebé, como a todos los niños de mi familia. Pero en la reunión de oración del miércoles el pastor Jack había explicado que el bautismo no es solamente un ritual o una tradición optativa sin mucho significado; es un mandamiento de Jesús.

—Ir en contra de una tradición ordenada por Dios trae problemas, y ponemos en riesgo el fruto en nuestra vida —dijo—.

Cuando nos bautizamos damos la espalda a la vida pasada. Estamos diciendo: 'Señor, moriste por mí, ahora yo muero a mí mismo para recibir tu vida.' Su muerte en la cruz selló el pacto desde su lado. Nuestra respuesta en el bautismo expresa: Señor, sello el pacto desde mi lado, pero es tú poder el que lo hace funcionar.

Cuanto más hablábamos Michael y yo de que podíamos estar limitando lo que Dios podría hacer en nosotros y que tal vez acarrearíamos problemas a nuestra vida por no tomar ese paso de obediencia, más apremiante nos parecía darlo.

—Deberíamos hacerlo ahora mismo —dijo Michael.

—¿Qué tan 'ahora mismo' quieres decir? —pregunté.

—Esta noche —respondió con firmeza.

—¿Esta noche? ¿Dónde vamos a encontrar a alguien que nos bautice esta noche? Ya son más de las diez.

—Pat Boone bautiza personas en su piscina -dijo con entusiasmo.

—¿Pat Boone? ¿En su piscina? ¿Acaso eso vale? ¿No tendría que ser en una iglesia, con un pastor?

—Puede ser en cualquier parte. Y Pat Boone es un anciano de la iglesia. Bautizan en su casa todo el tiempo.

—¿Pero a esta hora? —seguí preguntando. Habíamos asistido a estudios bíblicos en la casa de Pat y Shirley, pero no estaba segura de que aceptarían nuestra visita inesperada a esta hora de la noche.

—Le pregunto -dijo Michael mientras levantaba el tubo del teléfono. En menos de un minuto hicieron los arreglos, tomamos una muda de ropa y estábamos en camino.

La casa de los Boone estaba a veinte minutos de la nuestra. En el camino los fuertes y helados vientos de octubre azotaban a nuestro pequeño coche. Comencé a sentir temor y ansiedad.

—Debemos estar por hacer algo importante —dije—, porque oigo todo el tiempo una voz que me dice 'No seas tonta, vuelve a casa y acuéstate a dormir. Es tarde, y hace frío. No hace falta hacer esto'.

Recorrimos la entrada circular y estacionamos cerca de la puerta principal. Una vez en el interior de la enorme y laberíntica casa de dos plantas, me sentí segura. Conocíamos la enorme sala de estar en la que se habían desarrollado reuniones de oración o para escuchar algún pastor visitante, y siempre había sentido la presencia del Señor allí.

La casa estaba en silencio, había luz en solo dos habitaciones, y Shirley y sus cuatro hijas estaban en el piso superior preparándose para dormir. Pat no mencionó la hora ni dio ninguna señal de sentirse molesto. El Espíritu Santo que había movido nuestro corazón también debió haber preparado el de Pat.

Michael y yo nos sentamos en el sofá y Pat se sentó en el piso frente a nosotros. Habló media hora sobre el significado del bautismo, reiterando muchas de las enseñanzas del pastor Jack. Cuando estuvo convencido de que entendíamos, nos indicó una pequeña casa afuera donde nos pusimos ropa adecuada. Mientras nos dirigíamos a la piscina comenzó a soplar un viento muy frío y apenas podía sostener el toallón con que me había envuelto. El bautismo llevó menos de un minuto y cuando salí del agua el viento había cesado. Sentí que había una correlación con el mundo espiritual.

Habíamos esperado mucho tiempo para dar este paso de obediencia porque no entendíamos su importancia. Aún hoy no sé si he comprendido todo, pero sí entiendo que después de ese acto nuestro crecimiento y liberación avanzaron más rápido. Y sentí un nuevo gozo en el corazón al saber que había obedecido a Dios.

Un paso de bebé con un significado gigante

El bautismo es un primer paso muy simple para aprender a obedecer a Dios, y solo hay que hacerlo una vez si se entiende lo que se está haciendo. Pero si el bautismo por el que pasaste no tuvo ningún significado para ti (ya sea porque eras un bebé o porque no tenías ninguna relación con el Señor), necesitas bautizarte ahora. Sin renegar de lo que hiciste de niña o cuando no conocías al Señor, ahora estás diciendo: "Entierro mi vida anterior. Entro a una corriente por donde me lleva el poder del Espíritu Santo. Declaro a Dios como capitán de mi vida y quiero que él me conduzca adonde debo ir. Ahora vivo en el poder de su vida".

Jesús fue bautizado como un acto de obediencia y nos mandó hacer lo mismo diciendo: "El que crea y sea bautizado, será salvo" (Marcos 16:16). No podría ser más claro. El bautismo en agua es un acto de obediencia para declarar el señorío de Jesús en tu vida.

No hay magia en el agua, pero tampoco es simplemente mojarse. Ya sea que uno lo sienta en ese momento o no, las fortalezas de tu pasado han sido destruidas en el reino espiritual. Tal vez no observes nada diferente en el estado del tiempo, como me ocurrió a mí, y tal vez tampoco veas ninguna paloma ni escuches la voz de Dios como le ocurrió a Jesús, pero puedes confiar que el Espíritu Santo de Dios ha descendido sobre ti y te abrirá el reino de Dios.

Conozco a creyentes que sufren heridas terriblemente dolorosas de su pasado, pero se niegan a dar este sencillo paso. No estoy segura por qué. Vienen a pedirme consejo, repaso con ellos los cimientos necesarios, pero aun así se niegan a dar este paso. Año tras año veo que siguen sufriendo con problemas en su matrimonio, con la ira, con la falta de perdón, y luchando con la depresión. Es que todavía no han hecho el compromiso pleno de vivir como Dios quiere.

No permitas que Satanás te robe de lo que Dios tiene para ti convenciéndote de que "No es importante", "Te verás ridícula". "Es un rito sin sentido". Rechaza esas mentiras. Incluso si has sido cristiana durante treinta años y líder en tu iglesia, no permitas que el orgullo te prive de recibir lo que Dios tiene para ti. Si estás en la cárcel, dile al capellán que quieres ser bautizada y haz que aunque sea derrame agua sobre tu cabeza y te bautice en el nombre del Padre, del Hijo y del Espíritu Santo. El poder no está en el agua, ni en sumergirse, sino en tu deseo de obedecer la Palabra de Dios y permitir que el Señor Jesús gobierne tu vida. Dios no toma una varita mágica y la agita sobre tu vida como si fuera un hada. Quiere más para ti que eso. Quiere caminar de tu mano y darte llaves de autoridad para que tengas una vida victoriosa.

Qué dice la Biblia acerca de ser bautizados

Pedro les dijo: "Arrepentíos y bautícese cada uno de vosotros en el nombre de Jesucristo para perdón de los pecados, y recibiréis el don del Espíritu Santo."
Hechos 2:38

¿O no sabéis que todos los que hemos sido bautizados en Cristo Jesús, hemos sido bautizados en su muerte?, porque somos sepultados juntamente con él para muerte por el bautismo, a fin de que como Cristo resucitó de los muertos por la gloria del Padre, así también nosotros andemos en vida nueva.
Romanos 6:3–4

Y Jesús, después que fue bautizado, subió enseguida del agua, y en ese momento los cielos le fueron abiertos, y vio al Espíritu de Dios que descendía como paloma y se posaba sobre él.
Mateo 3:16

Ahora, pues, ¿por qué te detienes? Levántate, bautízate y lava tus pecados invocando su nombre.
Hechos 22:16

Vivir en obediencia
Ayunar y orar

¿Quiere que ayune?, pensé conteniendo la respiración cuando escuché la tarea que May Anne me asignó la primera vez que me entrevisté con ella en su oficina de consejería. Había oído hablar al pastor Jack sobre el ayuno, y toda la congregación ayunaba los miércoles, pero yo no estaba preparada para eso. Además, tenía miedo de tener hambre, como me había ocurrido tantas veces de niña cuando me iba a dormir sin cenar.

—Hay cierta liberación que no se dará sin ayuno y oración, Stormie —me explicó Mary Anne—. Es un acto que consiste en negarse a uno mismo y poner a Dios en el centro de tu vida, lo cual rompe cualquier atadura que Satanás tenga sobre ti y destruye la esclavitud que resulta del pecado.

Necesito eso, me dije mientras escuchaba, *y si no ocurrirá a menos que ayune, entonces tengo que hacerlo.*

Mary Anne sugirió que ayunara tres días completos, tomando únicamente agua, y luego regresara a su oficina con la lista de pecados que mencioné antes. Hice como me indicó: tomaba agua y oraba cada vez que sentía hambre. Después del primer día las punzadas de hambre no fueron tan malas. En realidad, fue mucho más fácil de lo que había imaginado. Cuando se acercaba el momento de ver a Mary Anne, ella llamó para cancelar la cita y programarla para la semana siguiente. Eso significó que debía ayunar otros tres días.

No pasará nada, pensé. *He estado deprimida durante veinte años y eso jamás cambiará. Fui una tonta al hacerme ilusiones.*

Durante la semana, la depresión se hizo más intensa. El ayuno fue más duro esta vez y quería abandonarlo, pero seguí obedeciendo. El día de la consulta oré pidiendo un milagro; pero en realidad tenía miedo de que ocurriera uno.

Desde el momento en que entré en la oficina de consejería sentí que algo había cambiado. Tenía la mente despejada, pero lo más importante era que sentía la presencia y el poder del Señor con más profundidad que nunca antes. Después que confesé mi pecado y perdoné a mi madre, Mary Anne y otro consejero me pusieron las manos sobre la cabeza y los hombros y oraron para que fuera liberada de la depresión. Mientras oraban, una fuente de energía como una electricidad me recorrió el cuerpo. La sesión de consulta duró dos horas y cuando terminó me sentí cansada pero aliviada y en paz.

A la mañana siguiente me desperté sin depresión. Día tras día esperé que reapareciera pero no lo hizo. En realidad, aunque después estuve deprimida otras veces, la depresión nunca fue tan intensa y jamás volvió a controlarme. Creo que el ayuno me ayudó a liberarme de ella con más rapidez e intensidad.

¿Quién, yo? ¿Tengo que ayunar?

Dios diseñó el ayuno para guiarnos hacia un conocimiento más profundo de él, para liberar la obra del Espíritu Santo en nuestra vida y llevarnos a tener más salud y plenitud. El ayuno bendice cada área de nuestra vida mental, física, espiritual y emocional. Derriba fortalezas que ni siquiera sabemos que el enemigo ha levantado contra nosotros. En efecto, la Biblia dice que hay ciertos espíritus que solamente pueden destruirse con ayuno. Cuando los discípulos le preguntaron a Jesús por qué los espíritus malignos no se les sometían, dijo: "Este género con nada puede salir, sino con oración y ayuno" (Marcos 9:29).

Ayunar es como cubrirse de un aceite santo que impide que el diablo pueda atarte. El ayuno está pensado para:

> El ayuno que yo escogí,
> ¿no es más bien desatar las ligaduras de impiedad,
> soltar las cargas de opresión,
> dejar ir libres a los quebrantados
> y romper todo yugo?
> (Isaías 58:6)

Aun si ese fuera el único logro del ayuno, cualquiera que esté buscando integridad emocional querría dar este paso de obediencia.

¿Quién no anhela estar libre del control del diablo? ¿Quién no necesita que el poder de Dios irrumpa en sus circunstancias? ¿Quién no quisiera estar libre de por lo menos una emoción negativa? Todos lo querríamos. Entonces, ¿qué nos retiene? La ignorancia y el temor. Ignoramos lo que dice la Biblia sobre el tema, ignoramos lo que Dios quiere de nosotros, lo que puede lograr el ayuno, y sus maravillosos beneficios. También tememos morir en la noche si nos acostamos sin cenar. O por lo menos le tememos al hambre, a los dolores de cabeza, a las náuseas, a la debilidad y al mareo que puede producir el ayuno. Pero hay muchas razones para tolerar esas incomodidades, algunas de las cuales he enumerado en la página 117.

Hay más de ochenta citas sobre el ayuno en el Antiguo y el Nuevo Testamento. Jesús ayunó. Si hacerlo fuera peligroso, ¿por qué la Biblia lo mencionaría? ¿Por qué lo hubieran practicado los más grandes hombres de la historia bíblica? ¿Y por qué habría ayunado Jesús cuarenta días?

El ayuno es una disciplina y un ejercicio espiritual en el que uno se entrega por completo a la oración y a la comunicación estrecha con Dios. La disciplina siempre tiene sus recompensas. Una disciplina física, como la gimnasia, tiene recompensas físicas. Una disciplina espiritual (como el ayuno), tiene recompensas espirituales. (El ayuno también tiene beneficios físicos, pero a los propósitos de este libro solo destaco los espirituales).

No ayunamos para que Dios nos ame. Dios ya nos ama, y lo hará sea que ayunemos o no. Tampoco es la oportunidad de obtener lo que queremos de Dios. Es un tiempo para acercarnos a él, para abrir el alma al Espíritu de Dios y para verlo trabajar de manera poderosa en nosotros.

¿Cómo debo ayunar?

Una vez que te has convencido que es bueno ayunar, debes dar el primer paso. Comienza sencillamente salteando una comida, tomando agua y orando durante ese tiempo. Di: "Dios, salteo esta comida para tu gloria y para destruir las fortalezas en mi vida". Luego somete a oración todas las esferas donde sabes que necesitas liberación. Di por ejemplo: "Señor, hoy ayuno para

Veinte razones para ayunar

Para limpiar y purificar el espíritu, el alma y el cuerpo.
Para recibir guía y revelación divina.
Para buscar el rostro de Dios y caminar más cerca de él.
Para escuchar a Dios mejor y entender plenamente su voluntad.
Para invitar al poder de Dios a fluir mejor en nuestra vida.
Para establecer una posición de fuerza y dominio espiritual.
Para desatar cualquier atadura que haya en uno.
Para recibir claridad mental.
Para liberarse de pensamientos negativos o debilitantes.
Para salir de la depresión.
Para debilitar el poder del diablo en nuestra vida.
Para estabilizarnos cuando la vida parece fuera de control.
Para ser fortalecidos en cuerpo y alma.
Para romper la codicia carnal hacia cualquier cosa.
Para descubrir los dones que Dios nos ha dado.
Para ser liberados de pesadas cargas.
Para tener un corazón limpio y un espíritu recto.
Para ser liberados de emociones negativas.
Para encontrar sanidad.
Para tener fuerzas y hacer aquellas cosas que no podemos hacer.

destruir las fortalezas que el diablo levantó en mi mente en forma de depresión, de confusión, falta de perdón o ira".

La próxima vez que ayunes intenta omitir dos comidas, tomando agua y orando durante ese tiempo. Prueba llegar hasta un ayuno completo, tomando solo agua, durante veinticuatro horas una vez por semana. Yo lo hago todas las semanas y lo espero como una oportunidad para escuchar a Dios con mayor claridad. Ayunar es como cualquier otra disciplina que, si se practica con regularidad, se hace más fácil. Además, cuanto mejor tratamos nuestro cuerpo entre un ayuno y otro, el ayuno será más agradable.

Cuando ya puedas mantener ayunos de treinta y seis horas sin problemas y estés considerando hacerlo de tres días varias veces al año, hazlo. Si tienes algún problema físico que te impide hacer un ayuno de agua, haz un ayuno de verduras o de frutas, y durante ese día come solamente frutas o verduras. La mayoría de las personas pueden hacerlo.

Si temes ayunar, busca un buen libro cristiano sobre el tema. Mi libro Greater Health God's Way (Sparrow), tiene un capítulo sobre el ayuno que te ayudará a entrar en esa disciplina.

El ayuno que elige Dios

En Isaías 58 Dios describe los beneficios de ayunar. En la página 119 incluí una parte del pasaje, pero te recomiendo que leas todo el capítulo cada vez que ayunas y así recordar por qué lo haces (para ser liberada), que harás (renunciar a ti misma), y cuáles son las recompensas (sanidad, oraciones respondidas, liberación y protección).

Asegúrate de acompañar tu ayuno con oración. El ayuno sin oración es solo pasar hambre. Haz que sea un tiempo para acercarte al Señor y permitirle que te guíe. A veces sentirás la clara guía del Espíritu Santo, otras no. Sea que la recibas o no, siempre es bueno tener presente la importancia central de la oración.

Dios invita a todos los que estén en condiciones de hacerlo, a ayunar y a orar: no solo a pastores, líderes, escritores o maestros; no solo a hombres y a mujeres que tienen más de cincuenta años, sino a todos los adultos que reconocen a Jesús como el Hijo de Dios. Pídele a Dios que te hable a ti sobre el ayuno, porque está diciéndote algo. Recuerda: "Ciertamente, ninguna disciplina, en el momento de recibirla, parece agradable, sino más bien penosa; sin embargo, después produce una cosecha de justicia y paz para quienes han sido entrenados por ella" (Hebreos 12:11, NVI).

Ayunar es un instrumento para derrotar al enemigo, y por lo tanto es una llave para la liberación y la integridad emocional. No la descuides. Incluso después de haber sido liberada, Satanás buscará formas de volver a esclavizarte. Tienes que estar decidida a escurrirte de entre sus dedos y dar continuamente este paso de obediencia.

Qué dice la Biblia acerca del ayuno y la oración

El ayuno que yo escogí,
¿no es más bien desatar las ligaduras de impiedad,
soltar las cargas de opresión,
dejar ir libres a los quebrantados
y romper todo yugo?
¿No es que compartas tu pan con el hambriento,
que a los pobres errantes albergues en casa,
que cuando veas al desnudo lo cubras
y que no te escondas de tu hermano?
Entonces nacerá tu luz como el alba
y tu sanidad se dejará ver en seguida;
tu justicia irá delante de ti
y la gloria de Jehová será tu retaguardia.
Entonces invocarás, y te oirá Jehová;
clamarás, y dirá él: "¡Heme aquí!
Si quitas de en medio de ti el yugo,
el dedo amenazador y el hablar vanidad,
si das tu pan al hambriento
y sacias al alma afligida,
en las tinieblas nacerá tu luz

y tu oscuridad será como el mediodía.
Jehová te pastoreará siempre,
en las sequías saciará tu alma
y dará vigor a tus huesos.
Serás como un huerto de riego,
como un manantial de aguas,
cuyas aguas nunca se agotan.
Y los tuyos edificarán las ruinas antiguas;
los cimientos de generación y generación levantarás,
y serás llamado "reparador de portillos",
"restaurador de viviendas en ruinas".
Isaías 58:6-12

VIVIR EN OBEDIENCIA RENUNCIAR AL OCULTISMO

—Quiero que renuncies a tus vínculos con el ocultismo —me dijo Mary Anne durante esa misma sesión de consulta después del ayuno y la confesión de mis pecados.

¿Mi relación con el ocultismo? ¿Qué importancia tiene eso?, me pregunté. Nunca se me había ocurrido que incursionar en lo sobrenatural fuera algo que debía ser confesado. Había incursionado poco a poco en el ocultismo con la tabla de ouija, los horóscopos, la numerología, la meditación trascendental. Luego pasé rápidamente a la proyección astral, a las sesiones de espiritismo, al hipnotismo, a la ciencia de la mente, y a diversas religiones orientales. Lo oculto era atemorizante pero atractivo. Los libros que leía sobre esos temas aseguraban que me ayudarían a encontrar a Dios y a tener paz eterna. Cualquier práctica oculta que ensayaba me daba un "vuelo" en el momento, pero pronto era seguido por una gran decepción. Ninguna de esas cosas me ofrecía suficiente solidez como para sostenerme mucho tiempo. De todas maneras, estaba tan desesperada por encontrar un respiro (aunque fuera provisorio) del dolor

emocional, los miedos irracionales, y el vacío que me secaba el alma, que incursionaba cada vez más a fondo.

—¿A qué te refieres? —pregunté a Mary Anne—. No he vuelto al ocultismo desde que conocí al Señor.

—Está bien Stormie, pero quiero leerte lo que la Biblia dice sobre el peligro de las prácticas ocultistas: "No sea hallado en ti quien [...] practique adivinación, ni agorero, ni sortílego, ni hechicero, ni encantador, ni adivino, ni mago, ni quien consulte a los muertos. Porque es abominable para Jehová cualquiera que hace estas cosas, y por estas cosas abominables Jehová, tu Dios, expulsa a estas naciones de tu presencia" (Deuteronomio 18:10-12). No solamente debes dejar de practicar esas cosas —continuó—, sino que debes renunciar a ellas ante Dios y expulsar a los espíritus satánicos que hay detrás de ellas, para que ya no tengan ningún control sobre tu vida.

No podía creer que el ocultismo fuera tan grave, pero sí creía que la Biblia era la Palabra de Dios. Si Dios decía que estaba mal, yo estaba dispuesta a desligarme de todo eso. De manera que confesé y renuncié a cualquier vinculación con el ocultismo, y Mary Anne oró para que fuera libre. Mientras lo hacía tuve una sensación muy definida, como una corriente eléctrica que me recorría la cabeza, la garganta, el pecho, el estómago e incluso las manos. Inmediatamente sentí que había sido liberada de un vicio que ni siquiera sabía que tenía. Sentí la mente más clara, las fuerzas renovadas y una sensación de paz, de seguridad y bienestar como nunca antes había experimentado.

Alinearse con el Ganador

Lo que la Biblia dice sobre el ocultismo está claro. Si nos alineamos con el enemigo, no podemos hacerlo con Dios. El pastor Jack Hayford dice: "El ocultismo tiene un poder real, pero su fuente es errónea. Su poder deriva del reino de la oscuridad". En cuanto al peligro de la astrología, dice que "va más allá del simple uso supersticioso del tiempo. Entrar en el negocio de las prácticas ocultistas es traficar con el demonio. No se trata de una influencia cósmica que irradian las estrellas, sino de una infernal que emana del mismo Satanás, quien ha encontrado más de una manera de robar, matar y destruir".

Hay personas que me han dicho: "Esas cosas son reales. Una vez me hice adivinar la suerte y se cumplió".

Sí, esas cosas son reales y a veces hasta pueden acertar en la predicción, pero el poder que hay detrás jamás puede saber toda la verdad, y no conoce la mente de Dios. Satanás tiene ciertos poderes sobrenaturales, pero su sabiduría es limitada y es un perdedor. Por otra parte, Dios es omnisciente y todopoderoso. Permite que elijamos a quién serviremos, y cuando decidimos recurrir solamente a él para aquello que necesitamos, tenemos la garantía de ser ganadores. ¿Por qué alinearnos con el perdedor?

Tal vez pienses que leer tu horóscopo o consultar una señal astrológica es algo inocente, que la tabla de ouija no es más que un juego de palabras, que la meditación trascendental puede darte algo de paz, o que leer las manos es una diversión... pero es un engaño. Nada de eso es inofensivo, todo es destructivo. Cada experiencia aumentará tu depresión, tu miedo y tu confusión. Se interpondrá a las bendiciones, a la sanidad, a la liberación y a la integridad. ¿Por qué querrías experimentar con el engaño?

El misticismo no cumplirá su promesa. Aunque te sentaras en la posición de loto hasta cumplir los cien años, aun así no escaparías de la maldición que hubiera sobre tu vida. Podrás hacerte leer la mano mil veces pero no encontrarás la liberación que necesitas. Podrás analizar tu carta astral cada día sin liberarte jamás de tus sentimientos de baja autoestima. Podrás practicar la canalización y tener experiencias fuera del cuerpo hasta el fin de tus días, sin que desaparezca el dolor emocional en tu interior.

Créeme, lo sé porque he estado allí. He practicado todo eso. No funciona. Pero el peligro no es que no funcione. El peligro es que funciona lo suficiente como para hacerte creer que sirven y entonces te atrapan. El peligro es que el poder que está detrás de todo eso es real e intenta destruirte. Aunque solo juguetees, el diablo no juega. Si te vinculas al espíritu de la brujería, quizá consigas un nuevo empleo y un atractivo galán en tu vida. Pero eso no compensa el precio de terminar en el camino al infierno.

Actuar de inmediato

Si estás involucrado en el ocultismo ahora o has tenido participación en el pasado, debes renunciar a ello ante Dios. No puedes estar alineada con Satanás y esperar que Dios te libere. Dile a Dios: "Confieso mi vínculo con espíritus diferentes que el Espíritu de Dios". Luego nombra cada tipo de culto del que has participado: "Renuncio a la astrología, renuncio a la adivinación, renuncio a la tabla ouija, renuncio a la reencarnación, renuncio al espiritismo, renuncio a la numerología, renuncio a la lectura de la suerte en las hojas de té, renuncio a los horóscopos, renuncio a la escritura automática, renuncio a la brujería, renuncio al hipnotismo, renuncio al yoga, renuncio a la proyección astral, renuncio al satanismo, renuncio al espiritismo, renuncio a la percepción extrasensorial (PES), renuncio a las cartas de tarot, renuncio a la lectura de las manos, renuncio al control mental, renuncio a la meditación trascendental, renuncio a la levitación, renuncio a las falsas religiones, renuncio a las canalizaciones, renuncio a todas esas prácticas como satánicas y con ellos ato a los poderes de las tinieblas. En el nombre de Jesús rompo el control que tengan sobre mí".

Despréndete de cualquier material sobre ocultismo que poseas: revistas, libros, instrumentos o figuras. Si has estado muy involucrada con lo oculto, pídele a un pastor, consejero u otro creyente maduro que ore para que seas librada de las ataduras que acompañan a esas prácticas. Luego continúa atenta a las prácticas que pudieran reaparecer.

Pídele al Señor que traiga a la superficie cualquier cosa en la vida que no pertenezca a él, y cuando te lo muestre, renuncia a ello en el nombre de Jesús y manifiesta tu voluntad de no tener absolutamente nada que ver con ello. Ten en mente que recurrir a cualquier otra cosa que no sea Dios como fuente de poder en tu vida es ocultismo. Jamás hallarás restauración mientras el ocultismo tenga algún control sobre ti.

Qué dice la Biblia acerca de renunciar al ocultismo

Te has fatigado en tus muchos consejos.
Comparezcan ahora y te defiendan,
los contempladores de los cielos,
los que observan las estrellas,
los que cuentan los meses,
para pronosticar lo que vendrá sobre ti.
He aquí que serán como el tamo;
el fuego los quemará,
no salvarán sus vidas del poder de la llama;
no quedará brasa para calentarse
ni lumbre a la que arrimarse.
Isaías 47:13-14

Si os dicen: "Preguntad a los encantadores y a los adivinos, que susurran hablando", responded:
"¿No consultará el pueblo a su Dios?
¿Consultará a los muertos por los vivos?"
Isaías 8:19

Os doy potestad [...] sobre toda fuerza del enemigo,
y nada os dañará.
Lucas 10:19

Vivir en obediencia
Rechazar la inmoralidad sexual

—Es de suma importancia identificar los pecados sexuales que hayas cometido —me señaló Mary Anne la primera vez que la vi, cuando me señaló que fuera a casa y enumerara mis pecados.

Qué incómodo, pensé. Mi desesperada necesidad de amor, de aprobación e intimidad era tan fuerte que había caído en relaciones equivocadas una y otra vez. Sería mortificante tener que hablar de eso.

—No tienes que dar detalles —agregó Mary Anne como si supiera lo que estaba pensando—. Solo anota el nombre, confiesa tu relación, y pídele a Dios que te restaure. Presentaremos tu lista en oración durante el próximo encuentro.

Apenas dejé su oficina comencé a recordar situaciones, y cada una hacía que me encogiera. Descubrí que me hacía bien escribirlas en mi "lista de pecados", confesarlas a Dios y pedir perdón tal como Mary Anne me había indicado. Fue como el alivio que viene de confesar un pecado oculto. Cuando volví a su oficina para la sesión de liberación, ya había enumerado y confesado cada incidente de inmoralidad sexual que podía recordar. Ella oró para que yo fuera liberada y limpiada de los efectos de todos los pecados de la lista y me aseguró que el diablo nunca podría echarme nada en cara. Ya lo había confesado. Dios me había perdonado. Mientras no reincidiera, serían cosa del pasado. Me sentía limpia y nueva. Descubrí que la pureza y la responsabilidad sexual contribuyen a un sentido de bienestar y ayudan a la persona a sentirse bien consigo misma.

El sexo como atadura del alma

Inmoralidad sexual es tener sexo con alguien con quien no estás casado. Las personas generalmente caen en la inmoralidad sexual porque piensan que no hay nada malo en ello o porque son demasiado inseguras y necesitadas de intimidad, de amor, de afirmación y poder, y no son capaces de resistir.

Todos necesitamos amor, y cuando estamos desesperados lo buscamos en cualquier lugar. Pero el sexo fuera del matrimonio nunca será el amor comprometido, sacrificial e incondicional que realmente necesitamos. Dios no es un mojigato. Después de todo, el sexo fue un invento suyo. Pero él estableció ciertas pautas para nuestro beneficio, y solo hallaremos la plenitud total dentro de las mismas.

El problema con la inmoralidad sexual es que no es solamente un encuentro físico; compromete al alma. El acto sexual une a las dos personas. Cuando la relación se rompe, se fractura una parte de la personalidad de cada uno. Si hubo muchas relaciones de ese tipo, habrá muchas partes rotas. Cuando esas personas encuentran a la pareja supuestamente adecuada, están tan fragmentadas que ya no pueden ofrecerse como una persona íntegra.

Sandi había experimentado muchas relaciones dolorosas y un breve y fallido matrimonio con un hombre que la dejó por otra mujer cuando estaba embarazada. Vino a consultarme sintiéndose deshecha, dolorida, temerosa y consciente de cuánto la había afectado la promiscuidad. Después de varios meses de reunirse conmigo aceptó a Jesús, dejó las drogas, renunció a las prácticas ocultistas y cortó la relación con el hombre que estaba saliendo. Comenzó a asistir a la iglesia y a los pocos meses se había librado del insomnio, del temor a estar sola, de la falta de perdón hacia su ex esposo, y de su falta de autoestima. Estaba camino a la restauración, y yo asombrada por la forma en que estaba aceptando que Dios obrara en su vida.

Pero un día aceptó una cita con un hombre al que no conocía en absoluto, un joven exitoso, alto, atractivo, que parecía ser todo lo que ella deseaba como esposo. Se enamoró inmediatamente de él y en su soledad y desesperación por afecto ignoró lo que dice la Biblia acerca del sexo fuera del matrimonio. En lugar de eso se dejó llevar por mentiras como "Nos queremos... Vamos a casarnos... ¿De qué otra manera podemos saber si somos compatibles?... No hacemos mal a nadie... Todo el mundo lo hace..."

Estuvieron juntos algo más de un año. Durante ese tiempo ella dejó de asistir a la iglesia, dejó de leer la Biblia y dejó de orar. Cuando él la dejó ella volvió a sentirse temerosa, deprimida y cargada de culpa. Comenzó a tener un problema físico tras otro, y cuando volví a verla estaba envejecida y demacrada, como si se estuviera muriendo. La llevé nuevamente a la iglesia, comenzó a asistir a la consejería y está restaurándose. Pero le llevará tiempo recuperar la salud. Perdió años de su vida y demoró la integridad que Dios tenía para darle y posiblemente el buen esposo que tanto anhelaba. No permitas que te ocurra lo mismo.

Cuando no fue tu culpa

—No soporto que me hablen sobre inmoralidad sexual —dijo una joven muchacha llamada Carolina—. Ya me siento demasiado sucia y eso solo hace que me sienta peor.

Me contó su horrible historia de las repetidas violaciones a que la sometía su padre desde los nueve años y de la violación por parte de un amigo durante la adolescencia. Después de todo eso se había vuelto promiscua y sentía que la pureza sexual era algo fuera de su alcance. Se sentía completamente impotente.

—Carolina —le dije—, la pureza sexual, como la virginidad, son cosas que solo tú puedes entregar. No pueden quitártelas. Esto se debe a que la pureza sexual es un asunto del corazón. Alguien puede penetrar a la fuerza tu cuerpo, pero nadie puede penetrar tu corazón, tu alma o tu espíritu.

—Pero no entiendes —sollozó Carolina—. Yo no hice nada para evitar a mi padre. Ni siquiera intenté poner fin a sus violaciones. Fui promiscua. ¿No te das cuenta? Permití que sucediera.

—Dime por qué no intentaste evitar o terminar con las violaciones de tu padre, Carolina —pregunté, aunque sabía la respuesta.

—Tenía miedo de resistirme —explicó, con la voz llena de remordimiento y autodesprecio.

—Permíteme explicarte algo, Carolina —dije—. Te volviste temerosa de resistir desde el momento en que tu padre te forzó sexualmente. Cuando un niño es abusado, pierde la capacidad de tomar decisiones sanas. Desde ese momento todo lo que hace es para sobrevivir, o lo contrario, por autodestrucción. Desde el primer momento del abuso sexual fuiste incapaz de hacer nada diferente de lo que hiciste. No tenías opciones, solo la fantasía de tenerlas. Pero Dios hace nuevas todas las cosas.

Eso significa que en el momento en que dejas que Jesús entre en tu vida, y le entregas a Dios todo tu pasado y te comprometes a vivir con pureza sexual, eres totalmente pura. La confesión, el perdón, la liberación y el amor sanador del Señor son el proceso que limpiará los residuos de lo que ha ocurrido en el pasado. No permitas que el diablo te quite eso haciéndote sentir impura.

Heridas tan profundas como la de Carolina no se curan de la noche a la mañana. Requieren mucha oración, muchas sesiones de consejería y mucho amor. Pero cuando tuvo una visión de sí misma como una mujer pura, se encendió en ella la llama de la esperanza.

Si te sientes contaminada por la impureza sexual de actos que no fueron voluntarios, Dios quiere que seas liberada de esa carga. Habla con el Señor acerca de todo lo que te ocurrió. Tienes que presentarle cada recuerdo al Señor, para que esos incidentes pierdan el poder de atormentarte. Luego pídele que te limpie de todos sus efectos.

Construir una relación duradera

El sexo solo debe estar asociado con una relación duradera, y sin matrimonio no hay compromiso duradero, solo se mantendrá mientras los dos se sientan bien. Siempre pagamos un precio demasiado alto cuando aceptamos la filosofía de "si te sientes bien, hazlo". En cambio, la amistad gana profundidad no importa cuánto cueste la abstinencia física. Cuando eliminamos la parte física de la relación, descubrimos lo que hay de verdadero en ella. Además, si hubiera una ruptura, esta no nos destruye. El sexo antes del matrimonio significa que no hemos establecido la relación primero como una amistad, y es la principal razón por la que muchas relaciones no funcionan.

La inmoralidad sexual deja cicatrices en el alma y daña nuestras emociones más severamente que cualquier otra desobediencia. El camino de regreso de esa devastación a la integridad es más lento, porque la fragmentación del alma es más profunda que la provocada por otros pecados. La Biblia dice: "El que comete inmoralidades sexuales peca contra su propio cuerpo" (1 Corintios 6:18, NVI). Siempre pagaremos por ese pecado y el precio siempre será demasiado alto.

Yo sé lo difícil que es este paso de obediencia, especialmente para alguien con carencias emocionales o que haya sufrido heridas, rechazo o falta de amor. Es casi imposible resistirse a quien parece interesarte por ti, y te hace sentir amada. Felizmente, tenemos un Dios que entiende esa dificultad. Él pone en nosotros su Espíritu para que podamos superar la tentación. Lo único que nos pide es que tengamos la disposición a decir: "Quiero hacer lo bueno, Dios, ayúdame a hacerlo".

Si tienes algún pecado del pasado que no hayas confesado aún, hazlo inmediatamente. No caigas en la trampa de pensar: "¿Cómo puedo considerar esto un pecado sexual si me hizo sentir tan bien?" o "¿Cómo puedo confesar algo que no quiero dejar de hacer?" o "¿Por qué debo confesar algo que no fue mi culpa?" El pecado destruye tu vida, lo hayas disfrutado o no, hayas tenido la intención de cometerlo o no, hayas elegido hacerlo o no.

Si en este momento estás enredado en una relación fuera del matrimonio, pídele al Espíritu Santo que te ayude a dar los pasos necesarios para cortarla. Di: "Espíritu Santo, arráigate en mi personalidad y guía mis acciones según la voluntad de Dios. Abre mis ojos a la verdad de tu Palabra. Ayúdame a mantenerme en la verdad y dame fuerzas para negarme a la inmoralidad sexual. Ayúdame a establecer reglas en mis relaciones y a resistir cualquier cosa que no esté en tus planes para mi vida.". Si después de hacer esta oración vuelves a caer, no te alejes de Dios. Confiésalo, ora nuevamente, y esfuérzate más. Si tienes una adicción sexual fuerte, necesitas consultar a una consejera. Algo de tu pasado ha provocado esa adicción, pero Dios quiere liberarte de ella.

Si estás convencida que deseas vivir en la pureza sexual y estás saliendo con alguien que te presiona a violar esa convicción, significa que el compromiso de esa persona con Dios y contigo no es el correcto, y debes cortar la relación hasta que ese asunto pueda ser reconciliado delante del Señor. Si la persona te ama de verdad y la relación es buena, no perderás nada. Al contrario, ganarás mucho.

La inmoralidad sexual cierra la puerta a las posibilidades que Dios tiene para que disfrutes una plenitud duradera. Si estás tratando de reunir las partes de tu vida, es contraproducente que te fragmentes. Entrar en la santidad de Dios es lo único que puede darte la integridad que anhelas. Procura que eso ocurra diciéndole "No" a la inmoralidad sexual y "¡Sí!" a la restauración de Dios.

QUÉ DICE LA BIBLIA ACERCA DE RECHAZAR LA INMORALIDAD SEXUAL

El cuerpo no es para la inmoralidad sexual sino para el Señor, y el Señor para el cuerpo.
1 Corintios 6:13, NVI

Todo aquel que es nacido de Dios no practica el pecado, porque la simiente de Dios permanece en él; y no puede pecar, porque es nacido de Dios.
1 Juan 3:9

Por tanto, hagan morir todo lo que es propio de la naturaleza terrenal: inmoralidad sexual, impureza, bajas pasiones, malos deseos y avaricia, la cual es idolatría ... Ustedes las practicaron en otro tiempo, cuando vivían en ellas. Pero ahora abandonen también todo esto.
Colosenses 3:5, 7–8, NVI

Entre ustedes ni siquiera debe mencionarse la inmoralidad sexual, ni ninguna clase de impureza o de avaricia.
Efesios 5:3, NVI

Si pecamos voluntariamente después de haber recibido el conocimiento de la verdad, ya no queda más sacrificio por los pecados.
Hebreos 10:26

Vivir en obediencia: Hacer limpieza general de la casa

Después de la sesión de liberación con Mary Anne, no entendía muy bien qué había ocurrido conmigo pero me sentía en paz y libre de depresión. Mary Anne me indicó que pasara el mayor tiempo posible leyendo la Palabra de Dios para llenar los espacios vacíos en mí con la verdad del Señor. Estaba ansiosa por hacerlo, de manera que decidí volver a leer toda la Biblia desde el comienzo. Disponía de tiempo suficiente porque no estaba trabajando, y mi esposo estaba muy ocupado con sus proyectos. Leí casi un libro completo por día. Cada página cobraba vida y sentido, y me atrapaba como las novelas de gran éxito que solía leer.

No había leído más que algunos minutos en Deuteronomio 7, sobre las recompensas a la obediencia, cuando me detuve en las palabras del último versículo: "No metas en tu casa nada que sea abominable. Todo eso debe ser destruido. Recházalo y detéstalo por completo, para que no seas destruido tú también" (v. 26, NVI)

¿Alguna cosa abominable? ¿En mi casa? ¿Tengo algo así, Señor? Muéstramelo.

Casi tan pronto como hube pronunciado esas palabras, pensé en mis sesenta o setenta libros sobre ocultismo, espiritismo, y religiones orientales. Había dejado de leerlos cuando acepté a Jesús y había renunciado a mi vínculo con todo eso, pero todavía los tenía. En algún momento los vi, pero la idea de arrojarlos

Sin embargo de pronto me sentí incómoda con la hipocresía que era esa idea. Ahora que era creyente, ¿regalaría mis libros que enseñaban a rendir culto a otros dioses a mis amigos no creyentes? ¡Qué ignorancia! Esos libros defendían al diablo, quien prácticamente había destruido mi vida, ¿y yo estaba dispuesta a permitir que influyeran en la vida de otros? Tomé entre veinte y treinta bolsas y fui hasta la biblioteca con toda decisión. Revisé cientos de libros y descarté aquellos que trataban sobre el ocultismo o sobre cualquier tema similar.

Sin embargo no me detuve allí. Cuanto más pensaba en eso, más reconocía otros objetos dañinos. La búsqueda y la destrucción pronto incluyó pinturas, esculturas, adornos, bandejas pintadas a mano y una diversidad de artefactos que exaltaban otros dioses. Me deshice de grabaciones y discos que pudieran ser negativos, satánicos o cuestionables.

Me sentía tan bien que pensé: ¿Por qué detenerme aquí? Arrojé toda la ropa que no glorificaba a Dios. Descarté mis vestidos escotados, mis blusas transparentes y los pantalones vaqueros demasiado ajustados. También me deshice de todo lo que me recordaba a mi primer matrimonio, a mis ex novios y a los períodos de infelicidad.

Quizá doy la impresión de ser una fanática de la caza de brujas, pero lo que me impulsaba era una firme decisión de apartarme de cualquier cosa que me separara de Dios. Había experimentado suficientes bendiciones como para saber que quería todo lo que él tuviera para mí. Cuando terminé mi limpieza general, me sentí rejuvenecida y exuberante. Sentía un avance emocional y espiritual como si finalmente hubiera atravesado alguna barrera invisible.

Desde entonces hago periódicamente este tipo de limpieza general, nunca hasta el extremo de esa primera experiencia porque tengo el cuidado de no acumular cosas "abominables". Pero caminar con el Señor pone a punto nuestro discernimiento y ahora reconozco como dañinas cosas que antes no advertía.

Por ejemplo, años después, cuando mi hijo comenzó a tener pesadillas repetidas, oré por ello y me sentí guiada específicamente a ir a su habitación y revisar sus juegos de computadora. Tenía muchos, pero me detuve en uno que le había regalado una familia cristiana para Navidad. Desde afuera no había nada sospechoso, pero cuando leí las instrucciones encontré la peor basura satánica que podría haber imaginado.

Cuando mi hijo regresó de la escuela le mostré el folleto con las instrucciones y le expliqué por qué me parecía que sus pesadillas estaban asociadas con ese juego. Estuvo de acuerdo en que no lo quería más, de manera que lo destruimos inmediatamente, y él, mi esposo y yo oramos en su habitación. Las pesadillas se detuvieron. ¿Pura coincidencia? No lo creo. He visto demasiadas "coincidencias" como esa.

Discernir lo negativo

Llega un punto en el camino con Jesús en el que las personas tienen que hacer una limpieza general. Algunas cosas de las que hay que deshacerse serán obvias. Cualquier cosa que represente inmoralidad sexual, práctica ocultista u otro tipo de mal, por ejemplo, deben ser arrojadas al cubo de la basura. Otras cosas pueden no ser dañinas en sí mismas, pero pueden ser destructivas para ti por alguna asociación negativa. Por ejemplo, los regalos de un ex novio ya no tienen lugar en tu vida si ahora estás casada. En realidad, todo lo que tengas que te recuerde a personas, a incidentes o a cosas que no son del Señor (o te hacen reaccionar negativamente con depresión, ira, ansiedad o temor) tiene que ser eliminado.

Para tener discernimiento, llena tu mente y tu corazón con la Palabra de Dios y pasa mucho tiempo en la presencia del Señor en oración y adoración. Luego pregúntale: "Señor, muéstrame si hay algo 'abominable' en mi casa". Revisa tus guardarropas y los armarios. Las paredes y las bibliotecas. Despréndete de todo lo que te despierte dudas.

Decide que, porque amas al Señor, te desharás de ese antiguo anillo de Buda con un rubí en el vientre o del cuadro de un vampiro tragándose una serpiente que el tío Juan pintó para ti o de las cintas grabadas y vídeos que exaltan la inmoralidad o de los libros dudosos y las revistas cuestionables que un amigo te regaló o cualquier otra cosa que sabes en tu espíritu que no es apropiada. Las cosas que no te edifican no deberían ser parte de tu vida.

No estoy tratando de dominarte, ni irritarte ni hacerte sentir miserable, ni empujarte a la censura ni a la quema de libros. Pero sé que las posesiones no valen nada si no tienes la paz de Dios en tu corazón. Si sientes inquietud en tu espíritu, tienes dificultades para dormir o sientes opresión en tu casa, revisa si no necesitas deshacerte de algo; y si es así, hazlo.

Limpieza espiritual

También es una buena idea orar por tu casa para limpiarla espiritualmente. Cada vez que nos mudamos a una nueva casa, invitamos a un pequeño grupo de creyentes para que nos acompañe en oración por ella. Recorremos los límites de la propiedad y cada habitación orando para que la paz y la protección de Dios reinen sobre todo lo que hay allí. Atamos cualquier control que pudiera haber tenido el diablo sobre la propiedad y echamos fuera al enemigo. Luego proclamamos que la casa y toda la propiedad son del Señor.

Si nunca has orado por tu casa, departamento o habitación, entonces hazlo ahora mismo. No vivas en un lugar que no está cubierto por el Señor. Si puedes, reúne a dos o más creyentes para orar, y pide:

- Que la paz y la protección de Dios estén sobre ella.
- Que nada malo pueda entrar en ella.
- Que Dios destruya cualquier opresión que pudiera haberse alojado.

No disfrutarás de la paz ni de la calidad de vida que deseas hasta que hayas limpiado tu casa a fondo. Reemplaza aquello que saques de tu vida con algo del Señor. Yo compré libros y música cristiana para reemplazar los que descarté. Los remplacé con objetos de arte y con prendas de vestir que glorifiquen a Dios, nada de lo cual es fácil de encontrar.

Cuanto menos contacto tengas con lo que no es de Dios, más de Dios podrás tener en tu vida. Cuanto más tengas de Dios, más conocerás su amor, su paz, su gozo, su sanidad y su integridad.

Qué dice la Biblia acerca de Hacer limpieza general de la casa

Purifiquémonos de todo lo que contamina el cuerpo y el espíritu, para completar en el temor de Dios la obra de nuestra santificación.
2 Corintios 7:1, NVI

No pondré delante de mis ojos cosa injusta.
Salmo 101:3

Guardaos de los ídolos.
1 Juan 5:21

La maldición de Jehová está en la casa del malvado, pero bendice la morada de los justos.
Proverbios 3:33

En la integridad de mi corazón
andaré en medio de mi casa.
Salmo 101:2

Vivir en obediencia Hacerse cargo de la propia mente

—Tengo pensamientos extraños y atemorizantes que no puedo controlar —le dije a Mary Anne un año después de mi liberación. Me puse los dedos en las sienes y froté con fuerza—. Venía tan bien, no sé qué me pasa. A veces me parece que estoy perdiendo la razón. Me asusta. Siempre he temido volverme loca como mi madre.

—Te puedo asegurar que no vas a enloquecer como tu madre —dijo Mary Anne con seguridad—. En primer, no eres tu madre. Eres una persona diferente. Segundo, no estás mentalmente enferma. Pero es posible que estés mentalmente oprimida.

—¿Qué quieres decir? —pregunté procurando entender.

—La Biblia dice cuando nacemos de nuevo que tenemos la mente de Cristo, pero tenemos que permitir que esa mente viva en nosotros —explicó Mary Anne—. Has sido librada de la opresión principal, pero todavía tienes que elegir permitir que la mente de Cristo te domine. Has estado escuchando cualquier pensamiento que llega a tu mente.

Eso era nuevo para mí. Sabía que Dios nos permite elegir cómo queremos vivir, pero nunca había pensado que podía elegir mis pensamientos. Crecí con una madre dominada por una imaginación desenfrenada y una mente extraviada. Por eso yo daba por sentado que todos éramos víctimas pasivas de nuestra mente.

—La Biblia deja bien claro que no debemos conformarnos a la manera de pensar del mundo —continuó Mary Anne—. Dice que debemos renovar nuestra mente llevando "cautivo todo pensamiento para que se someta a Cristo" (2 Corintios 10:5, NVI). Dios también ha establecido claramente aquello a lo que sí debemos dar lugar en nuestra mente. "Consideren bien todo lo verdadero, todo lo respetable, todo lo justo, todo lo puro, todo lo amable, todo lo digno de admiración, en fin, todo lo que sea excelente o merezca elogio" (Filipenses 4:8, nvi, énfasis agregado). Dios es muy específico en esto y tú también tienes que serlo.

—¿Y qué de los pensamientos sexuales que me atormentan? —pregunté—. Estoy sentada en la iglesia y repentinamente me cruza por la cabeza la más perversa imagen sexual.

—Permíteme preguntarte algo —me respondió—. ¿Eliges tener esos pensamientos sexuales perversos?

—¡En absoluto! —respondí de inmediato.

—¿De dónde vienen, entonces?

—No de Dios —dije con toda seguridad.

—Claro que no. Vienen del enemigo de tu alma. Satanás pone esos pensamientos en tu mente, y los has aceptado como tuyos. Por eso te sientes culpable. Eso es opresión mental, es una estrategia del diablo. Cuando comienza a poner esas cosas en tu mente tienes que decirle que se aleje de ti.

—¿Quieres decir que si resisto esos pensamientos, se irán?

—Sí, con el tiempo —me aseguró.

—Bien. ¿Y en cuanto a los pensamientos aterradores? Anoche, de repente vi con detalles muy vívidos cómo un avión se estrellaba contra mi casa, explotaba en llamaradas y mis hijos morían quemados. Prácticamente no dormí después de eso.

—Todo el mundo tiene miedo alguna vez —dijo—. Pero, ¿hay alguna razón particular por la que pienses que puede sobrevenir un desastre sobre tus hijos?

—No, la verdad es que no.

—¿Elegirías tener ese miedo?

—¡Nunca!

—Seguro que no. ¿De dónde vienen esos miedos, entonces? Vienen del maligno. Reconócelo y no cargues sobre ti el miedo. Satanás aprisiona personas por la lujuria y por el miedo más que por cualquier otro motivo.

¡Qué revelación! De pronto todos mis pensamientos atormentadores ya no parecían tan imponentes. Tampoco tenía que sentir culpa por ellos ahora que estaba segura que no venían de mí misma. Todo lo que tenía que hacer era resistirlos en el nombre de Jesús.

De inmediato me dispuse a hacer precisamente eso. Cada vez que me venían pensamientos perturbadores y los identificaba como ajenos a mí o a Dios, decía en voz alta: "No me dejaré controlar por pensamientos negativos. Renuncio a estas imágenes sexuales en el nombre de Jesús. Rechazo las visiones de desastre sobre mi familia o sobre mí. Rechazo la idea de enloquecer como mi madre. Dios no me ha dado un espíritu de temor. Me ha dado una mente sana. Tengo la mente de Cristo y rechazo cualquier pensamiento que no sea del Señor."

Aunque a veces tenía que orar así durante varios días, el alivio venía cuando resistía las sugerencias mentales negativas y pasaba tiempo alabando a Dios. Hacía lo mismo cada vez que el recuerdo de un incidente se representaba una y otra vez en mi mente como un disco rayado. "Te entrego ese recuerdo, Jesús, y me niego a pensar otra vez en eso" decía cada vez que reaparecía. Eso siempre daba resultado. Ahora, aunque soy tan vulnerable a los ataques de opresión mental que cualquier otra persona, los identifico rápidamente y me niego a darles lugar.

Estoy convencida de que no podemos curarnos por completo del daño emocional si tenemos una continua batalla en nuestra mente, y en especial si estamos perdiendo la batalla. La Biblia dice: "Ya no andéis como los otros gentiles, que andan en la vanidad de su mente, teniendo el entendimiento entenebrecido, ajenos de la vida de Dios por la ignorancia que en ellos hay, por la dureza de su corazón" (Efesios 4:17–18). Tenemos que elegir diariamente dar lugar a que la mente de Cristo more en nosotros y que la sabiduría de Dios nos guíe.

¿Cuál es el estado de tu mente?

Si consideramos que el estado de la mente afecta al estado del corazón, lo cual a su vez afecta a todo nuestro ser, es sabio evaluar con frecuencia la condición de nuestra mente haciéndonos las siguientes preguntas:

__ Mis pensamientos, ¿hacen que me sienta triste, deprimida, sola o desesperada?
__ ¿Me provocan enojo, amargura o resentimiento?
__ ¿Me impulsan a sentir odio o dudas de mí misma?

__ ¿Me generan sentimientos de ansiedad y temor?
__ ¿Repiten continuamente recuerdos negativos?
__ ¿Están dominados por imágenes sexuales obscenas?
__ ¿Hacen que me sienta impura o enferma?
__ ¿Me producen sentimientos que no favorecen a la paz y el bienestar?

Si has respondido que sí a cualquiera de estas preguntas estás viviendo con un sufrimiento innecesario, y es hora de que te hagas cargo de tu mente. No obstante, recuerda que no estás sola. Cualquiera que ha sufrido heridas emocionales traumáticas es susceptible de tener esos sentimientos. No solamente tenemos que enfrentar malos recuerdos, sino que el diablo se complace en tomar los hechos dolorosos de nuestro pasado y convertirlos en semillas de negatividad en la mente.

La mejor manera de controlar nuestros pensamientos es controlar las influencias externas. ¿Sabes que puedes volverte temerosa y ansiosa con solo mirar programas de televisión inadecuados, incluso cuando no te parezcan perturbadores al momento? Piénsalo. ¿Cuántos programas de televisión que has mirado te hicieron sentir espiritualmente elevada, esperanzada, enérgica, llena de amor, y motivada para hacer cosas buenas? No muchos, supongo. Por lo general terminamos sintiéndonos exhaustos, vacíos, intranquilos, impuros o temerosos. Eso es porque todo lo que entra en la mente afecta a nuestras emociones. Tenemos que ser específicos sobre qué cosas permitimos que entren en nuestra mente, y dominar cada pensamiento.

No dejes el aparato de televisión encendido durante horas. Controla qué programa estás mirando y decide por qué lo miras. No te digas: "No estoy prestando atención al televisor. Lo dejo encendido todo el día como una compañía". Acostúmbrate a preguntarle al Espíritu Santo: "¿Es bueno este programa para mí?". Si te deja deprimida, temerosa o frustrada o te hace fantasear sobre tu vida, apágalo inmediatamente. Lo que viene de Dios nunca te hará sentir así.

¿Qué tipo de revistas y libros estás leyendo? ¿Enriquecen tu vida? ¿O te hacen sentir deprimida, frustrada, insatisfecha, culpable o descontenta con la vida que Dios te ha dado? Si es así, déjalos. ¿Qué de las películas que miras o los videos que alquilas? ¿Te hacen sentir bien contigo misma, con otras personas, y con la vida en general? Si no es así, aléjate de ellos. ¿Y la música que escuchas? ¿Te produce ánimo, gozo y paz? Si no es así, apágala. No digas: "No importa lo que veo, leo o escucho, sé distinguir entre lo bueno y lo malo." Eso no es del todo cierto. Algunas influencias se filtran en tu espíritu y corroen tu vida sin que te des cuenta. Todo lo que no te alimenta, te va secando. Lo que no es de Dios, insensibiliza tu alma a lo que sí es de Dios.

Fantasear esconde una serie de imágenes mentales, como el ensueño, lo que generalmente implica algún deseo incumplido. No caigas en el error de pensar que puedes fantasear sobre cualquier cosa porque no es algo real. Es real. Cuando ocurre en tu mente, significa que ocurre. La vida de muchas personas es torcida porque no piensan en forma recta, de manera que tienes que deshacerte de cualquier pensamiento que no esté inspirado por Dios.

Aplica la misma estrategia cuando las situaciones del pasado vuelvan a tu mente una y otra vez. A menos que estés tratando de recordarlas con el propósito específico de sanidad o de liberación (como ocurriría en una sesión de consejería o cuando estás a solas con el Señor), no permitas que tu mente las reitere. No permitas que el enemigo de tu alma te llene de culpa o de remordimiento sobre los hechos del pasado. No dejes que tu mente divague ni corra de un pensamiento ansioso o doloroso a otro. Lleva cautivo ante Dios cada pensamiento negativo. Admite que necesitas el poder de Dios para hacerte cargo de tu mente, y pídele que te ayude a liberarte de cualquier cosa negativa que se haya filtrado.

Tácticas de guerra

La principal arma en esta guerra es alimentar tu mente con la verdad y el poder de Dios. Piensa en la grandeza del Señor. Llena tu mente con su Palabra. Busca libros y revistas cristianas. Escucha música cristiana en tu casa y en el automóvil. Pon música de alabanza y sube el volumen lo suficiente como para ahogar las voces negativas de tu mente. Hay películas, música, libros y programas de televisión que tal vez no dicen expresamente "Jesús es el Señor", pero están basados en principios cristianos y tienen un espíritu cristiano de fondo. Búscalos. Recuerda que todo lo que entra en tu mente se hace parte de ti. Para controlar tus emociones debes controlar tu mente.

Quienes han sido muy abusados, con frecuencia luchan con la sensación de que se están volviendo locos. Si hay enfermedad mental en la familia, uno teme heredarla o teme que algún otro miembro de la familia lo haga. Si te sucede eso, tienes que saber, sin lugar a dudas, que todo lo que no sea una mente sana, no viene de Dios. La enfermedad mental no tiene por qué pasar de generación en generación, lo mismo que los pecados de los padres a los hijos hasta la tercera o cuarta generación, si tenemos la autoridad de Jesús y el poder del Espíritu Santo para detenerlos. Dios nos da una mente sana. Si piensas que no la tienes, pídela a Dios y no te conformes con menos que eso.

Si en algún momento te sientes confundida, desorientada o mentalmente frágil, di: "Gracias Señor, por darme amor, poder y una mente sana". Luego alaba a Dios hasta que esos sentimientos desaparezcan. Si necesitas hacer esa oración cien veces al día, hazlo. En algunas ocasiones yo repetía una y otra vez: "Dios me ha dado una mente sana. Dios me ha dado una mente sana. Dios me ha dado una mente sana". Rechazaba la mentira de que acabaría igual que mi madre. Me negaba a recordar el pasado y a vivir con temor del futuro.

No hay "vuelos en círculos de espera" para el creyente. No vivimos en un estado neutral. Avanzamos o retrocedemos. Nos renovamos o nos consumimos. Estamos en guerra, y el enemigo quiere controlar nuestra mente. Si estás sufriendo, es probable que haya ganado acceso a tu mente. No le cedas más territorio. Camina en obediencia haciéndote cargo de tu mente ahora.

Qué dice la Biblia acerca de Hacerse cargo de la propia mente

No os conforméis a este mundo, sino transformaos por medio de la renovación de vuestro entendimiento, para que comprobéis cuál es la buena voluntad de Dios, agradable y perfecta.
Romanos 12:2

Derribando argumentos y toda altivez que se levanta contra el conocimiento de Dios, y llevando cautivo todo pensamiento a la obediencia a Cristo.
2 Corintios 10:5

Ya no andéis como los otros gentiles, que andan en la vanidad de su mente, teniendo el entendimiento entenebrecido, ajenos de la vida de Dios por la ignorancia que en ellos hay, por la dureza de su corazón.
Efesios 4:17–18

El ocuparse de la carne es muerte, pero el ocuparse del Espíritu es vida y paz.
Romanos 8:6

Pero veo otra ley en mis miembros, que se rebela contra la ley de mi mente, y que me lleva cautivo a la ley del pecado que está en mis miembros.
Romanos 7:23

Vivir en obediencia
Cuidar el cuerpo

En mi adolescencia y en los primeros años después de los veinte, las intensas emociones negativas que experimentaba me provocaban una enfermedad física tras otra, todas relacionadas con el estrés. Tuve problemas de piel, caída del cabello, dolores de cabeza, fatiga crónica, infecciones y alergias. Algunas semanas antes de conocer al Señor, estaba tan débil que me aparecieron llagas en la boca que no me permitían comer ni hablar. El médico al que fui en busca de ayuda diagnosticó que tenía una severa deficiencia de vitamina B. Me puso una inyección de vitamina B, tan dolorosa que apenas pude ponerme de pie.

—Sé que duele, pero necesitas esta dosis fuerte para curar esas heridas —dijo el médico—. Quiero que vengas tres veces por semana a ponerte otras dosis hasta que mejores. Pero tienes que comenzar a cuidarte. Tienes que comer bien, descansar lo suficiente, y te recomiendo que te liberes de todo lo que está causando esta presión en tu vida... antes de que acabe contigo —dijo sin la menor sonrisa tranquilizadora.

Pagué la consulta y salí caminado penosamente hasta el coche con un fuerte sabor a vitamina B en la boca. Cuando encendí el motor, el dolor de cabeza comenzó a ceder. Al salir de la playa de estacionamiento, sentí cierto alivio del nudo de ansiedad que tenía en el estómago. A los diez minutos comenzaba a sentirme como una nueva persona. Cuando crucé la entrada de mi casa tuve una extraña y asombrosa sensación de esperanza.

Obedecí el consejo del médico y durante los días siguientes volví a la rutina de alimentación sana y ejercicios. Al llegar a Hollywood para tomar clases de danza, había descubierto los beneficios del ejercicio físico. El énfasis en la juventud y en la apariencia personal que hay en esa ciudad también me estimuló a alimentarme bien. Pero todos mis esfuerzos no alcanzaban para soportar el peso del estrés emocional que se renovaba continuamente. Abandoné todo porque estaba exhausta por la depresión. Pero después de esas inyecciones me sentí como una nueva persona: de la desesperación a la esperanza en veinte minutos. Es cierto que no duró, y tuve que volver para otra inyección algunos días después, pero aprendí que la salud física y la salud emocional están estrechamente relacionadas.

No podemos tener salud física sin cierto grado de salud emocional. De la misma forma, no podemos tener buena salud emocional sin cierto grado de salud física. Podríamos estar sufriendo depresión o alguna otra emoción negativa simplemente a causa del desequilibrio o el agotamiento físico. Cuando me siento desanimada, deprimida, vencida o temerosa, primero reviso si estoy cuidando mi salud física. En algunas oportunidades, incluso en años recientes, sentí que no podía más con mi vida, y en realidad lo único que me hacía falta era dormir bien una noche, comer lo adecuado y volver a mi rutina de ejercicios, y entonces cambiaba esa sensación.

Mejor salud física a la manera de Dios

La salud física no es un asunto menor. Es un eslabón crucial hacia la integridad emocional. La salud emocional y la salud física influyen entre sí de tal manera que es difícil saber dónde termina una y dónde comienza la otra. ¿Sabes que puedes causarte problemas emocionales simplemente por comer mal, por no hacer ejercicios y por vivir en constante tensión? Una salud física débil puede hacer que hasta el mínimo problema parezca enorme y sin salida. Si una persona no tiene suficientes nutrientes en su cuerpo, podría tener pensamientos suicidas, sentir que se está volviendo loca o abusar de sus hijos, todo porque el cuerpo está demasiado agotado. La salud física es importante para la restauración emocional.

Nadie sale bien parado si descuida su salud. Tal vez tengamos éxito por un tiempo, pero en algún momento todos tendemos que pagar el precio por nuestro descuido. Conozco a un médico que fue psiquiatra por algunos años antes de especializarse en nutrición. A medida que ejercitaba su profesión comprobó que la mente y las emociones de las personas estaban muy condicionadas por el estado del cuerpo, y que podía ayudar más a las personas atendiendo su salud física. Por otra parte muchos médicos consideran que la mayoría de las enfermedades son provocadas por el estrés emocional y mental. Algunos, como este médico que mencioné, piensan que los problemas emocionales se pueden controlar por medio de una buena salud. En lugar de forzarte pensando qué fue lo primero en tu caso, piensa que Dios hizo el cuerpo tanto como el alma y el espíritu. Y espera que cuidemos de todo nuestro ser. Junto a los pasos que estás dando para tu integridad emocional, tienes que dar los pasos hacia una integridad física.

Antes que nada, tienes que hacerte chequeos regulares para saber conocer tu estado de salud. Si tienes problemas concretos, no los pases por alto. Busca atención médica. Luego analiza la forma en que has venido ocupándote de tu cuerpo. No se trata de hacerte sentir culpable, porque entiendo lo pesado que puede ser a veces el cuidado corporal, especialmente cuando está muy asociado con las emociones. Pero puedes dar ciertos pasos básicos que te darán beneficios inmediatos.

Después de recibir al Señor, estudié el tema de la salud en la Biblia y descubrí que la buena salud es más que ejercicios y dieta. En realidad hay siete factores importantes que deben estar en un adecuado equilibrio para lograr una buena salud permanente. Si dejo de decirte uno solo de ellos, corro el riesgo de dejar fuera un factor esencial. Abajo encontrarás un breve resumen de las siete diferentes áreas que presenté en mi libro *Greater Health God´s Way* (Sparrow). Por ser el cuidado de tu cuerpo un importante paso de obediencia, pídele a Dios que te muestre si has descuidado alguna de las áreas.

1. *Pídele a Dios que te muestre si hay estrés en tu vida.* El estrés es la respuesta de la mente, de las emociones, y del cuerpo a las exigencias que experimentas. Las emociones negativas son una fuente constante de estrés, y un trauma emocional puede desequilibrar tu cuerpo.

Si estás experimentando rechazo, dolor, resentimiento, amargura, ira, soledad, temor o cualquier otra emoción negativa, significa que tu cuerpo está llevando una carga para la que no está preparado. Cada una de ellas es como un drenaje por donde se te escapa la vida.

Lo que produce estrés en tu cuerpo no es tanto lo que te ocurre sino cómo respondes a ello. Una vez que identificas el estrés, puedes hacer una de dos cosas: hacer algo para cambiar la situación, o aprender a vivir con el mismo, a la vez que te fortaleces física, mental y espiritualmente para sobrevivir.

A veces el estrés está tan escondido que no nos damos cuenta que nos está afectando. A veces nos invade sigilosamente. Creemos estar arreglándonos bien y no vemos las señales. Lo que hay que recordar es que la reacción final al estrés es la muerte. Es por eso que debemos aprender a reconocer al estrés en nuestra vida antes que se agrave, y dar los pasos específicos para aliviarlo.

2. *Pídele a Dios que te muestre cómo te estás alimentando.* ¿Estás comiendo demasiada comida artificial o procesada? Si es así, los desechos tóxicos podrían amontonarse en tu cuerpo y causar estrés físico, lo cual interfiere con las funciones del cuerpo. Cuando no alimentas de manera adecuada tu cuerpo, te agotas físicamente, tu mente no puede procesar bien la información y cada decisión te deja exhausta. ¿Te das cuenta que en este momento podrías estar deprimida, y hasta sentir deseos de terminar con todo, como resultado de la forma que alimentas tu cuerpo? Todos hemos experimentado épocas en las que un simple incidente podía llevarnos al límite, así como el mismo incidente en una época diferente no nos habría afectado en absoluto.

Quienes hemos vivido con un severo estrés latente, como resultado de un daño emocional, somos más susceptibles que otras personas al agotamiento por malos hábitos de alimentación. Los traumas o niveles anormales de estrés pueden hacer que el cuerpo pierda su armonía. Sin un cuidado adecuado, este daño puede ser irrecuperable, lo cual produce ansias enfermizas y hábitos alimenticios desordenados.

Si sufres un desorden alimenticio de cualquier tipo, busca ayuda de inmediato. Tu metabolismo inestable y tus hormonas fuera de control estorbarán el progreso que hagas hacia la integridad emocional. Si tu desorden alimenticio es un secreto (y casi todos lo son en algún momento), cargas también con culpa. Hacer de la comida un ritual, una religión, o el centro de tu vida, la convierte en tu enemigo. No fue creada para eso. Y no necesitas vivir para siempre con ese suplicio.

Haz lo posible por mantenerte alejada de todo lo que es basura: azúcar, harina blanca, jugos artificiales, frituras, comidas muy procesadas o con conservantes y químicos. Haz todo lo posible por reemplazar la basura por comidas más naturales. Frutas frescas, verduras, granos integrales, nueces y semillas contienen un balance perfecto de vitaminas, minerales y enzimas digestivas. Comer lo que es saludable tiene que convertirse en una forma de vida y no en el último recurso frente a una enfermedad o al exceso de peso.

3. *Pídele a Dios que te oriente sobre los ejercicios.* El principal propósito de los ejercicios es mantener el cuerpo saludable por medio de cuatro objetivos importantes: eliminar toxinas, favorecer la circulación, fortalecer los músculos y eliminar el estrés.

Todos tenemos que hacer algún tipo de ejercicio físico en forma habitual. Pídele a Dios que te muestre específicamente que deberías hacer tú. No tiene que ser otro factor de presión.

Tampoco es necesario que sea algo muy elaborado. No tienes que gastar dinero en un equipo de gimnasia perfecto, la cuota del gimnasio, los aparatos o la grabadora de vídeo. Esas cosas son agradables, pero no te sientas mal si no las tienes. El mejor ejercicio que puedes hacer para tu cuerpo, tu mente y tus emociones es caminar. Sal a caminar todos los días aunque sea quince minutos, y verás que tiene un efecto positivo sobre tus emociones.

Algunas frustraciones que generan tensión corporal pueden erradicarse con ejercicios. Los desechos tóxicos y los venenos que se forman en el sistema y disminuyen el bienestar emocional se eliminan mejor con los ejercicios adecuados. Una clase de ejercicios aeróbicos, un buen vídeo cristiano para hacer ejercicios o una caminata diaria al aire libre y al sol pueden cambiar tu vida.

4. *Pídele a Dios que te enseñe sobre el valor del agua.* El agua interviene en todos los procesos del cuerpo, como la digestión, la circulación, la absorción y la eliminación. Es el principal transporte de nutrientes por el cuerpo y de toxinas hacia afuera del cuerpo.

La sed no siempre es un buen indicador de la necesidad de agua en el cuerpo, de modo que deberíamos asegurarnos de beber alrededor de ocho vasos de agua por día. Si necesitas comprar agua en botellas, busca una buena marca. No será fácil para tu cuerpo eliminar impurezas con agua que tiene más impurezas que tú.

5. *Pídele a Dios que te guíe respeto al ayuno y a la oración.* Como mencioné antes, el ayuno con oración es un importante paso espiritual. También es importante para tu cuerpo como proceso de autocuración y limpieza. Durante el ayuno, la energía usada para la digestión, la asimilación y el metabolismo se invierte en purificar el cuerpo.

6. *Pídele a Dios que te muestre cómo pasar tiempo diariamente a la luz natural del sol y al aire fresco.* El aire fresco y la luz natural traen cierto grado de sanidad y rejuvenecimiento a todas las partes del cuerpo y de la mente. La luz natural tiene un poderoso efecto sanador, es bactericida, obra como agente de recuperación y tiene una acción relajante. Los científicos han descubierto que la luz tiene un efecto significativo en el sistema inmunológico y en las emociones. Cualquier actividad o ejercicio que se hace en el exterior incrementa la inhalación de aire puro, lo cual ayuda a limpiar el cuerpo de impurezas.

Una de las mejores cosas que se puede hacer afuera es la jardinería. Poner las manos en la tierra tiene un efecto calmante asombroso en todo el ser. Sacar malezas o plantar flores y verduras es una buena terapia. Pero también se pueden hacer otras cosas afuera: barrer la escalinata, regar el césped, rastrillar las hojas secas o lavar los vidrios de las ventanas. Cualquier cosa que te saque afuera durante unos minutos todos los días es bueno para tu salud física y emocional.

Claro que tienes que cuidar de no hacer esas actividades cuando hay calor o frío extremos, también tienes que tomar recaudos contra la exposición a los rayos ultravioleta usando un buen protector solar sobre la piel. De esa manera los beneficios de la luz solar no irán acompañados de sus efectos perjudiciales.

7. *Pídele a Dios que te muestre cómo tener suficiente descanso.* Tienes que lograr en forma natural un sueño profundo, renovador, sin recurrir a fármacos. Durante el sueño la comida se convierte en tejido, el sistema se limpia de toxinas, y el cuerpo se repara y se recupera. Todo eso ocurre durante el sueño solo cuando el sistema nervioso se relaja. Las pastillas para dormir, el alcohol o las drogas interfieren con esos procesos. Procura experimentar un sueño profundo y rejuvenecedor sin la ayuda de ellas.

Si todo funciona bien en tu vida, el buen sueño llega automáticamente. Si no lo hace, por lo general significa que una o más de las otras seis esferas del cuidado de la salud están fuera de orden. No tomes ninguna decisión fundamental cuando estás agotada. Una noche de buen sueño puede cambiarte el ánimo por completo.

No consideres el cuidado de la salud física como una tarea complicada y aplastante. No lo es. Es la manera que Dios quiere que vivamos, y un asunto de obediencia. La Biblia dice:

"¿O ignoráis que vuestro cuerpo es templo del Espíritu Santo, el cual está en vosotros, el cual habéis recibido de Dios, y que no sois vuestros?, pues habéis sido comprados por precio; glorificad, pues, a Dios en vuestro cuerpo y en vuestro espíritu, los cuales son de Dios." (1 Corintios 6:19–20).

¿Estás cuidando bien del templo de Dios?

QUÉ DICE LA BIBLIA ACERCA DE CUIDAR EL PROPIO CUERPO

Os ruego por las misericordias de Dios que presentéis vuestros cuerpos como sacrificio vivo, santo,

agradable a Dios, que es vuestro verdadero culto.
Romanos 12:1

Si, pues, coméis o bebéis o hacéis otra cosa, hacedlo todo para la gloria de Dios.
1 Corintios 10:31

Entonces tus oídos oirán detrás de ti la palabra que diga: "Este es el camino, andad por él y no echéis a la mano derecha, ni tampoco os desviéis a la mano izquierda".
Isaías 30:21

El corazón apacible es vida para la carne.
Proverbios 14:30

¿Acaso no sabéis que sois templo de Dios y que el Espíritu de Dios está en vosotros?
1 Corintios 3:16

VIVIR EN OBEDIENCIA TENER CAMARADERÍA CON OTROS CREYENTES

Mientras nos preparábamos para ir a cenar a la casa de unos amigos, Michael y yo tuvimos una acalorada discusión. Interpretamos mal nuestras intenciones y nos dijimos palabras hirientes. Ambos quedamos dolidos, yo en medio de las lágrimas y él en silencio.

¡Grandioso! Pensé. *Así como me siento, lo último que quiero es tener que estar con otras personas*. Recorrí mentalmente la lista de razones por las que podríamos cancelar la cena, pero sonaban demasiado poco convincentes de manera que me resigné y asistí a la velada.

Fuimos en silencio todo el camino hasta la casa de nuestros anfitriones, con la excepción de una pregunta de Michael:
—¿No me hablarás en toda la noche?

A lo que yo respondí ingeniosamente:
—¿Tú no me hablarás en toda la noche?

Comencé a pensar en el matrimonio que visitaríamos. Bob y Sally Anderson eran uno de los primeros matrimonios cristianos de los que Michael y yo nos hicimos amigos después de casarnos. Teníamos mucho en común, incluso la edad de nuestros hijos. Su hija Kirsten y nuestro hijo Christopher habían nacido más o menos por la misma fecha y se habían hecho buenos amigos. Nos gustaba estar con ellos porque eran firmes en su relación lo mismo que en la fe, y sabíamos que no nos esperaban sorpresas extrañas.

Desde el momento en que llegamos a su casa sentí que se disipaba la tensión entre Michael y yo. Durante la cena nuestro ánimo se suavizó y cuando volvimos a casa estábamos riendo. Era como si la bondad del Señor en la familia Anderson se nos hubiera contagiado, y resultamos fortalecidos.

Ese tipo de cosas ocurrió tantas veces que cuando el pastor Jack nos exhortó a "tener camaradería con otros creyentes" y extendió el brazo hacia la congregación como para arriar a sus ovejas, comprendí el significado de sus palabras.

Más que simple amistad

La primera vez que escuché la palabra camaradería me sonó extraña, muy "de iglesia". Me recordaba al té con galletitas caseras después de una reunión misionera o a una comida a la canasta en el sótano de la iglesia. Pero desde entonces he descubierto que es mucho más que compartir un café. La definición del diccionario de la palabra camaradería es: "Amistad o relación cordial entre camaradas. Solidaridad entre personas que tienen intereses comunes". En el sentido bíblico es más que eso.

"La camaradería tiene que ver con la reciprocidad en todos los aspectos de la vida", nos enseñó el pastor Jack. "Nos ayudamos unos a otros a llevar las cargas y cumplimos el mandamiento de Cristo. Oramos unos por otros, nos amamos unos a otros, nos ayudamos unos a otros cuando hay necesidades materiales, lloramos con los que lloran y nos gozamos con los que se gozan. Crecemos acompañados con personas que avanzan por el mismo camino y compartimos los momentos de victoria y de necesidad, y los períodos de prueba y de triunfo. La relación crece".

La camaradería es fundamental para nuestro desarrollo. La Biblia dice que comenzamos a parecernos a aquellos con quienes tenemos comunión y que los buenos amigos se "afilan" unos a otros como el hierro afila al hierro (Proverbios 27:17). Esa es una razón suficiente para tener camaradería con otros creyentes, pero hay otras.

En la iglesia

Lo primero y fundamental es encontrar una iglesia y tener comunión con el cuerpo de creyentes en ella. Fuera de la iglesia no he podido encontrar el tipo de restauración y sanidad del que hablo en este libro. Entiendo que puedes haber sido herida o expulsada de alguna iglesia, pero por favor, sígueme hasta el final. Ninguna iglesia es igual a otra. Cada una tiene su personalidad. Algunas son grandiosas, otras son buenas, y otras no responden a nuestras expectativas. En algún lugar hay una iglesia para ti, y tienes que pedirle a Dios que te ayude a encontrarla.

A diferencia de lo que mucha gente piensa, la iglesia no necesita tener un edificio lujoso. Puede haber una buena iglesia en cualquier lugar donde se reúna un cuerpo de creyentes con un líder pastoral que también esté sometido a un grupo de liderazgo pastoral. Todos ellos deben creer que la Biblia es la Palabra de Dios y ofrecer enseñanza sólida de ella.

La siguiente indicación importante para definir a una buena iglesia es que sientas en ella el amor de Dios y que lo recibas en abundancia de la gente. Algunas iglesias hacen una permanente demostración de amor, pero otras que se muestran más reservadas son igualmente genuinas. Si percibes sentimientos de orgullo, de rivalidad, egoísmo, fariseísmo o frialdad, procura distinguir si es la atmósfera general o si son casos aislados. Recuerda que en cualquier iglesia encontrarás personas con esas características. Pregúntate si en general encuentras amor y aceptación allí. También debes saber que no puedes entrar en una iglesia y exigir que las personas te amen y se preocupen por ti.

Si asistes a una iglesia que no cree en el nuevo nacimiento y el bautismo, entonces tienes que buscar una iglesia que sí lo haga. Si el pastor no puede hablar sobre el poder del Espíritu Santo que obra en tu vida y los miembros de la congregación no alaban ni adoran al Señor, entonces todavía no has encontrado a la iglesia apropiada. Dios no puede obrar con el mismo poder en una iglesia que lo limita y no practica ciertos pasos básicos de obediencia. Sigue buscando hasta que sientas que has encontrado una iglesia sólida a la que puedas llamar hogar. Si estás en una iglesia donde te sientes desgraciada, aléjate de ella. Es difícil recibir el amor y la vida de Dios en una iglesia a la que detestas. Esa no es excusa para "saltar de una iglesia a otra" cada vez que te desafían a crecer, pero tampoco caigas en la trampa del "¡te atrapamos!". Abandona cualquier iglesia que intente controlar hasta tu respiración.

Pídele a Dios que te guíe al lugar adecuado. Cuando lo encuentres, toma el compromiso de quedarte y crecer. Asiste con toda la frecuencia que puedas. Si asistir una vez a la semana significa un compromiso importante, comienza por ahí. Si te resulta fácil, entonces participa también de los servicios durante la semana. Una vez que aceptas a Jesús, tienes vida eterna vayas o no a la iglesia, pero estamos hablando de vivir en la plenitud de todo lo que Dios tiene para ti. Estoy hablando de liberarte del dolor profundo y de vivir en amor, paz y alegría. Ciertas manifestaciones del poder de Dios ocurren solamente en medio de una reunión de creyentes. Decídete a ser parte de eso.

Fuera de la iglesia

También hay un poder que surge al estar con creyentes fuera de la iglesia. Cuando se hace amistad con personas que siguen al Señor, hay un fuerte vínculo de amor que hace que las demás relaciones parezcan superficiales. Esas amistades son las más plenas y sanadoras. También pueden ser las más frustrantes porque esperamos que los cristianos sean perfectos cuando en realidad solo Jesús es perfecto.

Pensar en cualquier relación con creyentes como beneficiosa, te será de ayuda: los encuentros agradables son sanadores y los desagradables son "elongadores". Si te encuentras con creyentes que pretenden estirarte más de lo que puedes soportar, no te alejes de Dios. Recuerda que él sigue siendo perfecto y bueno aunque algunos de sus hijos no lo sean. Dios siempre te ama y te respeta, aunque algunos de tus hermanos no lo hagan. Sé que nada duele más que una herida causada por un hermano o hermana en el Señor. Como recibí muchas heridas de ese tipo, me veo forzada a recordar que seguiremos siendo imperfectos hasta que nos encontremos con Jesús. Por eso debemos ser compasivos con quienes nos "hacen elongar", y perdonarlos rápidamente. Además, ¡es muy probable que nosotros estemos haciendo "elongar" a otros!

La Biblia dice: "No os unáis en yugo desigual con los incrédulos" (2 Corintios 6:14), pero eso no significa que tengamos que evitarlos. Solo significa que tus relaciones más íntimas, aquellas que influyen y cambian profundamente tu vida, tienen que ser con creyentes. Pregúntate: *¿Soy una buena influencia en la vida de mis amigos no creyentes?* Si es así, entonces es una buena relación.

Si tu cónyuge no es cristiano, no permitas que su respuesta negativa a Jesús te impida recibir la restauración del Señor. Busca un grupo de oración, un grupo de estudio bíblico cristiano, o un grupo con intereses similares. Conozco a alguien que se unió a un grupo de artistas y artesanos cristianos y encontró gran recuperación haciendo los mejores adornos de Navidad que he visto.

Créeme, entiendo que estás tan deprimida y paralizada emocionalmente que apenas tienes energía para salir de la cama, mucho menos para hacer algo de tipo social. Yo también estuve así. Pero de alguna manera tienes que comenzar. Haz una llamada telefónica a otro creyente y pídele que ore por ti. Reúnete con otro creyente a almorzar y hablen de lo que el Señor ha hecho

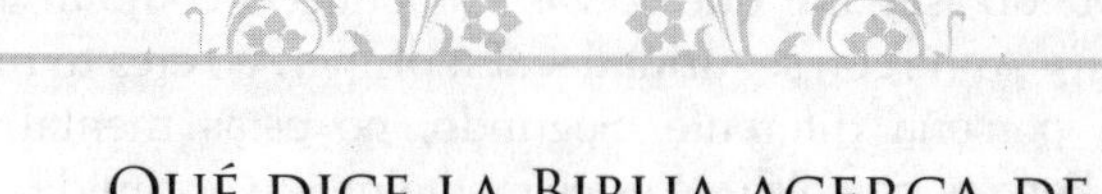

en su vida. Ábrete y amplía tu espacio. Tal vez piensas que no tienes nada para compartir, pero si tienes al Señor, tienes mucho para dar. La cuestión es buscar y desarrollar buenas relaciones con otros creyentes. Sin esa comunión no se puede experimentar sanidad emocional y crecimiento.

Pídele a Dios que te ayude: "Señor, reconozco mi necesidad de otras personas. Te pido que me guíes a formar relaciones por medio de las cuales pueda crecer y se cumpla tu voluntad en mí. Señálame los pasos que debo dar".

Si nuestra primera meta en toda relación es nuestra propia satisfacción, a la larga nos sentiremos decepcionados o desilusionados. Por doloroso que sea, tenemos que renunciar a ese deseo y dejarlo a los pies de Jesús. No obstante, puede haber oportunidades en las que hicimos todo lo que pudimos para mantener una relación, pero sigue habiendo problemas. Por mucho que nos esforcemos por hacer las cosas bien, la otra persona tal vez nos haga sentir deprimidos, enojados, inseguros, asustados o heridos. Cuando eso sucede, es mejor abandonar la relación y entregársela al Señor para que él la restaure o la aleje si así es su voluntad. Cuando el problema se presenta en el matrimonio, conviene buscar la ayuda de una persona confiable.

La camaradería es un paso de obediencia que expande nuestro corazón, supera las diferencias y destruye muros. Todo esto es necesario para la total restauración.

Qué dice la Biblia acerca de tener camaradería con otros creyentes

Considerémonos unos a otros para estimularnos al amor y a las buenas obras, no dejando de congregarnos, como algunos tienen por costumbre, sino exhortándonos.
Hebreos 10:24–25

Practiquen la hospitalidad.
Romanos 12:13, NVI

No os unáis en yugo desigual con los incrédulos.
2 Corintios 6:14

Pero si andamos en luz, como él está en luz, tenemos comunión unos con otros y la sangre de Jesucristo, su Hijo, nos limpia de todo pecado.
1 Juan 1:7

Vivir en obediencia
Tener cuidado con lo que decimos

Dios creó el mundo ordenándole que existiera. Como somos hechos a su imagen y su Espíritu mora en nosotros, también nuestra palabra tiene poder de dar forma a nuestros propios mundos. Cuando hablamos de manera negativa de nosotros o nuestras circunstancias, cerramos la posibilidad de que las cosas sean diferentes.

Yo dije muchas cosas negativas, como "soy un fracaso", "soy fea", "nada me sale bien", "no valgo nada para nadie", hasta que un día el Espíritu Santo me habló por medio de Proverbios 18:21: "La muerte y la vida están en poder de la lengua". Un rápido inventario de las cosas que había pensado y dicho en voz alta me reveló que había estado pronunciando muerte. Esta idea me asustó.

Un ejemplo claro de lo que dice este pasaje de las Escrituras tenía que ver con mis dificultades para hablar. Las tenía de niña y fueron objeto de burla a lo largo de toda la escuela. Esto puede parecer insignificante, pero tener un defecto en el habla es como tenerlo en la cara. Todo el mundo lo observa y se forma una opinión y una manera de tratarte. Cuando tuve edad para trabajar y pagar ayuda profesional, comencé a tratarme con una fonoaudióloga. Practicaba día tras día, año tras año, y solo obtenía una pequeña mejoría. Trabajamos juntas con las frases que tenía que decir en televisión hasta que me salían fluidas.

Dos años después que Michael y yo nos casamos, hicimos algunos conciertos musicales juntos, y a mí me pidieron que hablara sobre el cuidado de la salud en unas clases semanales en la iglesia. A pesar de mi duro trabajo con la terapeuta, seguía quedándome sin voz a mitad de cada compromiso debido a la tensión en el cuello. Comencé a sentirme profundamente desanimada y fracasada.

—Jamás podré hablar bien —me quejaba, desesperada y frustrada. Pero un día mientras decía esas mismas palabras el Señor me habló al corazón diciéndome: *Estás trayendo muerte a tu situación por no hablar la verdad sobre ella.*

—¿Qué quieres decir Señor? ¿Acaso tengo que negar lo que realmente me ocurre? —le pregunté.

No digas lo que crees que es la verdad o lo que te parece que es la verdad, contestó el Señor a mi corazón, *más bien declara lo que sabes que es la verdad de mi Palabra.*

—¿Qué dice tu Palabra acerca de mi dificultad para hablar? —pregunté—. Muéstrame Señor, ayúdame a ver.

En los días siguientes varios pasajes de las Escrituras me llamaron la atención. Primero leí Isaías 32:4: "La lengua tartamuda hablará con fluidez y claridad" (NVI). Luego el pastor Jack leyó Isaías 51:16 durante el sermón del domingo:

En tu boca he puesto mis palabras
y con la sombra de mi mano te cubrí.

Más tarde, cuando presenté mi dificultad en el grupo de oración, una de las mujeres habló conmigo de Isaías 50:4:

Jehová el Señor me dio lengua de sabios,
para saber hablar palabras al cansado.

Bien Señor, ya me doy cuenta, pensé. La verdad de tu Palabra es que puedo hablar con inteligencia, fluidez y claridad porque tú has puesto palabras en mi boca.

Después de eso, cada vez que sentía la tentación de desanimarme, pronunciaba esas palabras a mi corazón y decía: "Gracias, Señor, por ayudarme a hablar lentamente y con claridad. Puedo hacer todas las cosas por medio de Cristo que me fortalece. Alabado seas Señor, porque me darás las palabras para hablar y las ungirás para que cobren vida. Gracias por mi lengua instruida. Gracias a ti puedo hablar."

A propósito eliminé de mi repertorio otras expresiones negativas. Dejé de decir "Soy un fracaso" porque Dios dice lo contrario. Dejé de decir "No veo la salida" y comencé a reconocer a Dios como la esperanza de mi vida.

Poco después, cuando me pidieron que hablara en una concurrida reunión de mujeres le presenté al Señor todos mis temores, y no permití que mi boca dijera que iba a fallar. Hablé la verdad de Dios en lugar de expresar mis opiniones negativas. Como resultado, mi charla fue tan buena que me abrió un ministerio como conferenciante. Hasta el día de hoy repito aquellos versículos y alabo al Señor por ellos antes de hablar en público.

¡Mira quién habla!

Con frecuencia decimos lo que el diablo nos susurra en la mente, y creemos que es verdad. "Eres todo un fracaso, mejor estarías muerta". O repetimos lo que otra persona nos dijo hace años: "No vales nada. Nunca servirás para nada". Pero la Biblia dice: "Te has enredado con las palabras de tu boca y has quedado atrapado en los dichos de tus labios" (Proverbios 6:2). Eso abarca nuestros mensajes silenciosos a nosotros mismos tanto como lo que decimos en voz alta. No podremos tener sanidad si continuamente declaramos cautiverio para nosotros e infectamos nuestras propias emociones. Tenemos que identificar quién está hablando a nuestra mente. ¿Es la voz de Dios, es nuestra carne, es el diablo?

Cuando hables sobre ti misma, di palabras de esperanza, de salud, de estímulo, de vida, y de propósito: esa es la verdad de Dios para ti. Elimina de tu vocabulario las palabras de impotencia, de duda, y de negatividad. No estoy refiriéndome a los momentos de consejería o cuando abres tu corazón delante de Dios o de un amigo. Haz todo lo posible por ser sincera sobre tus sentimientos. Dar la impresión de que está todo bien cuando en realidad hay algo mal, es vivir una mentira. Cuando hables acerca de cómo te sientes, habla también la verdad de Dios. En lugar de decir "La vida es un infierno" di "Hoy estoy triste, pero sé que Dios está a cargo de mi vida y perfeccionará todo lo que tiene que ver conmigo" (Salmo 138:8). Si no puedes pensar nada positivo, di: "Señor, muéstrame tu verdad acerca de mi situación".

Lo que hablas te puede parecer inofensivo, pero afecta tu cuerpo y tu alma. Promueve salud y vida, o enfermedad y muerte. La mejor manera de controlar lo que hablas es controlar tu corazón, porque "De la abundancia del corazón habla la boca" (Mateo 12:34, NVI). La pureza del corazón desbordará en el habla.

Revisa la forma en que vienes hablando haciéndote las siguientes preguntas:

__ ¿Digo alguna vez cosas negativas acerca de mí o de otras personas?
__ ¿Digo cosas que traen muerte a mi situación en lugar de vida?
__ Mi primera reacción ante las personas y los hechos ¿está influida por el miedo, el enojo o la desesperanza, en lugar de tener una serena seguridad de que Dios está a cargo?

Si has respondido afirmativamente a alguna de estas preguntas, es una señal de que tu corazón necesita más del Señor. Ni siquiera pierdas tiempo en sentirte condenada. Ve directamente a Dios y dile: "Señor, perdóname por hablar de manera negativa. Ayúdame a hablar solo palabras de verdad y vida. Lléname de nuevo de tu Espíritu Santo hasta que desborde".

No te opongas a lo que Dios quiere hacer en ti, permitiéndote hablar negativamente. Y no seas dura contigo. Trátate con respeto y con bondad. Di como David: "He resuelto que mi boca no cometa delito" (Salmo 17:3).

¡Sean gratos los dichos de mi boca
y la meditación de mi corazón delante de ti,
Jehová, roca mía y redentor mío! (Salmo 19:14)

Camina en obediencia al Señor proponiéndote hablar solamente palabras que reflejen la integridad que anhelas.

Qué dice la Biblia acerca de tener cuidado con lo que uno habla

El que guarda su boca guarda su vida,
pero el que mucho abre sus labios acaba en desastre.
Proverbios 13:3

Pero yo os digo que de toda palabra ociosa que hablen los hombres, de ella darán cuenta en el día del juicio.
Mateo 12:36

Hay hombres cuyas palabras son como golpes de espada,
pero la lengua de los sabios es medicina.
Proverbios 12:18

Manzana de oro con figuras de plata
es la palabra dicha como conviene.
Proverbios 25:11

Los labios del justo saben decir lo que agrada,
mas la boca de los malvados habla perversidades.
Proverbios 10:32

Vivir en obediencia
Entregarse a otros

A los diez años, me encontraba despierta en medio de una noche fría y totalmente oscura porque estaba demasiado hambrienta como para dormir. Los retorcijones parecían más fuertes porque sabía que no había nada de comida en la casa y nada de dinero para comprarla. Mi madre dormía en la otra habitación, cruzando la galería, y yo me sentía aislada, sola y asustada.

—No hay nada para comer —le había dicho más temprano esa noche después de revisar la pequeña cocina. Lo único que había encontrado en la nevera eran frascos de ketchup y mayonesa por la mitad. Para la cena mi madre había arrojado sobre la mesa los restos de sobras, ninguna de las cuales combinaba con la otra de alguna manera atractiva, y sin disculparse por el hecho de que ni siquiera alcanzaba para ambas.

—Deja de quejarte, no tenemos dinero para comida —había dicho con brusquedad, y continuó hablando consigo misma como hacía durante horas. Odiaba que yo me inmiscuyera en su mundo imaginario.

En aquella oportunidad, tendida en la cama, la mente me daba vueltas pensando en el futuro. Temía morirme de hambre y que a nadie le importara. Me sentía envejecida.

Tener hambre me resultaba aterrador. Depender por completo de alguien de quien no se podía depender, me generaba una profunda inseguridad. Ahora estoy segura de que mi madre sabía que papá traería dinero cuando viniera a casa, pero ella solo me decía que no había nada para comer, y nada con qué comprar y que así eran las cosas. No teníamos amigos y mamá siempre daba a entender que tampoco teníamos familiares, ya que los consideraba a todos enemigos. Yo no tenía dónde ir ni a quién recurrir. No teníamos qué vender y hasta donde yo podía ver, no teníamos ninguna posibilidad de hacer dinero. Me volví muy temerosa de mi futuro.

Cuando terminé la escuela y podía mantenerme sola, manejaba el dinero con mucho cuidado. Sentía el peso de ser totalmente responsable de mi vida, y el horror de morir de hambre algún día siempre afloraba a la superficie de mi mente. Después de conocer al Señor y comenzar a asistir a la iglesia, ofrendaba según el dinero que tuviera conmigo en el momento: un par de dólares al comienzo, luego cinco, diez y al final veinte. Era más parecido a donar dinero para alguna buena causa o dar una propina al músico del café, que estar realmente dando a Dios. Pero cuando oí al pastor Jack hablar sobre lo que la Biblia dice acerca de dar, me di cuenta que tenía mucho más para aprender sobre el tema de lo que jamás imaginé.

Primero aprendí que dar en realidad era devolver a Dios algo de lo que él me había dado a mí y que al hacerlo jamás saldría perdiendo. En realidad, sería enriquecida. También aprendí que la Biblia dice que debemos dar el diezmo (diez por ciento) de nuestro ingreso al Señor. Cuando comencé a hacerlo, descubrí que mis bendiciones económicas eran mayores mientras que los gastos parecían disminuir. También descubrí que cuanto más daba, menos temor tenía que me pudiera faltar. Mi futuro parecía más seguro. Ahora que experimentaba esa corriente de bendición de Dios en mi vida, tenía menos temor de dar que de no dar.

Dar es un paso de obediencia que trae vida, salud, sanidad y abundancia. No dar detendrá nuestra vida y nuestro cuerpo y con el tiempo llevará a la pobreza emocional y física. La Biblia dice que la persona que da tendrá un corazón seguro y triunfará sobre sus enemigos. El dar está asociado a la protección y a la liberación. Hay dos formas de dar que son importantes: *dar al Señor, y dar como al Señor*.

Dar al Señor

Como no podemos separar nuestro dinero de nuestra vida, Dios tiene que ser Señor sobre nuestras finanzas y debemos obedecerlo. Dios dice en su Palabra que debemos devolverle el diezmo de nuestras ganancias para sus propósitos. Cuando comprendemos que cada centavo que tenemos viene de Dios, ya no parece una exigencia irracional. Un buen administrador de dinero comprende que no tiene nada propio, sino que solamente maneja aquello que se le ha confiado.

Si damos el diezmo, la Biblia promete que recibiremos una devolución multiplicada de la abundancia y el poder de Dios. El Señor dice que lo pongamos a prueba, y veamos si es fiel para derramar más bendición de la que podemos almacenar. Cuando nos alejamos de ese principio de vida, el devorador viene a llevarse todo lo que tenemos. Veo personas que no dan y luego pierden lo que no dieron en recetas de medicamentos, reparaciones de electrodomésticos y vehículos, y muestran una incapacidad general para cambiar su vida. Dios todavía las ama, pero han detenido el flujo de bendiciones que tenía para ellas. La única forma de abrir el depósito de abundancia que Dios tiene, es iniciar el proceso abriéndose a dar.

Con frecuencia pensamos que perderemos algo si damos. Pensamos: Si no tuviera que dar esto tendría más para mí. Pero en realidad esa actitud nos hace perder. La Biblia dice que si damos al Señor, tendremos todo lo que necesitamos en la vida. Si no lo hacemos, no lo tendremos.

Si tienes dificultades con este tema, dile al Señor: "Quiero hacer lo correcto, pero el diez por ciento de mi salario me parece mucho. Siento que si lo doy, me va a faltar. Ayúdame a dar de la forma que me pides. Quiero recibir todo lo que tienes para mí y ser todo aquello para lo cual me hiciste". Luego da lo que puedas y mira la manera en que Dios se mueve.

Dar como para el Señor

Además de dar al Señor, tenemos que formarnos el hábito de dar a otros como si fuera para el Señor. Eso significa que debemos bendecir a otros porque eso bendice a Dios, sin esperar nada en retribución. El pensamiento interesado es el camino a la desilusión y a la infelicidad; cuando damos sin esperar nada, el Señor nos recompensa.

medir" (Lucas 6:38). Para recibir cosas que permanezcan, debes dar de lo que tienes. Si necesitas liberación en algún aspecto, da algo de lo tuyo, de tus posesiones, o tu vida, y verás que las puertas comienzan a abrirse para ti.

Hay mucho para dar aparte de dinero y objetos comprados. Podemos dar comida, ropa, servicios, tiempo, oraciones, ayuda, un paseo en automóvil, o cualquier posesión o habilidad que pudiera servir a alguien. Sin embargo es importante que pidas sabiduría y dirección a Dios para dar. En una oportunidad mi esposo y yo dimos dinero a una persona necesitada y en lugar de alimentar a su familia y pagar el alquiler, lo gastó en drogas. Jamás volvimos a cometer el mismo error.

Puedes estar tan agotada que sientes que no tienes nada para dar o tan abrumada por las circunstancias que dar algo tuyo te parece imposible. Si es así, di: "No tengo nada para dar, Señor; provéeme de recursos". Si tienes al Señor en tu vida, siempre tendrás por lo menos una cosa para dar: su amor. Las personas necesitan ser amadas, escuchadas, estimuladas y que oren por ellas. Puedes decirle a alguien: "Te regalo mi promesa de orar por ti todos los días durante un mes". ¿Tú no querrías un regalo así? ¡Yo sí!

Cuando vivimos temerosos de que no nos alcance, se nos hace difícil dar. Pero la verdad es que, cuanto más damos a otros, más se nos dará. Tendremos una cosecha espiritual además de material. Aunque es bueno ahorrar y planificar con sabiduría para el futuro porque la extrema pobreza también es emocionalmente paralizante, no debemos dejar de dar al Señor y a otros. Si no damos como el Señor nos manda, terminaremos perdiendo lo que creíamos que estábamos ahorrando.

Mi madre jamás dio algo, y creo que eso fue parte del motivo de su enfermedad mental y emocional. Acaparaba y escondía todo por temor a que algún día pudiera necesitarlo. Sus guardarropas, su dormitorio, las habitaciones y la cochera estaban siempre llenos de cosas. La Biblia dice: "El que recogió mucho no tuvo más y el que poco, no tuvo menos" (2 Corintios 8:15). La cantidad de cosas que guardaba las volvía inútiles.

Cada vez que mi vida parece no avanzar en ninguna dirección, dar de mí misma siempre me da un nuevo impulso. No se trata de dar para recibir, sino de dar este paso de obediencia para liberar la corriente de lo que Dios tiene para ti. No es que no puedas recibir ninguna bendición de Dios a menos que des, sino que no puedes recibir todas sus bendiciones, y entonces la vida se convierte en una lucha. Un corazón dispuesto a dar abre espacio para todo lo que Dios tiene.

Qué dice la Biblia acerca de entregarse a otros

Sin falta le darás, y no serás de mezquino corazón cuando le des, porque por ello te bendecirá Jehová, tu Dios, en todas tus obras y en todo lo que emprendas.
Deuteronomio 15:10

Pero esto digo: El que siembra escasamente, también segará escasamente; y el que siembra generosamente, generosamente también segará. Cada uno dé como propuso en su corazón: no con tristeza ni por obligación, porque Dios ama al dador alegre.
2 Corintios 9:6–7

Bienaventurado el que piensa en el pobre;
en el día malo lo librará Jehová.
Jehová lo guardará, le dará vida
y será bienaventurado en la tierra.
No lo entregarás a la voluntad de sus enemigos.
Jehová lo sostendrá en el lecho del dolor;
ablandará su cama en la enfermedad.
Salmo 41:1–3

Hay quienes reparten y les es añadido más,
y hay quienes retienen más de lo justo

y acaban en la miseria.
El alma generosa será prosperada:
el que sacie a otros, también él será saciado.
Proverbios 11:24–25

Vivir en obediencia
Festejar en la mesa del Señor

Cuando tenía trece años, abandonamos nuestra desvencijada casa, situada detrás de la gasolinera donde trabajaba mi padre, y encontramos una casa en un barrio mejor. Cada vez que nos mudábamos, la condición mental de mi madre mejoraba un poco, y por un tiempo actuaba como si hubiera revivido. Mirando atrás, creo que ella hacía un gran esfuerzo por recuperar la compostura en esas ocasiones, pero su confusión era demasiado agobiante para soportarla por sí sola. No pasaba mucho tiempo antes de que perdiera la batalla y se retirara de nuevo a su mundo imaginario.

Durante uno de esos breves lapsos, cuando nuestra vida parecía provisoriamente normal, mi madre nos llevó a mi hermana Susy, que era bebé, y a mí, a una iglesia cercana. Aunque allí se enseñaba sobre la deidad de Cristo, no recuerdo ningún énfasis acerca de una relación personal con Jesús. Recuerdo que el servicio de comunión era solemne y hermoso y me hacía llorar cada vez que se hablaba sobre el sufrimiento de Jesús. Qué crueldad haber torturado y matado a ese buen hombre, pensaba, porque me sentía estrechamente identificada con su castigo injusto.

Esa experiencia de iglesia no duró mucho porque mi madre pronto volvió a caer en su tendencia a recluirse. Fue la última vez que alguno de nosotros asistió a una iglesia, hasta que llegué a la Iglesia del Camino años más tarde. Allí me impresionaron dos aspectos claramente definidos en el servicio de la comunión.

Primero, la llamaban "la mesa del Señor". Se la consideraba su mesa, no la nuestra. El Señor nos invitaba, no la iglesia. Segundo, en la comunión se celebraba con alegría lo que Jesús había logrado para nosotros en la cruz, algo muy diferente de una acongojada conmemoración de su sufrimiento. El pastor Jack lo llamaba "una celebración de victoria, un conmemoración de la victoria completa de Jesús sobre su adversario". Las palabras del pastor me resonaban en la mente cuando explicaba: "Lo que dice Jesús sobre la mesa del Señor es: 'Fui roto por ti, sangré y morí por ti, y quiero que nunca olvides la liberación, la victoria y el triunfo permanentes que quería darte. Gracias a lo que hice, no tienes por qué quedarte cautivo en el sufrimiento, en la agonía y el infierno. Quiero que participes de la mesa con frecuencia y hagas de ella el anuncio de mi triunfo, para que lo recuerdes' ". Cada vez que tomaba la comunión me recordaba que cualquier cosa que necesitara en mi vida ya había sido provista en la cruz. ¡La batalla que enfrentaba ya había sido ganada!

Un jubiloso recordatorio

La comunión es un paso de obediencia a Jesús, quien dijo: "Haced esto en memoria de mí" (Lucas 22:19). Si no hubiera ningún otro motivo, ese hubiera sido suficiente. Pero también sirve para recordarnos que Jesús perdona, sana y libera, y que ningún poder del pecado, la enfermedad o Satanás pueden imponerse sobre quienes declaran el poder de la muerte de Jesús en la comunión. Participamos de la mesa del Señor para reconocer con gozo lo que él personalmente logró para nosotros en la cruz, a fin de que forme parte de nosotros. Dios sabe que tenemos mala memoria y necesitamos recordarlo con frecuencia.

Así como no hay magia en el agua del bautismo, tampoco hay nada mágico en el vino, el jugo de uva, el pan o la hostia. El poder reside en nuestra participación. Por eso es bueno tomar la comunión habitualmente, por lo menos una vez por mes, o las veces que el Señor te anime a hacerlo. Si no puedes asistir a un servicio de comunión en tu iglesia, entonces hazlo en casa. Lo único que necesitas es una pequeña cantidad de jugo de uva y un trozo de pan o una galleta. (Aunque es cierto que Jesús y sus discípulos bebieron vino para la última cena, muchas iglesias lo sustituyen por jugo de uva).

Al comer el pan o la hostia, recuerda que simbolizan su cuerpo, que fue roto para que tu vida pudiera ser arreglada. Estás llevando a tu interior su integridad para que puedas nutrirte y ser la persona íntegra que él quiere que seas. Bebes el vino o el jugo para recordarte que su sangre fue vertida para que pudieras ser perdonada y para que no tengas que vivir con las consecuencias del pecado.

Afortunadamente, las bendiciones de recibir la comunión no dependen de nuestra comprensión total de su significado. Dios dice que nunca entenderemos por completo sus caminos. Mientras lo hagamos sin permitir que se convierta en un ritual religioso, y mientras le atribuyamos el valor adecuado a lo que Jesús hizo en la cruz, hay poder simplemente por obedecer. Junto con la obediencia llega la restauración completa.

QUÉ DICE LA BIBLIA ACERCA DE FESTEJAR EN LA MESA DEL SEÑOR

Yo recibí del Señor lo que también os he enseñado:
Que el Señor Jesús, la noche que fue entregado, tomó
pan; y habiendo dado gracias, lo partió, y dijo:
"Tomad, comed; esto es mi cuerpo que por vosotros
es partido; haced esto en memoria de mí". Asimismo
tomó también la copa, después de haber cenado,
diciendo: "Esta copa es el nuevo pacto en mi sangre;
haced esto todas las veces que la bebáis, en memoria
de mí". Así pues, todas las veces que comáis este
pan y bebáis esta copa, la muerte del Señor anunciáis
hasta que él venga.
De manera que cualquiera que coma este pan o beba
esta copa del Señor indignamente, será culpado del
cuerpo y de la sangre del Señor. Por tanto, pruébese
cada uno a sí mismo, y coma así del pan y beba de la
copa. El que come y bebe indignamente, sin

> discernir el cuerpo del Señor, juicio come y bebe para sí. Por lo cual hay muchos enfermos y debilitados entre vosotros, y muchos han muerto.
> 1 Corintios 11:23–30

Vivir en obediencia
Caminar en fe

¿Y si todo este asunto de Jesús fuera un engaño?, pensé horrorizada para mis adentros un día casi dos años después de la sesión de liberación con Mary Anne. *¿Y si nada fuera verdad? ¿Qué pasaría si el pastor de pronto dijera: "Todo esto es una broma ¡y se la creyeron!, Jesús no es real ¡y nadie aquí es salvo!"?*

Ese día me rodeó un muro de duda como si unas barras de acero me cerraran el acceso al futuro. La posibilidad de una vida vacía se me presentó en ese instante como una realidad, y entré en pánico. *¿Por qué se me ocurrió esto de repente?*, me pregunté. Luché con esa ráfaga de duda durante varios días, y cuanto más pensaba en ello, más desgraciada me sentía. Me di cuenta que tenía que evaluar todo.

—¿Cómo era tu vida antes de conocer a Jesús? —me pregunté.

—Estaba muriendo interiormente —contesté.

—¿Cómo te sentías? —seguí preguntando.

—Llena de dolor, sin esperanza y con miedo —volví a responder.

—¿Han mejorado las cosas?

—Mucho.

—¿Cuáles son las diferencias?

—Ya no me siento deprimida, temerosa ni desesperada.

—¿Cuándo cambió todo eso?

—Cuando recibí a Jesús, comencé a sentirme mejor.

—En la consejería con Mary Anne, ¿ocurrió realmente algo?

—Sí, entré deprimida y atemorizada, y salí con esperanzas y libre de la depresión. Jamás he vuelto a esa vida pasada. Sentí que algo ocurría. Me refiero a que sentí físicamente que algo se iba de mi cuerpo. Y sé que no fue un conjuro porque jamás me hubiera imaginado algo así.

—¿Fue real tu experiencia con el Señor?

—Bueno, eso creo.

—¿Entonces cuál es tu problema?

—El problema es que no puedo demostrar que Jesús es real.

—¿Puedes demostrar que no lo es?

—No.

—Bien, entonces parece que tú debes decidir ¿verdad? Creer o no creer. Es tu decisión.

—Es mi decisión.

—¡Sí!

—Bien. Poniendo en la balanza la calidad de vida antes de conocer a Jesús con la calidad de mi vida desde entonces, elijo creer en él.

—¿Estás segura?

—Sí. He decidido seguir a Jesús. Sin volver atrás. Sin volver atrás.

Este breve guión se me presentó cinco o seis veces en los diez primeros años de caminar con el Señor. Mirando atrás, creo que sucedió en períodos de mucha ocupación y estrés, cuando no había pasado el tiempo suficiente con la Palabra de Dios en alabanza y adoración. Más adelante descubrí que una de las tácticas favoritas del enemigo es enviar un espíritu de duda para atormentarnos.

Sin dudar

La fe es un músculo espiritual que necesita ser ejercitado para prevenir la atrofia que debilita nuestro ser espiritual. La fe es primero una decisión, luego un ejercicio de obediencia, luego un don de Dios a medida que se va multiplicando. Damos el primer paso de fe cuando decidimos recibir a Jesús. Después de eso, cada vez que decidimos confiar en el Señor, construimos esa fe. Cada vez que decidimos no confiar en él, la derrumbamos. La fe es nuestra decisión diaria de confiar en Dios.

La Biblia dice: "Todo lo que no proviene de fe, es pecado" (Romanos 14:23). ¿Más claro? La fe es obediencia. La duda es desobediencia. La fe es un don de Dios porque es él quien nos permite confiar, pero tenemos que obedecer construyendo sobre esa fe. La Biblia también dice que una persona que duda está limitada en todo sentido, y no puede agradar a Dios. Si es así, la restauración emocional no es posible sin fe.

Construir sobre la Palabra

¿Cómo comenzamos a construir la fe? Una vez que tenemos algo, ¿cómo obtenemos más? El primer paso es ser abiertos y honestos sobre cualquier duda acerca del poder de Dios o de su fidelidad para proveer todas nuestras necesidades. Oswald Chambers dice: "La fe es la indescriptible confianza en Dios, confianza que nunca puede imaginar que Dios no estará a nuestro lado" (*En pos de lo supremo*, p. 177 del libro en inglés).

Quince características de la fe

Tener fe es una decisión.
Tener fe es un paso de obediencia.
Tener fe es un ejercicio espiritual.
Tener fe es creer en lo que Dios dice en su Palabra.
Tener fe es decir sí a Dios.
Tener fe es recurrir a Jesús en todo.
Tener fe es saber que siempre tendremos esperanza.
Tener fe es lo que nos eleva por encima de las circunstancias.
Tener fe es no ocultarle nada a Dios.
Tener fe es ser obediente aunque no sintamos deseos de serlo.
Tener fe en un don que viene de Dios por la lectura de su Palabra.
Tener fe es saber que todo va a salir bien.
Tener fe es la forma de superar nuestras limitaciones.
La fe es la madre de la esperanza.
La fe es el camino a la paz.

La duda surge de una mentira del enemigo, que dice que Dios no es todopoderoso. Si has escuchado esa mentira, confiésalo como pecado.

El paso siguiente es llenar tu mente con la Palabra: "La fe viene como resultado de oír el mensaje, y el mensaje que se oye es la palabra de Cristo" (Romanos 10:17, NVI). Leer diariamente la Palabra de Dios, recibir en forma sistemática la enseñanza de la Biblia, y hablar la Palabra en voz alta construyen la fe. Tu boca y tu corazón tienen que coincidir en esto. No puede tu boca decir "Dios puede" mientras el corazón dice "Dios no puede". Tu mente convencerá a tu corazón cuando leas o declares la Palabra de Dios.

Ya que tus oraciones solo serán tan firmes como lo sea tu fe en Dios, siempre es bueno leer la Palabra antes de orar. Pídele a Dios que te dé fe cada vez que lo hagas e intenta seguir leyendo hasta que sientas que surge la fe en tu corazón. La fe conduce a la oración respondida. Cuando tengo miedo o dudo de la seguridad de mi vida, leo la Biblia hasta que siento la paz de Dios en mí. Cuanto más leo, más fe siento. Luego, cuando oro, tengo confianza en que Dios responderá a mis oraciones. Cuando tienes la suficiente esperanza para decir con convicción: "Creo en la restauración de mi vida", entonces también puedes orar con convicción.

Incluso si no tienes tendencia al temor y a la duda, puedes ser atacada por un *espíritu de duda,* como me ocurrió a mí. Cuando eso suceda, no trates de llevar la cargar sola, preséntala ante el Señor inmediatamente. Di: "Tomé la decisión de creer en Jesús. Sé que Dios responde las oraciones, aunque no vea la respuesta en el momento. Aunque parezca lo contrario, estoy segura de tener esperanza. Por eso, estoy contenta de poder vencer las dudas por medio de Cristo Jesús, quien me fortalece." Si lo necesitas, pídele a un creyente maduro que ore contigo.

Percibir *nuestras* limitaciones no significa que no tengamos fe. Pensar que Dios tiene limitaciones es lo que indica la falta de fe. Cuando la fe florece, da lugar a la esperanza, y las personas que han sido abusadas o emocionalmente heridas, con frecuencia han perdido las esperanzas. La esperanza dice: "Esto tiene un límite. No estaré en esta situación para siempre. No me sentiré indefinidamente así. No siempre estaré sufriendo". Juntas, la esperanza y la fe forjan una visión para tu vida.

La Biblia dice sobre las personas que no pudieron entrar a la Tierra Prometida: "No pudieron entrar a causa de su incredulidad" (Hebreos 3:19). No permitas que eso te ocurra. Elige tomar en todo lo que Dios tiene para ti dando este importante paso de obediencia.

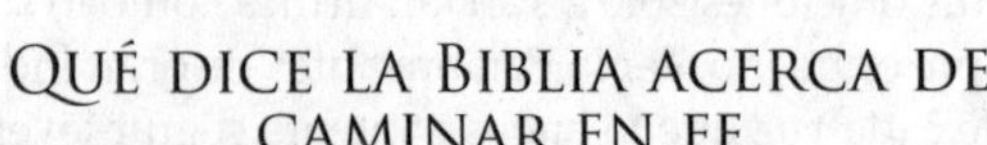

Qué dice la Biblia acerca de caminar en fe

Sin fe es imposible agradar a Dios, porque es necesario que el que se acerca a Dios crea que él existe y que recompensa a los que lo buscan.
Hebreos 11:6

Pero pida con fe, no dudando nada, porque el que duda es semejante a la onda del mar, que es arrastrada por el viento y echada de una parte a otra. No piense, pues, quien tal haga, que recibirá cosa alguna del Señor, ya que es persona de doble ánimo e inconstante en todos sus caminos.
Santiago 1:6–8

Pero el mensaje que escucharon no les sirvió de nada, porque no se unieron en la fe a los que habían prestado atención a ese mensaje.
Hebreos 4:2, NVI

Confía en Jehová con todo tu corazón y no te apoyes en tu propia prudencia.
Proverbios 3:5

Hermanos míos, gozaos profundamente cuando os halléis en diversas pruebas, sabiendo que la prueba de vuestra fe produce paciencia.
Santiago 1:2–3

Capítulo 5

Cuarto paso: Encontrar liberación

—Necesitas liberación —me dijo Mary Anne cuando la conocí en la oficina de consejería de la iglesia. Sus palabras hicieron eco en mi cabeza y en seguida despertaron imágenes de demonios de ojos rojos, vómito verde, y relámpagos. *¿Estaré poseída?*, me pregunté.

Mary Anne me aseguró que no tenía nada que temer, que la liberación consistía en el proceso de llegar a ser todo aquello para lo cual Dios nos creó.

—La liberación elimina la destrucción y el cautiverio del pasado de una persona, para que aflore la verdadera persona —explicó Mary Anne—. Estoy hablando de opresión y no de posesión. Hay espíritus que quedan atados a nosotros. Entran en nuestra vida por obra del diablo, al que permitimos tener influencia y acceso por medio de nuestro pecado.

—¿Seré una persona diferente? —pregunté.

—La liberación no te hace una persona diferente. Te libera para que seas la persona que eres realmente —me aclaró.

Si estoy necesitando liberación de la obra del demonio, ¿seré realmente salva?, me pregunté. Pero el pastor Jack respondió esa pregunta cuando predicó en la reunión del miércoles:

—No podemos ser más salvos ni más perdonados de lo que ya lo somos cuando nos ponemos bajo el pacto de sangre de la cruz de Jesús. La liberación tiene que ver con poseer toda la dimensión de lo que Cristo tiene para nosotros. No tiene relación con estar poseídos por el demonio, ni con estar destinados al infierno, sino con ser liberados de los residuos del infierno en nuestro pasado. Esos residuos con frecuencia nos manipulan. De eso se trata la liberación.

Anhelaba profundamente liberarme de todo lo que me impedía ser lo que Dios quería que fuera. A medida que ansiaba con más intensidad que eso ocurriera, menos me intimidaba el misterio que antes asociaba a la palabra liberación. La deseaba más de lo que le temía. Si Jesús no era el Liberador que podía salvarme del dolor emocional con el que vivía, entonces la muerte era la única otra posibilidad de lograr esa libertad.

Afortunadamente fui liberada de la depresión, el temor, el sufrimiento, el resentimiento y la amargura y de muchos otros cautiverios. Sé de primera mano que Jesús es el Liberador, y que la liberación es real y está disponible para quien la busque.

Nada que temer

No permitas que la palabra liberación te intimide ni te desaliente. No es algo extraño ni atemorizante. Para explicarlo lo más sencillo posible: la liberación es la separación de cualquier cosa que te ate que no sea Dios. Puede ser un espíritu de temor, de ira, de mentira, de depresión o de lujuria. Puede ser una conducta defensiva adquirida, por ejemplo comer compulsivamente o el aislamiento. Nacer de nuevo nos libera de la muerte, pero también necesitamos ser liberados de las zonas muertas de nuestra vida.

La gente suele tener miedo de la liberación porque se imagina algo extraño, pero para Jesús era un ministerio básico. Predicar, enseñar, sanar y sacar espíritus malos eran tareas fundamentales en la vida terrenal de Jesús. La Biblia dice en numerosas oportunidades que Jesús es el Liberador.

Jesús dijo: "Si puedes creer, al que cree todo le es posible" (Marcos 9:23). Esto es cierto para cualquier cosa en la vida, pero Jesús lo dijo en relación directa con la liberación de los espíritus de mal. También dijo: "En mi nombre echarán fuera demonios" (Marcos 16:17). Jesús nos da el poder y la autoridad para sacar todo lo que no es de Dios. Lo hacemos en su nombre. También dijo que no pensemos continuamente en el diablo sino que centremos la mente en el Señor y en su poder liberador.

El pastor Jack Hayford dice: Jesús trata con la misma facilidad las partes atormentadas de nuestra vida que los problemas de salud física. Eran parte de su ministerio. Cuando las personas necesitaban sanidad física, las sanaba. Cuando estaban atadas y atormentadas, las liberaba. Si los espíritus del mal no fueran reales, Jesús nos lo hubiera dicho.

La gente tiene miedo a los espíritus del mal o a lo que imaginan que les puede ocurrir si son liberados. Pero no hay por qué temer. Por terribles que sean esos espíritus del mal su poder ni siquiera se aproxima al poder de Dios. La presencia de Jesús que mora en nosotros es inconmovible; no corremos el riesgo de perder el control. En realidad, cuando estamos cautivos es porque hemos entregado el control a Satanás. La liberación nos asegura el control de Dios.

Con frecuencia las personas no buscan la liberación porque ignoran su efecto. Temen que los cambie tan drásticamente que sean irreconocibles y se pierdan a sí mismas para siempre. En realidad, la verdad es lo contrario. Uno se siente más uno mismo de lo que jamás se sintió.

Otra razón por la cual las personas no buscan la liberación es porque creen que con cautivos por su propia culpa. Como no comprenden que el verdadero culpable es el diablo, viven desilusionadas consigo mismas o se aborrecen. Piensan que no pueden ser liberadas o que no lo merecen. Nada de eso es verdad.

Qué es la liberación

Todas las ataduras vienen por desobediencia. Detrás de cada pecado hay un espíritu del mal. Cuando pecas le das un punto de apoyo a ese espíritu del mal en tu vida. También podemos caer bajo un espíritu del mal por ignorancia ("No sabía que eso era algo malo"), por rebeldía ("Lo haré aunque esté mal"), por irresponsabilidad ("Sé que no debería hacer esto, pero una vez no me hará daño"), por sentirnos víctima de los pecados de otros ("Lo que me hizo me produjo mucho daño emocional; por eso ahora hago esto"), o por heredar la tendencia de un progenitor ("No sé por qué lo hago, seguramente salí a mi padre").

La liberación consiste en desalojar al diablo y negarse a su cautiverio. Dios no nos obliga a hacerlo; tenemos que desearlo. Tenemos que querer dejar atrás el dolor del pasado, los malos hábitos, las emociones negativas, el pecado y la autocompasión. Tenemos que querer ser libres. Dios quiere quitar las cargas de nuestra vida, pero el primer paso depende de nosotros.

Aunque este tema hace que muchas personas piensen en "El Exorcista", la liberación no tiene nada que ver con eso. Consiste en ir despojándose gradualmente, capa por capa, poco a poco. Dios nos libera un paso por vez, a medida que se lo permitimos. En un área, por ejemplo la del temor, tal vez convenga ser librado de una sola vez. En otra, como el enojo, tal vez ocurra poco a poco. También puede ocurrir de diversas maneras. A veces encontramos liberación solos, en la presencia del Señor. Otras veces se experimenta liberación cuando se está con otros que aconsejan y oran por uno. Pero siempre es a su manera y en su tiempo, no en el nuestro.

¿Puede un cristiano ser poseído por espíritus de mal?

Si has aceptado a Jesús como Salvador y estás llena del Espíritu Santo, entonces es absolutamente imposible que seas poseída por espíritus del mal. Al nacer de nuevo, tu espíritu ha sido cubierto por la sangre de Jesús. Satanás no puede tocar tu espíritu porque "mayor es el que está en vosotros que el que está en el mundo" (1 Juan 4:4). Jesús está en ti. Los espíritus del mal no están en ti. Sin embargo, Satanás sí puede tocar tu alma, y puedes ser oprimida por los espíritus del mal. El sufrimiento es muy real y desgraciado, y Dios quiere liberar tu alma de eso.

Somos cuerpo, alma y espíritu. El espíritu es el nudo mismo del ser. Tu cuerpo es la capa exterior. Entre ambas está el alma, que consiste en tu mente (lo que piensas), tus emociones (lo que sientes) y tu voluntad (lo que decides hacer). Satanás puede oprimir tu mente y tus emociones, influir en tu voluntad, y atacar tu cuerpo, pero si has nacido de nuevo, no puede tocar tu espíritu.

La pregunta es: ¿Has permitido que algún espíritu del mal se exprese por medio de ti, por haber dado lugar al pecado? ¿Hay alguna parte de tu vida donde el control lo tenga otro poder que no sea el de Dios?

Aunque estés llena del Espíritu Santo y no puedas estar poseída por un espíritu del mal, sigues siendo responsable de tu vida. Los espíritus solo pueden poseer aquello que se les da. Dios no se impone sobre la voluntad humana. Y no necesitas elegir la voluntad del infierno para que ocurra; ocurrirá si no estás activamente eligiendo la voluntad de Dios.

Por medio de la confesión somos perdonados de nuestros pecados de inmediato, pero todavía resta deshacernos del cautiverio asociado con ellos. La mejor manera de hacerlo es no dar ningún lugar al diablo. Cada mañana di: "Señor, lléname nuevamente con tu Espíritu Santo hoy, y echa fuera todo lo que no es tuyo".

Haber nacido de nuevo no quita la posibilidad de que la persona sufra un ataque del diablo. Si tenemos pocas defensas o no hemos tratado con los residuos del pasado, Satanás puede establecer ciertas bases desde donde manipular. En la liberación, Dios deshace toda manipulación que nos obstruye, nos limita, nos hace sufrir, y nos obstaculiza.

¿Cómo se puede estar oprimido por los espíritus del mal?

1. *Cuando hubo desobediencia directa a la ley de Dios*. Debemos vivir como Dios ordena. No podemos establecer nuestras propias leyes. Cuando jugamos con la desobediencia, damos lugar al diablo. Mentir por ejemplo, comienza con una pequeña mentira. Si no hay arrepentimiento, se repetirá una y otra vez y después no se podrá detener, ni siquiera cuando la persona quiera hacerlo, porque un espíritu de mentira ha tomado el control.

Ceder ante una mala acción hasta que se convierte en un hábito que uno no puede romper, produce cautiverio.

2. *Cuando hay emociones negativas durante mucho tiempo.* Las emociones negativas, el resentimiento, la culpa, el temor, la ira, la furia, la amargura, la avaricia, la autocompasión, el odio, los celos, o cualquier otra actitud del corazón que no se confiesa y se abriga durante cierto tiempo en la mente, también producirá cautiverio, y los espíritus que hay detrás de ellos se te pegarán. Por ejemplo, si te permites estar siempre amargada, terminarás dando lugar a un espíritu de amargura. Si se deja que esas emociones negativas persistan, pueden producir enfermedades y dolencias. El cuerpo no está preparado para alojar esas emociones, y comenzarán a debilitarlo.

3. *Por haber estado involucrada en prácticas ocultistas.* La Biblia dice claramente que no debemos practicar ninguna actividad vinculada con el ocultismo, no importa lo inofensiva que aparente ser.

4. *Durante períodos de tragedia o experiencia traumática.* La muerte traumática de un ser querido, como un padre cuando uno es niño, o el cónyuge o un hijo cuando uno es mayor, puede abrir el camino a los espíritus de temor, de dolor, amargura, ansiedad o negación, para obtener bases de control. Una cosa es el dolor, otra es estar dominado por un espíritu de dolor que impide que te levantes. Los malos recuerdos del pasado pueden producir cautiverio a causa de las emociones negativas que remueven. Trae los malos recuerdos al Señor y entrégaselos para que él pueda liberarte.

5. *Durante épocas de gran desilusión.* Esto puede sucederle a cualquiera, pero especialmente a los niños. Cuando un padre llega a casa ebrio y destruye su juguete preferido, o cuando alguno de los padres lo abandona.

6. *Por endurecer el corazón contra Dios.* Quizá fuiste criada en un hogar cristiano y seguiste fielmente al Señor toda tu vida, pero desde el momento en que tu corazón se endureció contra el Señor, te expusiste a que Satanás te ponga las garras. Por

ejemplo, estar tan fascinada con tus logros que ya no reconoces el poder de Dios como su fuente, abre las puertas al orgullo. Y el orgullo da lugar al cautiverio.

7. *Por heredar el cautiverio espiritual*. Los sicoanalistas lo llaman "cadena multigeneracional de dependencia". La Biblia hace referencia a esto cuando dice que Jehová "castiga el pecado de los padres sobre los hijos hasta la tercera y la cuarta generación" (Números 14:18). Se puede heredar el cautiverio espiritual de los padres, abuelos e incluso bisabuelos, tanto como se hereda el color de ojos o la forma de la nariz. Este cautiverio tiene que ser cortado, aplicando el hacha espiritual de la liberación a la raíz del árbol familiar y declarando tu nacimiento en otra familia en la que heredas las cualidades del Padre celestial. Esta cadena de cautiverio es como una herida de bala que no puede sanar porque la bala está metida muy adentro. La liberación quita la bala para que pueda haber sanidad.

La carne o el diablo

Hay una diferencia entre el cautiverio de la carne y el cautiverio satánico. El primero tiene que ver con que yo quiero servir a mi propia voluntad, mi propio apetito, mis propios deseos. El cautiverio desenfrenado de la carne, a la larga lleva al cautiverio satánico. Ceder a la carne repetidamente lleva a que el diablo entre y establezca su fortaleza. Somos nosotros los que abrimos la puerta al dominio del diablo en nuestra vida. Para saber si se trata de un cautiverio de la carne o un cautiverio satánico, mira si estás cediendo a la carne o si la carne está siendo tironeada en contra de tu voluntad. No podemos excusar a nuestra carne culpando al diablo. Sin embargo, si Satanás puede dominar la vida de una persona y hacer creer que ella sigue teniendo el control, lo hará.

Si me atrae la pornografía, tengo un cautiverio de la carne. Cedo y miro pornografía de vez en cuando. Sigo teniendo un cautiverio de la carne. Si no me arrepiento y repito el pecado hasta que me atrae de manera descontrolada, entonces he entregado el control al diablo y el cautiverio es satánico.

No importa qué tipo de cautiverio sufres, pídele a Dios que te muestre dónde necesitas liberación. Luego pídele a Jesús, el

Liberador, que te libere y te muestre lo que debes hacer. No necesitas preocuparte del demonio o del cautiverio, sino solo busca al Liberador. Él se ocupará del resto.

¿Cómo sabes si necesitas liberación?

Cuando estoy ansiosa o deprimida, hago un inventario mental de mi vida para ver si estoy necesitando liberación. Puedes hacer lo mismo; observa las afirmaciones que siguen y tilda las que reflejan tu vida en este momento.

__ Tengo recuerdos de heridas del pasado que jamás me abandonan.
__ No puedo perdonar a una persona que me ofendió a pesar de que lo he intentado una y otra vez.
__ He estado involucrada con el ocultismo.
__ Soy adicta a las drogas o el alcohol.
__ Como cada vez que me siento desgraciada.
__ Golpeo a mi esposa y a mis hijos cada vez que me enojo.
__ He cometido adulterio o aventuras sexuales fuera del matrimonio.
__ Miento con frecuencia.
__ Estoy haciendo todo lo que sé que debo hacer en el Señor, pero sigo deprimida.
__ No puedo perdonar a mis padres lo suficiente como para sentir cariño y compasión por ellos.
__ No logro sentir la presencia del Señor en mi tiempo de oración y adoración.
__ Me siento vacía y alejada de Dios, incluso cuando leo la Biblia.
__ No creo que esté creciendo en el andar con Jesús, y jamás siento una nueva corriente de Espíritu Santo cuando lo pido.
__ Tengo dificultades para mantener amistades.
__ No puedo tomar decisiones ni siquiera sobre asuntos menores y la tarea más elemental me parece imposible.
__ He confesado mis pecados, he perdonado a quienes me han herido, y he hecho todo lo que sé que debo hacer; sin embargo nunca experimento un avance con mis problemas.

Si has marcado cualquiera de estas afirmaciones, pide liberación a Dios en esa área. Luego sigue leyendo para saber qué paso dar.

Recuerda, la liberación no te cambia; te libera para que aflore tu verdadera persona. No te volverás superespiritual, mística, ni misteriosa; en realidad te harás más humana, más transparente y más real. "¿Qué pasa si no me gusta lo que realmente soy?" Créeme, te gustará tu verdadero ser, el que Dios ha creado. Tu verdadera persona es maravillosa, ocurrente, considerada, pura, pacífica, atractiva, dinámica, positiva, plena y llena de propósito. Te garantizo que cuando Dios acabe de armonizarte, te gustará lo que verás. Después de todo, estarás viendo su reflejo.

Qué dice la Biblia acerca de Hallar liberación

Pero tuvimos en nosotros mismos sentencia de muerte, para que no confiáramos en nosotros mismos, sino en Dios que resucita a los muertos. Él nos libró y nos libra y esperamos que aun nos librará de tan grave peligro de muerte.
2 Corintios 1:9–10

Y el Señor me librará de toda obra mala y me preservará para su reino celestial.
2 Timoteo 4:18

Dijo luego Jehová: "Bien he visto la aflicción de mi pueblo que está en Egipto, y he oído su clamor a causa de sus opresores, pues he conocido sus angustias. Por eso he descendido para librarlos de manos de los egipcios".
Éxodo 3:7–8

Me invocará y yo le responderé;
con él estaré yo en la angustia;
lo libraré y lo glorificaré.
Lo saciaré de larga vida
y le mostraré mi salvación.
Salmo 91:15–16

Hallar liberación en su consejo

—Quisiera un turno con el doctor —expliqué a la secretaria por teléfono. Era mi primer intento de procurar ayuda profesional desde que había dejado la universidad unos años antes.

—¿Cuál es tu problema? —me preguntó ella con toda naturalidad.

—Bueno, preferiría hablarlo con él —dije con docilidad, no muy segura de cómo expresar las complejidades de mi situación.

—Yo hago una ficha de los casos antes de la consulta con el doctor —dijo lacónicamente—. No puedo darte un turno a menos que conozca la naturaleza del problema.

—Está bien. Me crió una madre abusiva. El odio que me expresaba me produjo una severa depresión, y no puedo funcionar bien, y...

—Nuestra política es no aceptar los casos de abuso infantil —interrumpió con su tono formal—. Consideramos que todo está en la mente del niño, y nuestro trabajo es ayudar a la persona a ajustar su pensamiento a la realidad.

Me quedé anonadada y muda, como si me hubieran dado una cachetada en la cara. Después de reunir el valor para llamar a este muy recomendado psicólogo, me decían que lo que me había ocurrido estaba solo en mi mente.

—¿Me está diciendo que imaginé todo eso? —dije cuidadosamente para no revelar la ira que sentía.

—Digamos simplemente que piensas que fuiste abusada. Podemos ayudarte a aclarar tu mente.

—Está bien. Gracias. Eso era lo que necesitaba saber —dije y colgué antes que ella pudiera agregar algo.

Me senté unos momentos, deshecha y luego comencé a sentir la tan familiar contracción en la garganta. Siempre había temido que si me soltaba y lloraba con toda la profundidad de mis sentimientos, moriría de dolor. De modo que retenía el llanto en la garganta.

Me arrojé sobre la cama doblada por el dolor. Había pasado toda la mañana armándome de valor para hacer esa llamada, y ahora deseaba no haber oído jamás hablar de ese doctor. Varias de mis amigas me lo habían recomendado después que yo hiciera un leve comentario sobre mi relación con mi madre. Aunque había estado fuera de casa durante años y había viajado por todo el mundo, no podía alejarme de ella lo suficiente como para eliminar su influencia sobre mi vida. Parecía que el pasado me seguiría para siempre a menos que encontrara alguna forma de desconectarme del mismo.

Ahora me sentía más desesperada que antes. No tenía adónde ir. Me imaginaba que esa sería la política de todos los consejeros, de manera que resolví no volver a consultar a ninguno. Había ido a numerosos psicólogos y psiquiatras antes, pero nunca les había hablado de la conducta abusiva de mi madre. Convencida de que tenía el paso cerrado a cualquier otra ayuda, me quedó la sensación de que no había otra opción más que el suicidio. No volví a hablar con nadie sobre mi infancia hasta que comencé a tener consultas con Mary Anne.

Después que Michael y yo nos casamos, fue él quien insistió que hablara con los consejeros de la iglesia, asegurándome que podía confiar en ellos. Todos los consejeros que tuve allí solo hablaban y oraban por lo que estaba sintiendo en el momento. No hablábamos sobre el pasado. Si no me preguntaban, yo no decía nada sobre mi infancia abusada... quizá pensarían que estaba loca. Aunque nunca llegaron al nudo del problema, cada uno de ellos jugó un papel decisivo para que la pared comenzara a agrietarse y pudiera abrirme a la liberación completa que experimentaría con Mary Anne.

Consejeros para su pueblo

Cuando todas las oraciones y la búsqueda del Señor para liberación no son de provecho y nada cambia, cuando no se puede salir de la situación no importa lo mucho que se intente, o cuando uno está tan dominado por la culpa, por el sufrimiento, los sentimientos de falta de valor y otras emociones negativas, y ya no puede controlar su vida, o cuando no alcanzamos a ver cuál es el problema, entonces hay que pedir ayuda. Un consejero que tiene discernimiento o revelación de Dios puede identificar la fuente de tu problema y mostrarte la verdad de Dios que te liberará:

Donde no hay dirección sabia, el pueblo cae;
la seguridad está en los muchos consejeros. (Proverbios 11:14)

Este es un argumento no solo para recibir orientación, sino también para consultar a más de un consejero. Pero Dios quiere que busques sus consejeros porque quiere que conozcas su consejo. El Salmo 1:1 dice:

Bienaventurado el varón
que no anduvo en consejo de malos.

Tu consejero tiene que estar alineado con la Palabra y con la Ley de Dios.

Un consejero que ha nacido de nuevo en el reino de Dios por medio de Jesús, y que recibe el consejo del Espíritu Santo puede ayudarte a encontrar la completa restauración, porque Jesús es el único que te puede liberar. No critico a los médicos y a los psiquiatras no creyentes; agradezco a Dios por el bien que hacen. Pero sé que incluso ellos a veces se sienten frustrados.

Los hospitales psiquiátricos y las cárceles están llenos de testimonios de esa frustración.

El Espíritu Santo es el mejor psiquiatra que podrás encontrar. Jesús dijo: "Y yo le pediré al padre, y él les dará otro Consolador para que los acompañe siempre; el Espíritu de verdad" (Juan 14:16–17, NVI). Los problemas espirituales no se solucionarán mientras no se los enfrente en el reino espiritual. Solo los consejeros que conocen al Consolador te pueden ayudar.

Incluso los consejeros cristianos tienen que ser bien calificados y muy recomendados. He visto daños terribles, desaliento y derrota como resultado de una mala orientación. Muchachas que eran acosadas sexualmente por sus padres cuando eran niñas, cuyos consejeros las cargaban con la culpa: "Fuiste violada porque lo quisiste. Permitiste que tu padre lo hiciera porque lo disfrutabas. Tienes que hacerte cargo de sus acciones". Ese tipo de consejo, que hace responsable al niño por las acciones de los padres, es devastador.

También he conocido demasiados casos en que las mujeres que acudían a la consulta fueron seducidas por los consejeros. Es deplorable que haya hombres que se hacen llamar consejeros y abusen de la vulnerabilidad de mujeres emocionalmente dañadas. Por eso soy categórica en que los consejeros cristianos tienen que estar sometidos al cuerpo de la iglesia y deben seguir estrictamente los principios bíblicos. Quienes aconsejan deben mostrarte cómo caminar con Dios y estar firme en la libertad que Cristo te da. Eso es imposible si recibes consejo de alguien que no puede cumplir con esos principios.

Un buen consejero cristiano también tiene discernimiento. Con frecuencia necesitamos alguien con espíritu de discernimiento, que reconozca el cautiverio que no podemos ver. No hace falta un don particular para poder señalar cuál es el problema de una persona, pero sí hace falta un verdadero don para discernir la raíz del problema y saber cómo cortarla con un hacha espiritual. Es fácil decirle a un alcohólico: "Tienes que dejar de beber", pero a una persona que tenga un espíritu de discernimiento Dios le revelará que la raíz del problema es un espíritu de rechazo, enraizado en una infancia abusada. El alcohol es solo el síntoma.

Muy poco después que Michael y yo nos casamos, recurrimos a consejeros matrimoniales (un equipo formado por un hombre y su esposa). Veníamos luchando con emociones negativas de nuestro pasado individual, y el no haber tenido capacidad para enfrentarlas hacía que nuestro matrimonio se tambaleara. Aunque no eran cristianos, los consejeros tenían muy buenas recomendaciones de unos conocidos que sí lo eran. Al final estos psicólogos nos recomendaron que rompiéramos nuestro matrimonio. Sabíamos que eso no era la voluntad de Dios para nosotros, de manera que volvimos a casa y pedimos a nuestra congregación que nos recomendara un psicólogo cristiano especializado en orientación matrimonial.

Este consejero cristiano nos señaló que nuestro problema no era la relación entre nosotros, sino nuestro cautiverio. Fue necesario un consejero cristiano para que Michael pudiera ver que su depresión venía de los espíritus con los que él mismo se había alineado. Hizo falta un consejero cristiano para mostrarme mi autoridad en Jesús sobre los poderes de la oscuridad a los que yo misma había dado lugar. Tal vez con el tiempo hubiéramos llegado a reconocer nosotros mismos estas cosas, pero estoy segura que fue mucho más rápido con la ayuda de consejeros cristianos calificados.

El rechazo a buscar orientación

Las consultas por orientación ya no tienen el estigma que solían tener. Ya no son para los enfermos mentales, ni para los emocionalmente débiles, o para las personas que están en graves dificultades. No son una admisión de fracaso ni el reconocimiento de un total desorden en la vida. Son para cualquiera que esté inmerso en la compleja y estresante red de interacción humana que llamamos vida, y que quiere llegar a un nuevo grado de plenitud. La mayoría de nosotros se puede beneficiar con la buena orientación en algún momento de la vida.

Algunas personas tienen heridas tan profundas que solo Dios las conoce. Estas heridas ocultas crecen, y a medida que pasan los años el dolor es mayor, no menor. Cuando uno tiene un tajo, una venda es una cobertura protectora. Pero una herida necesita luz para sanar. Cuando tenemos heridas emocionales necesitamos más que una "venda" mental; necesitamos que la luz del sol penetre como un rayo láser hasta la parte afectada. Un consejero cristiano puede ayudar a que eso ocurra.

Muchos de nosotros todavía tenemos miedo de lo que otras personas pensarían si descubrieran que vamos a consultas de orientación. Pero la gente responde según el tipo de persona que eres y al fruto de tu vida, y no según la cantidad de consejeros que has consultado. Tranquilízate con la certeza de que buscar un buen consejero cristiano no solo es bueno sino también espiritualmente adecuado. Proverbios 19:20–21 dice:

> Escucha el consejo y acepta la corrección:
> así serás sabio en tu vejez.
> Muchos pensamientos hay en el corazón del hombre,
> pero el consejo de Jehová es el que permanece.

Algunas personas no piden orientación porque creen que hace falta un milagro para cambiar las cosas y piensan que Dios no hace milagros hoy en día. Para esas personas, no los hace; Dios no hace milagros donde no hay fe. Pero Dios dice que él no cambia. Es el mismo ayer, hoy y para siempre. ¿Por qué habría hecho milagros durante miles de años y ahora dejaría de hacerlos? Él puede hacer un milagro en tu vida.

Llamar a Dios primero

Siempre llama a Dios antes de llamar a un consejero. Antes de pedir un turno con un consejero, intenta pasar una hora por día a solas con Dios durante una semana, y luego considera si todavía necesitas un consejero. Te sorprenderá lo que logras con eso: te preparará para lo que el Señor y un consejero tengan para ti.

Y siempre compara lo que te dice el consejero con la Palabra de Dios; si concuerdan, entonces sigue las instrucciones. Si te aconseja que leas la Biblia, que asistas a la iglesia y que dejes de salir con ese hombre casado, entonces hazlo. La Biblia describe a las personas que no siguen el consejo de Dios como los que...

> Algunos moraban en tinieblas y
> en sombra de muerte,

aprisionados en aflicción y en hierros,
por cuanto fueron rebeldes a las palabras de Jehová,
y aborrecieron el consejo del Altísimo. (Salmo 107:10–11)

Oír el consejo de Dios y negarse a obedecerlo es una grave ofensa.

No obstante, si tu consejero te recomienda acciones que violan la Palabra de Dios, entonces estás con la persona equivocada. Déjalo inmediatamente y sigue buscando a la persona apropiada.

Si buscas primero a Dios como el Consejero y le permites guiarte a sus consejeros, entonces encontrarás la liberación según su consejo.

Qué dice la Biblia acerca de Hallar liberación en su consejo

Pero el Consolador, el Espíritu Santo, a quien el
Padre enviará en mi nombre, les enseñará todas las
cosas y les hará recordar todo lo que les he dicho.
Juan 14:26, NVI

¡Ay de los hijos que se apartan, dice Jehová,
para tomar consejo, y no de mí;
para cobijarse con cubierta,
y no de mi espíritu,
añadiendo pecado a pecado!
Isaías 30:1

Los pensamientos se ordenan con el consejo.
Proverbios 20:18

Míos son el consejo y el buen juicio.
Proverbios 8:14, NVI

¡No escuché la voz de los que me instruían,
ni a los que me enseñaban incliné mi oído!
Casi en el colmo del mal he estado.
Proverbios 5:13-14

Hallar liberación en su presencia

Me sentía eufórica con el nacimiento de nuestro primer hijo, y estaba decidida a ser la madre perfecta. Con seguridad eso significaba hacer todo de manera exactamente opuesta a mi madre.

Una noche, cuando Christopher tenía algunos meses, lloraba en forma histérica y nada de lo que yo hacía lograba calmarlo. En realidad, cuanto más me esforzaba, más lloraba, hasta que algo me hizo reaccionar. Me pareció sentir en su llanto un rechazo hacia mí; entonces le di una palmada en la espalda, en el hombro y en la cabeza. Me latía aceleradamente el corazón, me ardía la cara y apenas podía respirar. Comprendí que si no me alejaba inmediatamente de él, podía lastimarlo.

Hice un esfuerzo por controlarme y dejé al bebé en su cuna, luego fui a mi dormitorio y me arrodillé delante de Dios, mientras Christopher lloraba hasta dormirse.

—Dios, ayúdame —sollocé de rodillas con la cara sobre las mantas—. Hay un monstruo horrible en mi interior. Tienes que quitármelo, Dios. No sé lo que es; no lo entiendo. ¿Cómo puede una madre golpear al niño que ama? Por favor, Dios, quítame lo que tengo mal —me quedé ante el Señor alrededor de una hora hasta tranquilizarme. Michael volvió a casa, el bebé se despertó, y salvo por mis intensos sentimientos de culpa, no parecía haber ningún daño.

Hubiera atribuido el incidente a un momento de debilidad, cuando pocos días después volvió a suceder. El bebé lloró tanto tiempo que sentí que me invadían el rechazo y la rabia. Comencé a pegarle pero comprendí lo que estaba pasando y lo dejé nuevamente en la cuna. Salí de la habitación y volví a arrojarme de rodillas pidiendo ayuda al Señor.

Después de varios incidentes similares, confesé lo que estaba ocurriendo a mi esposo y a Mary Anne. Ambos lo tomaron con calma, probablemente porque el bebé no había sufrido ningún daño. Había tenido suficiente sanidad y liberación como para alejarme del bebé cuando perdía el control, de modo que pensaron que el niño estaba seguro.

—Esto no se resolverá con una liberación instantánea, Stormie —me explicó Mary Anne—. Será un proceso por etapas. Dios quiere enseñarte algo.

Durante los meses siguientes aprendí que era una madre abusadora en potencia, a causa del violento abuso que había sufrido de parte de mi madre. La única forma que podía enfrentar esa terrible revelación era estar en la presencia del Señor. Cada vez que caía delante de él llena de culpa y fracaso, su amor me inundaba como un bálsamo sanador. Cada vez que suplicaba liberación, el Señor fielmente me liberaba. Con el tiempo quedé completamente libre de los sentimientos de ira y de rechazo y comprendí lo completa, poderosa y compasiva que es su presencia. Finalmente llegué a comprender la profundidad del amor de Dios por mí.

¿Es posible hallar liberación sin un consejero?

Dios no sería tan injusto como para decir: "Hay liberación para ti, pero tienes que encontrar un buen consejero para lograrlo". Primero, no hay suficientes consejeros de ese tipo para todo el cautiverio que hay en este mundo, y aunque los hubiera, no todos tendrían acceso a ellos. Dios ha provisto una manera de ser libres buscando la presencia de Jesús, el Liberador. Si estás en una isla desierta, aislado en el bosque o en confinamiento solitario, Jesús está allí si buscas su presencia y pides liberación. "Donde está el Espíritu del Señor, allí hay libertad" (2 Corintios

3:17); y "Tuya es, Señor, la salvación" (Salmo 3:8, NVI). Con estas dos promesas Dios ya nos da motivos para saber que hay liberación para ti, encuentres o no un consejero que pueda ayudarte.

Encontrar liberación en la presencia del Señor no consiste en estar en su presencia cinco minutos y luego hacer lo que uno quiere. Requiere estar en su presencia todo el tiempo. Es decidir caminar en el Espíritu y no en la carne.

Caminar en el Espíritu significa decir con convicción: "No quiero lo que quiere el diablo; quiero lo que Dios quiere". Es enfrentar el infierno en tu vida y saber que no quieres tener nada que ver con eso, porque "Los que son de la carne piensan en las cosas de la carne; pero los que son del Espíritu, en las cosas del Espíritu" (Romanos 8:5). Caminar en el Espíritu significa poner la mirada en Jesús y elegir vivir como Dios quiere.

Cómo encontrar liberación en su presencia

Todo lo que hagas para acercarte a Dios también puede ser un medio de liberación. Aquí enumero algunas de las formas más importantes:

1. *Reconociendo el señorío de Jesús.* A veces el simple acto de invitar a Jesús a ser Señor de alguna parte de tu vida será suficiente para librarte de ese cautiverio espiritual. Depende de cuán afianzado esté el cautiverio.

2. *Escuchando la Palabra.* Escuchar o leer la Palabra de Dios y permitirle que penetre en tu corazón aumentará tu conocimiento de la verdad que puede liberarte: "Y conoceréis la verdad y la verdad os hará libres" (Juan 8:32). La Biblia también dice "pero los justos se libran con la sabiduría" (Proverbios 11:9). El conocimiento de la verdad de Dios trae liberación. No es suficiente saber por qué tu padre te golpeaba. Tienes que saber que Dios tiene un plan para redimir todo lo que te ocurrió y convertirlo en algo bueno. ¡Eso es liberador!

3. *Pidiendo a Dios en oración.* La liberación puede darse con solo orar por ella y buscando a Dios desde la profundidad de tu ser:

solo tú y el Señor, o con uno o más creyentes que te acompañen en la oración. A veces llorar en presencia del Señor trae liberación. El Salmo 34:17 dice:

> Claman los justos, y Jehová oye
> y los libra de todas sus angustias.

4. *Cantando o alabando al Señor.* La adoración invita la presencia de Dios, y es allí donde comienza la liberación. Dos hombres que estaban presos cantaban alabanzas a Dios cuando repentinamente las puertas de la cárcel se abrieron y las cadenas se rompieron (Hechos 16:26). En el reino espiritual, cuando alabamos al Señor se abren las puertas de la prisión de nuestra vida, se rompen las cadenas y quedamos en libertad.

5. *Caminando en obediencia.* La liberación llega cuando damos pasos de obediencia en respuesta a los mandamientos del Espíritu Santo. Cuando vivimos con pureza y no hay pecado rebelde, obstinado e inconfesado en nuestra vida, el infierno no puede invadirnos ni esclavizarnos. Cuando escuchamos el consejo del Señor y hacemos lo que nos indica, hay liberación.

6. *Ayunando.* Cierto tipo de liberación ocurre solo en tiempos de ayuno y oración. Cuando los discípulos no lograban sacar un demonio, Jesús les dijo: "Este género no sale sino con oración y ayuno" (Mateo 17:21). A veces la liberación ocurre durante el ayuno, a veces después.

7. *Hablando palabras de liberación.* Tienes poder en el habla para atraer sobre ti el infierno (maldecir), y tienes poder para soltar la gracia de Dios y abrir el camino a la liberación (bendecir). La Biblia dice "Bendecid y no maldigáis" (Romanos 12:14). Haz que tu boca se ponga en línea con la Palabra de Dios y hable palabras de liberación. Repetir "He salido de la depresión en el nombre de Jesús", te puede liberar.

Muchas personas no necesitan una cita con consejeros; solo necesitan más del Señor. Si continuamente damos lugar a Jesús en nosotros, el poder del Espíritu Santo fluye a través de nosotros y la presencia de Dios está con nosotros, con el tiempo descubriremos que nuestra personalidad se ha liberado de los desequilibrios negativos. Dios quiere que extendamos el brazo y lo toquemos para que él pueda tocar con su plenitud cada parte de nuestro ser.

Qué dice la Biblia acerca de Hallar liberación en su presencia

Él librará al menesteroso que clame
y al afligido que no tenga quien lo socorra.
Salmo 72:12

Desde mi angustia clamé al Señor,
y él respondió dándome libertad.
Salmo 118:5, NVI

Quienes lo tocaban quedaban sanos.
Mateo 14:36, NVI

Pero los que buscan a Jehová
no tendrán falta de ningún bien.
Salmo 34:10

Ayuda mía y mi libertador eres tú.
Salmo 70:5

primera gran liberación (de la depresión) sucedió en un consultorio de consejería después de tres días de ayuno. La siguiente experiencia de liberación (del abuso infantil) fue a lo largo de un período de tiempo en el que busqué la presencia del Señor. Encontré liberación de un espíritu de temor al dar sencillos pasos de obediencia. Fui liberada de mi ilusión de autosuficiencia mientras estaba en la iglesia escuchando la Palabra de Dios sobre la gracia. Experimenté la liberación de mi dureza de corazón mientras adoraba a Dios junto con otros creyentes en la iglesia. Fui liberada del sufrimiento emocional mientras clamaba a Dios en mi "armario" de oración, completamente sola en medio de la noche. Capa tras capa de cautiverio fueron arrancadas, y ninguna instancia fue igual a la otra.

He aprendido a no intentar anticiparme a Dios. Sus caminos están muy por encima de los nuestros, y es demasiado creativo como para que nuestra mente limitada pueda abarcar sus pensamientos y acciones. Aunque a veces alcanzamos a vislumbrar los caminos de Dios cuando estamos en su presencia, nunca podemos predecir cómo logrará nuestra liberación. Lo único que podemos saber con seguridad es que mientras nosotros se lo permitamos, él seguirá produciendo liberación en nosotros hasta que vayamos a estar en su presencia.

Cinco pasos básicos hacia la liberación

No importa cuándo, dónde o cómo ocurra la liberación, hay cinco pasos comunes. No prestarles atención puede hacer cortocircuito en la corriente de liberación de tu vida.

1. *Confesar.* El diablo tiene el control sobre ti si tienes pecados inconfesados. Las repetidas recaídas en el mismo pecado no son excusa para no confesar. Debes mantener tu confesión permanente delante de Dios para no bloquear el proceso de liberación. Si Dios te muestra la obra de un espíritu negativo en tu vida, arrepiéntete de lo que hayas hecho, y qué le dio el control a ese espíritu. Di: "Señor, confieso que me he alineado con un espíritu de mentira por no ser honesta. Perdóname por mentir. Me arrepiento y te pido que me ayudes a no repetirlo."

2. *Renunciar.* No puedes ser liberada de algo que no hayas desechado de tu vida. Confesar es decir toda la verdad sobre tu pecado. Renunciar es tomar una posición firme contra ese pecado y dejarlo de inmediato. Es posible renunciar sin confesar, y otras personas confiesan sin renunciar. Tienes que separarte de todo lo que no viene de Dios para poder alinearte con todo lo que es de Dios. Algunas claves para la liberación no se te revelarán a menos que renuncies a todo lo que no es de Dios.

El primer paso en la renuncia al pecado es preguntarle a Dios de qué cosas necesitas ser liberada. Si estás luchando contra espíritus malignos, pídele a Dios que te muestre cuáles son. Di: "Dios, revélame. Muéstrame si un espíritu maligno me está causando este temor". Luego lee un pasaje de las Escrituras que fundamente tu autoridad para sacar ese espíritu. Escoge un pasaje que se aplique a tu vida. Por ejemplo, di: "Dios no me ha dado a mí un espíritu de temor, sino que me ha dado un espíritu de poder y de amor y una mente sana". Luego reprende al espíritu. Háblale directamente al espíritu maligno con confianza, con valor, y con pleno conocimiento de que Jesús te ha dado autoridad para hacerlo en su nombre. Sé específica. Di: "Te hablo a ti espíritu de temor. Renuncio a ti y no te doy permiso a quedarte. Digo que no tienes poder sobre mí. Te ato en el nombre de Jesucristo y con la autoridad que él me ha dado. Te arrojo de mi vida y te ordeno que te alejes de mí".

La Biblia dice: "el yugo se pudrirá por cuanto tú eres mi ungido" (Isaías 10:27). Por eso es bueno que un pastor, anciano o creyente firme te unja con aceite, ponga sus manos sobre ti y ore por ti. Si estás sola y no hay nadie a quién llamar, hazlo tú misma. Pon la mano sobre el corazón y di: "Jesús, porque vives en mí y porque todo lo que soy te pertenece, has santificado mis manos". Ahora mójate un dedo con aceite y toca tu frente diciendo: "Señor, me unjo con aceite y te pido que me liberes". Nombra la esfera específica en que quieres liberación. Luego alaba al Señor, quien te da poder sobre el mal. La adoración sella la liberación para que no pueda ser debilitada. Cada vez que sientas que ese espíritu se acerca sigilosamente, alaba al Señor por haberte liberado. Los espíritus malignos no soportan la adoración a Dios.

3. Perdonar. Si tienes algún tipo de resentimiento, será un obstáculo para la liberación. Tenemos que perdonar continuamente, dónde y cuándo haga falta perdonar. Pídele a Dios que te ayude a recordar a todas las personas y a todos los incidentes que necesiten ser perdonados, incluso los que no están relacionados con la liberación que estás buscando. Enfrenta cualquier recuerdo que te venga a la mente, no importa lo repulsivo o doloroso que sea, y tráelo delante del Señor para que puedas ser liberada. Si no hay recuerdos, pídele a Dios que te haga consciente de cualquier recuerdo reprimido que necesite ser perdonado.

4. *Hablar*. Jesús ordenó a un hombre que había sido liberado: "Vuélvete a tu casa y cuenta cuán grandes cosas ha hecho Dios contigo" (Lucas 8:39). No podemos hacer menos. Cuando hemos sido liberados de algo, nuestra gozosa proclamación para todo el que escuche, confirma en nuestra mente lo que Dios ha hecho en nuestro corazón:

> Díganlo los redimidos de Jehová,
> los que ha redimido del poder del enemigo.
> (Salmo 107:2)

Eso impide que el enemigo intente robar lo que Dios ha hecho. Si el diablo te atormenta háblale en voz alta diciendo; "Jesús me ha librado de un espíritu de temor y me niego a darte lugar nuevamente. Lo que hizo Jesús en la cruz es suficiente para mi completa liberación".

5. *Caminar en liberación*. Si has sido liberada, tienes que andar como lo que eres. Niégate a ser arrastrada por el mismo error. La liberación exige cortar los viejos hábitos y establecer nuevos, de manera que tienes que decidir que no serás tentada nuevamente a caer en la vieja manera de pensar y hacer. Decide no hacer nada que fomente el cautiverio.

El diablo siempre intentará destruir tu esperanza en que puedas tener una vida diferente, de manera que debes prepararte para ese ataque caminando deliberada y cuidadosamente con Dios. Si has sido liberada de un espíritu de lujuria, niégate a sucumbir otra vez ante lo mismo. Di: "No seré tentada por ti

Satanás, porque he sido liberada por medio de Jesucristo el Liberador. Antes tal vez me dominabas, pero ahora ese espíritu ha sido roto y tengo el poder de enfrentarlo. Alabo al Señor por su poder liberador".

Dios no renuncia a nosotros aunque fallemos en el andar en la liberación que él nos ha dado. Sufrimos porque es nuestra sanidad, pero Dios no nos retira su poder.

> Muchas veces los libró,
> pero ellos se rebelaron contra su consejo
> y fueron humillados por su maldad.
> Con todo, él miraba cuando estaban en angustia,
> y oía su clamor;
> se acordaba de su pacto con ellos
> y se compadecía conforme a la muchedumbre de su misericordia.
> Salmo 106:43–45

Intenta caminar en liberación lo mejor que puedas.

A veces la liberación no implica sufrimiento: sencillamente, eres desatada y puesta en libertad. Sin embargo, otras veces encontrar la libertad requiere pasar por el dolor de recordar y enfrentar el momento en el pasado en el que entraste en cautiverio espiritual. El dolor es parte del crecimiento y la sanidad, entonces no te sorprendas, ni te desalientes, ni te asustes por eso. Con frecuencia la liberación es emocionalmente dolorosa y uno de los principales temores de la gente es que sea más dolorosa de lo que pueda soportar. Pero Dios ha prometido que nunca permitirá que nos ocurra más de lo que podamos resistir. Con él estamos a salvo.

Podemos hacer todo lo que sabemos para obtener la libertad, pero en el fondo es una batalla del Señor y será él quien logre la liberación. Asegúrate de estar mirando al Señor para tener libertad a su manera.

Qué dice la Biblia acerca de la liberación a su manera

Muchas son las aflicciones del justo,
pero de todas ellas lo librará Jehová.
Salmo 34:19

Porque grande es tu amor por mí:
me has librado de caer en el sepulcro.
Salmo 86:13, NVI

El caballo se apareja para el día de la batalla,
pero Jehová es quien da la victoria.
Proverbios 21:31

Porque miró desde lo alto de su santuario;
miró Jehová desde los cielos a la tierra
para oír el gemido de los presos,
para soltar a los sentenciados a muerte.
Salmo 102:19–20

El que confía en su propio corazón es un necio,
pero el que camina con sabiduría será librado.
Proverbios 28:26

Hallar liberación a su tiempo

Si has estado toda tu vida sentada en la oscuridad de un armario y repentinamente se encendieran cientos de reflectores, quedarías ciega. Ocurre lo mismo con la liberación. Demasiada luz repentina sería difícil de soportar. A eso se debe que la liberación se da en etapas para adecuarse a tu crecimiento en el Señor.

No necesitas ser una central eléctrica para ser liberada. Si ese fuera el caso, pocas personas lo serían. Tampoco puedes ser liberada de un problema que todavía no estás en condiciones de soltar, tampoco se puede imponer la liberación si realmente no la deseas. Además, aprender a caminar en la libertad que se te ha dado lleva tiempo, y si Dios nos liberara de todo de una vez, no lo podríamos hacer. La liberación continua viene después de vivir con lo que ya se ha recibido.

La liberación puede llegar de una vez o lentamente, paso a paso. Una forma no es más sagrada que la otra, de manera que no te juzgues mal si no hay señales de sanidad inmediata. A mí me llevó catorce años librarme del dolor emocional, pero no significa que oré pidiendo sanidad en 1970 y la obtuve repentinamente en 1984. Se fue yendo capa por capa, continuamente. No fue antes porque necesitaba tener la suficiente fe, más conocimiento del poder de Dios y crecer en su Palabra para estar en condiciones de mantener la liberación. La única manera de acelerar el proceso de liberación es sumergirnos completamente y sin reservas en la vida del Señor, sin ocultarle nada.

Tal vez sientas que se te ha escapado gran parte de la vida y que ahora es demasiado tarde para encontrar liberación e integridad. Eso no es cierto. Nunca es demasiado tarde para que la presencia de Dios haga su obra. Mujeres de setenta años me contaron que mi libro Stormie les ayudó a encontrar liberación y sanidad del dolor emocional de todos los años anteriores.

Si alguna vez te has sentido abandonada en el pasado, especialmente por un padre, tal vez tengas miedo de que Dios no venga a ayudarte. Eso tampoco es cierto. Dios nos asegura que "no quedarán avergonzados los que en mí confían" (Isaías 49:23, NVI). El Liberador espera que clames a él para cambiar tu vida.

En la película "Volver al Futuro", un solo incidente afecta el futuro de todos. Así es con la liberación. La salvación y la libertad en el Señor que ganas ahora afectará toda tu vida y la vida de tus hijos y la de sus hijos, lo percibas o no. La Biblia dice:

> Camina en su integridad el justo
> y sus hijos son dichosos después de él. (Proverbios 20:7)

Cualquier liberación, aunque parezca pequeña, tiene efectos mucho mayores de lo que puedas imaginar.

¿Nuevos niveles de liberación, o la misma antigua esclavitud?

Cuando hemos sido liberados de algo, nos inclinamos a creer que jamás tendremos que volver a luchar con ese problema en particular. A veces es así, pero otras veces nuestro cautiverio en una esfera específica es tan profundo que debemos ser liberados una capa por vez. En algunas oportunidades, después de haber sido liberados de algo en particular, da la impresión de que el mismo problema vuelve a aparecer. Quizá te sientas tan deprimida y emocionalmente herida como antes, o peor, y temerás estar retrocediendo. Pero si has estado caminando con el Señor y obedeciéndolo lo mejor posible, puedes confiar en que Dios quiere guiarte a un nivel más profundo de liberación. Este proceso podría parecerte tan doloroso, o más, de lo que fue antes, pero el nuevo nivel de libertad también será mucho mayor del que jamás hayas experimentado.

El nuevo nacimiento no evita la posibilidad de la opresión espiritual, de los ataques satánicos y de los conflictos emocionales. Ser liberado una vez no significa que no volverás a necesitar liberación. En realidad, si el diablo puede recuperar un punto de apoyo en tu vida, lo hará. Puedes estar segura de eso.

Como la liberación es continua y ocurre por etapas, la liberación total nunca ocurre de la noche a la mañana. Dios es el único que sabe qué capa debe salir primero y cuándo debe ocurrir. En otras palabras, una persona tal vez no encuentre hoy mismo la liberación de un doloroso desorden en sus hábitos de alimentación, pero tal vez sea liberada del resentimiento que le impide perdonar a su padre. Dios siempre quiere liberarte de algo en este momento. No importa cómo lo hace ni cuánto tiempo le lleve, tienes que confiar que su sincronización es perfecta. Él sabe cuándo estás preparada para el paso siguiente. Tal vez no sea exactamente como lo querías, pero siempre hay liberación a nuestra disposición si nos ponemos a disposición de ella. Debemos mantener un espíritu de agradecida dependencia de Dios y estar dispuestos a decir como David:

> Mas yo en ti, Jehová, confío;
> digo: "¡Tú eres mi Dios.
> En tu mano están mis tiempos!".
> Líbrame de manos de mis enemigos. (Salmo 31:14–15)

Cuando te sientas frustrada, verifica si no estás frenando el proceso por tener bases inseguras (revisa el segundo paso: Establecer una base). Además, asegúrate de no estar caminado en desobediencia. Si estás firme en ambos puntos y estás buscando a Dios para terminar con un problema, entonces algo está sucediendo. Puede estar ocurriendo en el reino espiritual aunque todavía no se manifieste en el terreno físico.

Dios a veces nos empuja suavemente hacia un tiempo de liberación aunque pensemos que no estamos preparados. Nos hemos adaptado a la situación y no queremos cambios. Nos sentimos cómodos donde estamos, aun con la miseria. Pero Dios dice: "Te amo demasiado como para dejarte ahí. Seguiremos avanzando. Crecerás y dejarás las cosas infantiles. Te estoy guiando a un tiempo de liberación en esta parte específica de tu vida." Cuando eso sucede, resistir su obra en tu vida solo prolongará la agonía. Retrasarás el proceso, y tu miseria aumentará. Seguirás chocando con la misma vieja pared, y avanzarás con demasiada lentitud.

Cada liberación que Dios obre en tu vida te preparará para tu sanidad y tu liberación en el futuro. Una se construye sobre la otra hasta que la libertad y la sanidad se convierten en una forma de vida. Sigue buscando al Señor para tu liberación, espéralo y no renuncies. Y comprobarás que sí ocurre a su tiempo.

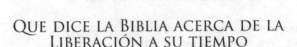

Que dice la Biblia acerca de la Liberación a su tiempo

Pero tuvimos en nosotros mismos sentencia de muerte, para que no confiáramos en nosotros mismos, sino en Dios que resucita a los muertos. Él nos libró y nos libra y esperamos que aun nos librará de tan grave peligro de muerte.
2 Corintios 1:9–10

Por amor de Jerusalén no descansaré,
hasta que salga como un resplandor su justicia
y su salvación se encienda como una antorcha.
Isaías 62:1

Sosténme conforme a tu promesa, y viviré;
no defraudes mis esperanzas.
Defiéndeme, y estaré a salvo.
Salmo 119:116–117, NVI

Delante de ellos cambiaré las tinieblas en luz
y lo escabroso en llanura.
Estas cosas les haré
y no los desampararé.
Isaías 42:16

Y el Señor me librará de toda obra mala,
y me preservará para su reino celestial.
2 Timoteo 4:18

Capítulo 6

Quinto Paso: Recibir los dones de Dios

En una oportunidad regalé a mi pequeña hija, Amanda, un joyero con una diminuta bailarina que giraba cuando se abría la tapa. Adentro puse una pequeña joya que ella nos había estado pidiendo durante mucho tiempo.

Cuando abrió el regalo y vio el joyero, gritó de alegría e hizo comentarios sobre cada detalle.

—Ay mamá, ¡es tan hermoso! Mira las rosas y las cintas de colores, y qué pequeño es el candado dorado. Es el joyero más hermoso que he visto.

Ansiosa de que viera todo lo que tenía para ella y sin poder esperar más dije:

—Ábrelo, Amanda.

Abrió la tapa y vio la bailarina girando al compás de la delicada música.

—Oh, ¡la bailarina es tan linda! —exclamó mientras sus dedos acariciaban la muñequita—. ¡Mira la falda y las pequeñas manos! El satén rosa es tan suave, ¡tócalo!

Estaba a punto de guardar la caja en su habitación cuando le dije:
—Amanda ¿ves algo adentro?

—¿Dónde? —dijo mientras descubría la caja más pequeña y la sacaba cuidadosamente—. ¡Los aros con perlas que tanto quería! Ay, mamá, ¡gracias! —dijo gritando, mientras corría a ponérselos.

Me quedé pensando. Amanda hubiera estado contenta solo con la hermosa cajita. Y luego pensé en cómo nuestro Padre celestial nos regala cosas pero con frecuencia no las desenvolvemos ni nos apropiamos de todo lo que él tiene para nosotros porque no nos damos cuenta de que hay un regalo o no entendemos que es para nosotros.

El acto de abrir

Imagina que alguien te entregue un regalo envuelto en papel brillante adornado con un bello lazo. Dices "Muchas gracias por el regalo. El papel es hermoso, el lazo es increíble, lo guardaré para siempre". Luego dejas el regalo en la mesa y queda allí, sin abrir. Qué triste se sentirá la persona que hizo el regalo, después de tanto esfuerzo y tiempo para prepararlo.

Cuando Michael y yo nos casamos, tuve por primera vez seguridad económica. Aunque mi padre había trabajado duro toda su vida, nunca ganaba mucho dinero y siempre vivimos con lo justo. Cuando se jubiló y se fue a vivir en una granja en el centro de California con mi madre, el dinero que cobraba no cubría los gastos esenciales. Michael y yo intentábamos darles periódicamente dinero, pero mi madre no quería saber nada. Un día muy frío del invierno los llamé y me enteré que ambos estaban con una fuerte gripe. Habían pasado mucho frío el último mes por falta de dinero para comprar combustible para el calefactor. Yo tenía suficiente dinero como para ayudarlos, y ellos sufriendo sin necesidad. De inmediato hice arreglos para que les llevaran combustible y allí comprendí lo mucho que se debe apenar nuestro Padre celestial por nuestro sufrimiento innecesario. Yo también a veces olvidaba que hay cosas que son mi herencia por derecho de nacimiento gracias a Jesús, pero ya no lo hago porque sé cuáles son esos regalos y sé que están ahí para mí. Quiero que también tú lo sepas.

Dios nos ha dado primero el don de su Hijo Jesús (Juan 4:10) y el don de su Espíritu Santo (Hechos 2:38). De esos dos dones vienen todos los demás: la justicia (Romanos 5:17), la vida eterna (Romanos 6:23), la profecía (1 Corintios 13:2) y la paz (Juan 14:27). Y estos son apenas algunos, porque todas las cosas buenas vienen de Dios.

De los muchos dones que Dios tiene para nosotros, hay cuatro que son fundamentales para tu sanidad, tu restauración emocional, y para tu integridad permanente: el don de su amor, el don de su gracia, el don de su poder, y el don de su descanso. No podemos recibir estos dones por nosotros mismos.

Qué dice la Biblia acerca de Recibir los dones de Dios

Toda buena dádiva y todo don perfecto desciende de lo alto, del Padre de las luces, en el cual no hay mudanza ni sombra de variación.
Santiago 1:17

Pues si vosotros, siendo malos, sabéis dar buenas cosas a vuestros hijos, ¿cuánto más vuestro Padre que está en los cielos dará buenas cosas a los que le pidan?
Mateo 7:11

Cada uno según el don que ha recibido, minístrelo a los otros, como buenos administradores de la multiforme gracia de Dios.
1 Pedro 4:10

Pero a cada uno de nosotros fue dada la gracia conforme a la medida del don de Cristo.
Efesios 4:7

Procurad, sin embargo, los dones mejores.
1 Corintios 12:31

Recibir el don del amor de Dios

Hace algunos años me invitaron a predicar a un grupo de internas de una prisión de mujeres. Después se me permitió hablar en forma privada con aquellas que quisieran hacerlo. Como había contado abiertamente la historia de mi vida, ellas también fueron muy sinceras conmigo. Una joven tímida y de aspecto frágil a la que llamaré Teresa, me confesó lo que había hecho para terminar tras las rejas. Digo que confesó porque, aunque ya había sido condenada por el crimen, yo no le pedí que lo revelara. Se me había prohibido estrictamente que preguntara a cualquiera de las internas por qué estaban allí.

Teresa me relató que había nacido de una madre que no quería que naciera; no la aceptaba, y se lo decía a cada momento. Su padrastro la golpeaba y violaba repetida y violentamente, mostrándole desprecio. Creció con una desesperada necesidad de amor.

A los quince años quedó embarazada de un adolescente, y su madre furiosa la echó de la casa. El novio también la abandonó y tampoco tenía familiares ni amigos a quienes recurrir. Con la ayuda del gobierno pudo encontrar un departamento muy pequeño de un solo ambiente donde se alojó con su bebé.

—Retuve al bebé porque quería tener alguien a quién amar —dijo con desgarradora sinceridad. Pero no tenía experiencia, estaba asustada y no era mucho más madura que su bebé, de manera que no pudo con el incesante llanto de su hijita. Una noche en que no la soportó más, el fracaso y el rechazo de toda una vida la hicieron reaccionar con tanta fuerza que perdió el control. Tomó una almohada y la apretó contra la cara del bebé hasta que dejó de llorar. Había muerto.

Aunque estaba llena de desesperación y remordimiento, Teresa disfrutó de la amplia cobertura que los medios de comunicación hicieron de su crimen.

—Cuando me arrestaron y mi cara apareció en la tapa de los periódicos —me dijo —me sentí orgullosa, porque pensé "Ahora soy alguien. La gente me tiene en cuenta".

Esta declaración escalofriante me dejó pasmada, pero Teresa y el bebé me rompieron el corazón. Sé que cualquier niño que haya sido privado de amor, lo buscará desesperadamente en cualquier lugar, no importa lo extraño o irracional que sea el método. Cuanto más extremas las condiciones del abuso, más extremos los actos de desesperación. Cuando uno no se siente amado, siente que no existe. Es aterrador, y uno está siempre buscando desesperadamente la confirmación de su existencia, aunque sea una existencia negativa.

Alimento para el alma

Así como la comida nos hace crecer físicamente y la educación nos ayuda a crecer mentalmente, hace falta amor para crecer emocionalmente. Si no se nos nutre con amor, nuestras emociones permanecen inmaduras, y estamos siempre buscando el amor que no tuvimos. Pero, ¿cómo se consigue ese amor si aquellos que deberían amarte no quisieron o no fueron capaces de hacerlo?

La naturaleza carnal prueba cualquier cosa. En cierto nivel de necesidad, cualquier tipo de atención (incluso la cobertura negativa de los medios) es mejor que ninguna atención. Hacemos y decimos cosas que no deberíamos, para llamar la atención y lograr la aceptación y el amor de otros. Pero en el espíritu hay otro camino: recibir el amor de Dios.

Le expliqué a Teresa que Dios tenía planes para ella desde antes que naciera. Y que los pecados de sus padres eran parte del plan de Satanás.

—Teresa —le dije mirándola a los ojos—, estoy aquí para decirte que para Jesús siempre has sigo alguien. Siempre has sido importante para él. Él conoce tu sufrimiento. Él vio lo que te ocurría, y su Espíritu sufre con el tuyo. No era su voluntad que esto sucediera, y quiere darte todo lo que nunca tuviste.

Teresa comenzó a llorar y yo la abracé con fuerza. Con desesperación en los ojos, dijo sollozando:

—¿Cómo puede Dios aceptarme después de lo que hice? ¿Acaso no es demasiado tarde?

—Teresa —dije—, Dios nos ama y nos acepta como somos, pero no nos deja así. Por eso nunca es tarde. No importa lo que seamos, cuando le damos lugar en nuestra vida y recibimos a Jesús, él comienza inmediatamente a cambiarnos. Tomará los pedazos de tu vida y los unirá para que sirvan a un buen propósito. Te liberará para que seas ese alguien para lo que te creó.

El amor de Dios no muestra favoritismos

Después que recibí a Jesús yo podía sentir la fuerte presencia del amor de Dios y no tenía dificultad en creer que Dios amaba a todo el mundo. Es decir, a todos los demás. Me costó mucho creer que Dios me amaba a mí. Podía hablar a otros del amor de Dios, pero no lo podía recibir para mí. Después de un tiempo de caminar con él, de aprender de su naturaleza, de conocerlo, de permitirle responder a mis oraciones, de ver que su Palabra es verdad y de recibir su liberación, entonces el amor de Dios penetró en mí.

El amor humano es condicional. Siempre será limitado. El amor de Dios es incondicional e ilimitado. El amor humano nos ayuda a crecer, pero el amor de Dios nos transforma. Elimina las dudas sobre uno mismo, las limitaciones, la inseguridad, el temor. El amor humano nos da una sensación de consuelo y pertenencia cuando estamos cerca de la persona que amamos. El amor de Dios nos da un sentido de pertenecer, no importa con quién estemos. Si crees que Dios no puede amarte porque no mereces ser amada, tienes que comprender que Dios ama de una manera diferente a la nuestra. No podemos hacer nada para que nos ame más, y nada para que nos ame menos.

La Biblia dice: "El mismo que es Señor de todos, es rico para con *todos* los que lo invocan" (Romanos 10:12, énfasis agregado). Él te ama tanto como a mí o a cualquier otro. Toda la bondad que Dios puede haber mostrado para con Billy Graham está ahí para ti y para mí. La diferencia está en que el señor Graham probablemente se entregó y se sometió a Jesús mucho antes y en forma más completa de lo que tú o yo lo hicimos, y con seguridad eligió vivir como Dios quiere y en su amor, mucho antes y más a fondo que nosotras.

—Dios se encontrará contigo aquí y ahora, y, si se lo permites, transformará tu vida por completo —expliqué a Teresa.

Teresa pudo sentir el amor de Dios, y recibió a Jesús como su Salvador esa mañana. Algunas internas y dos guardias me dijeron que nunca la habían visto hablar y llorar con nadie en los tres años que había estado allí. No hay duda de que algo la tocó, y no fui yo. Los seres humanos no tenemos ese tipo de poder. Solo el amor de Dios puede trasformar vidas. No volví a ver a Teresa después de ese fin de semana, pero oro por ella con frecuencia. Es un claro ejemplo de cómo, cuando alguien no ha sido tenido en cuenta ni amado, la vida se cobra una víctima. Solo el amor abarcador e incondicional de Dios puede sanar heridas de esa magnitud.

Creer es recibir

La clave para recibir el amor de Dios es decidir creer que está ahí para ti, y elegir abrirse a él. Nada nos puede separar del amor de Dios salvo nuestra incapacidad para recibirlo.

La Biblia dice que "El gran amor del Señor envuelve a los que en él confían" (Salmo 32:10, NVI). Cuanto más dices "Bien, Señor, confío en tus promesas y en todo lo que dices de mí y de mis circunstancias, y elijo creer en ti", más experimentas el amor de Dios.

Recibir el don del amor de Dios significa que no tenemos que hacer cosas desesperadas para buscar aprobación. Tampoco necesitamos deprimirnos cuando no recibimos el amor de otras personas exactamente de la manera en que creemos que lo necesitamos. Cuando sentimos el amor de Dios, se alivia la presión de las relaciones y podemos ser aquello para lo que fuimos creados.

Si tienes dudas del amor de Dios por ti, pídele que te lo muestre. Lee lo que dice la Biblia sobre Su amor (ver páginas 212 - 213) y elige creer. El amor de Dios no es un mero sentimiento, es el Espíritu de Dios. Porque él es amor, solo estar en su presencia en alabanza y oración hace que su amor impregne tu ser.

Si por mucho que te esfuerces, sigues sin sentir que Dios te ama, es probable que necesites ser liberada de alguna atadura. Pídele a Dios que te muestre cuál es y si debes buscar ayuda. Es una parte demasiado importante de tu sanidad y tu restauración como para descuidarla.

Abrirte y recibir el amor de Dios te pone en mejores condiciones de amar a otros, incluso a personas con las que no tienes afinidad natural. Irradiar amor hacia otros es parte del perfeccionamiento del amor de Dios en tu vida. También hace que la gente te ame más a ti. Las personas que comunican la plenitud del amor de Dios siempre son hermosas y atractivas para quienes las rodean.

El amor de Dios es siempre mayor de lo que esperamos. Por eso su presencia muchas veces nos hace llorar. Son lágrimas de gratitud por un amor que supera nuestra imaginación.

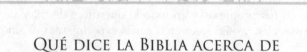

QUÉ DICE LA BIBLIA ACERCA DE RECIBIR EL DON DEL AMOR DE DIOS

Con amor eterno te he amado;
por eso, te prolongué mi misericordia.
Volveré a edificarte: serás reedificada.
Jeremías 31:3–4

El que me ama, mi palabra guardará; y mi Padre lo amará, y vendremos a él y haremos morada con él.
Juan 14:23

¿Quién nos separará del amor de Cristo?
¿Tribulación, angustia, persecución, hambre,
desnudez, peligro o espada?
Romanos 8:35

Por lo cual estoy seguro de que ni la muerte ni la vida, ni ángeles ni principados ni potestades, ni lo presente ni lo por venir, ni lo alto ni lo profundo, ni ninguna otra cosa creada nos podrá separar del amor de Dios, que es en Cristo Jesús, Señor nuestro. Romanos 8:38–39

Que sea tu gran amor mi consuelo. Salmo 119:76, NVI

Recibir de Dios el don de la gracia

—¡Rápido, súbete al coche! —ordené a Amanda que estaba conmigo —el conductor que viene detrás quiere nuestro lugar en la playa de estacionamiento —dije mientras arrojaba la bolsa de compras en el asiento trasero, cerraba apresuradamente la puerta de su lado y corría hacia mi asiento en respuesta a los impacientes bocinazos.

¿Por qué todo el mundo está tan apurado hoy?, me pregunté mientras me escurría detrás del volante y me ajustaba el cinturón de seguridad. Salí del estacionamiento, crucé la playa y giré a la derecha para encarar la única y estrecha salida de un solo carril. Cuando estaba por girar en la esquina, sin visibilidad, un coche se nos vino encima a toda velocidad. El conductor había entrado equivocadamente por el carril que tenía un cartel de "salida" apenas visible, en lugar de hacerlo por el que decía "entrada". Ambos pisamos los frenos y quedamos a una pulgada de lo que hubiera sido una colisión de frente. Amanda pasó volando hacia el parabrisas.

—¡Ay, Dios mío! —grité. En el apuro había olvidado ajustar el cinturón de seguridad de Amanda—. Oh, Dios ¡perdóname por ser tan descuidada! Por favor que no le pase nada a Amanda. Que no se haya hecho daño. Sánala —oraba mientras le secaba la sangre que le salía de la boca y la nariz. Temía que se hubiera roto la nariz y los dientes, o peor aun, el cuello y el cráneo.

Finalmente no hubo raspones ni heridas ni dientes sueltos, solo sangre en la nariz y un corte interno en la boca. Yo estaba totalmente consciente de la mano milagrosa del Señor sobre nosotros, a pesar de que no lo merecía. Yo había fallado, y en lugar de la destrucción recibí la gracia de Dios.

No es lo que merecemos

Tarde quince años en comprender lo que logró la cruz, es decir que Jesús tomó todo lo que yo merecía: dolor, enfermedad, fracaso, odio, rechazo y muerte, y me dio todo lo que le correspondía a él: plenitud, sanidad, amor, aceptación, paz y gozo. Por la gracia de Dios, lo único que tenemos que hacer es decir: "Jesús, ven a vivir en mí y sé el Señor de mi vida".

Cuando tenía veinte años mi estilo de vida estaba impulsado por mi desesperada necesidad de amor. Una consecuencia desastrosa de ese estilo de vida fueron dos abortos en menos de dos años. Ambos fueron horribles, aterradores, y física y emocionalmente traumáticos (para no mencionar que en esa época eran ilegales). Sin embargo después sentí más alivio que remordimiento. Años más tarde, cuando comencé a andar en el Señor y a conocer sus caminos, pude reconocer lo que había hecho.

Pero cuando Michael y yo decidimos tener un bebé, pasaban los meses y no quedaba embarazada. Yo, que me había embarazado con tanta facilidad antes, sentía que seguramente Dios me estaba castigando por los abortos.

—Señor, sé que no merezco dar a luz una nueva vida después de destruir dos veces la vida que estaba gestando —oré—. No merezco tener hijos. Pero por favor, ten compasión de mí y ayúdame a concebir.

Dios respondió esa oración, y mis dos hijos son el mejor ejemplo de la compasión y la gracia que Dios tuvo conmigo. Me dio precisamente lo que no merecía.

La gracia de Dios es para quienes viven en su reino y cuyo reino vive en ellos. No podemos recibir su gracia a menos que lo recibamos a él. Es un don que viene de la mano de él.

Gracia y misericordia

La gracia y la misericordia se parecen bastante. La gracia ocurre cuando Dios se abstiene de castigar a alguien que merece castigo. La misericordia es la compasión que Dios tiene de nuestra miseria, más de lo que jamás podríamos esperar. Necesitamos ambas.

Si no fuera por la gracia y la misericordia de Dios, ni siquiera seríamos salvos, porque la Biblia dice; "por gracia sois salvos" (Efesios 2:8) y "nos salvó [...] por su misericordia" (Tito 3:5). Antes de conocer a Jesús éramos "culpables" y "miserables" pero su "gracia" y su "misericordia" nos salvaron.

La gracia tiene que ver con que él lo es todo. Él lo hace, no nosotros. La gracia siempre es una sorpresa. Uno no espera que ocurra, y sin embargo ocurre. El pastor Jack Hayford enseña: "Cuando el humilde dice 'No lo tengo ni lo puedo obtener por mi cuenta', Dios dice 'Yo sí lo tengo y te lo dará', eso es la gracia de Dios."

Recibir el don

Las personas que han sido abusadas, rechazadas o emocionalmente dañadas por lo general son duras consigo mismas. Si no logran la perfección, se desprecian. Si no tenemos compasión de nosotros mismos es más difícil aceptar la gracia y la misericordia de Dios. También es más difícil mostrar compasión hacia otros. Y una de las condiciones para recibir misericordia es tenerla con otros.

> A su alma hace bien el hombre misericordioso,
> pero el cruel se atormenta a sí mismo. (Proverbios 11:17)

Recibimos su gracia y su misericordia cuando nacemos de nuevo, pero también debemos extenderla a otros, porque eso produce salud emocional. Las misericordias de Dios "nuevas son cada mañana" (Lamentaciones 3:23), y lo mismo debería ser la nuestra.

Otras condiciones para recibir la gracia y la misericordia de Dios son la humildad, la confesión y el arrepentimiento:

> El que oculta sus pecados no prosperará,
> pero el que los confiesa y se aparta de ellos alcanzará misericordia.
> (Proverbios 28:13)

También hay misericordia para quienes pecan por ignorancia. Si no fuera así, estaríamos muertos. El apóstol Pablo dijo: "pero fui recibido a misericordia porque lo hice por ignorancia, en incredulidad" (1 Timoteo 1:13).

La parte difícil de recibir la gracia y la misericordia es mantener un equilibrio entre pensar que puedo hacer cualquier cosa porque la gracia de Dios lo cubrirá todo, y por otra parte, sentir que todo en mi vida (mi éxito, mi matrimonio, mis hijos, la integridad que tengo ahora) depende completamente de lo que yo hago. Ninguno de esos dos extremos es ejemplo de la gracia.

Nuestro éxito depende de Dios, no de lo que hacemos. Pero tenemos que actuar según la Palabra de Dios tal como nos fue revelada y mostrarle nuestro amor por medio de la obediencia. Entonces Dios nos permite hacer cosas que de otra manera no podríamos hacer, y puede bendecirnos de la manera que desee hacerlo. Es por eso que no debemos preocuparnos de cómo lograr nada en nuestra vida. Solo debemos buscarlo a él y él logrará. El Salmo 147:11 dice:

> Se complace Jehová en los que lo temen
> y en los que esperan en su misericordia.

Ábrete al don de su gracia, porque eso agrada al Padre celestial.

Qué dice la Biblia acerca de Recibir de Dios el don de la gracia

Porque por gracia sois salvos por medio de la fe; y esto no de vosotros, pues es don de Dios.
Efesios 2:8

Bástate mi gracia, porque mi poder se perfecciona en la debilidad.
2 Corintios 12:9

Por lo tanto, la elección no depende del deseo ni del esfuerzo humano sino de la misericordia de Dios.
Romanos 9:16, nvi

Ciertamente él escarnece a los escarnecedores y da gracia a los humildes.
Proverbios 3:34

Bienaventurados los misericordiosos, porque alcanzarán misericordia.
Mateo 5:7

Recibir de Dios el don del poder

Una noche tarde, cuando nuestro hijo tenía un año, tuve que ir a la farmacia a comprar una receta médica para aliviar su tos. Lo dejé en casa con mi esposo, salí corriendo, y llegué al negocio justo antes de que cerrara. Había solamente dos vehículos en la playa de estacionamiento que por lo general está repleta. Entré deprisa, hice mi compra y salí del lugar en el momento que se apagaban las luces. La playa de estacionamiento estaba desierta y oscura y me sentí un poco nerviosa mientras caminaba hacia mi auto. Cuando había hecho la tercera parte del camino observé una figura oscura que salía de entre las sombras a un costado del edificio. Resultó ser un hombre en una bicicleta, y aunque tenía un aspecto inofensivo, apuré el paso, comencé a orar y preparé las llaves del coche.

—¡Jesús, ayúdame! ¡Dios, protégeme! —oré en silencio mientras seguía caminado con determinación. El suave sonido de la bicicleta seguía acercándose. Cuando estaba cerca del auto, pero no lo suficiente como para poder meterme adentro, el hombre se bajó de la bicicleta y me aferró por detrás. En ese momento mi instinto de supervivencia me permitió juntar toda mi energía y eché mano de la única fuente de poder que tenía.

Mientras me sujetaba giré hacia él, y le dije con un poder y una autoridad que nunca antes ni después pude repetir: "¡No me toques, de lo contrario, en el nombre de Jesús, serás hombre muerto!"

Lo que me desconcertó fue que no lo dije en el tono de una víctima temerosa sino de una persona agresiva y dominante.

Era un hombre joven, de dieciocho o diecinueve años, pero alto y fuerte como para dominarme. El efecto fue tan rápido que pude ver cómo su expresión cambiaba de agresiva a desconcertada. Yo había echado mano de una fuente de poder y autoridad que él no se esperaba.

Lo miré directamente a los ojos y nada en mí cedió.

—Alguien nos está mirando y jamás permitirá que salgas bien si me tocas —dije con poderosa autoridad mientras destrababa la puerta y la abría, sin dejar de mirarlo a los ojos.

El joven se quedó inmóvil mientras me subía al auto, cerraba con llave la puerta, encendía el motor y me alejaba.

—¡Gracias, Jesús! ¡Gracias! —repetí mientras conducía a casa, intentando ajustarme el cinturón de seguridad con las manos temblorosas. Temblaba de asombro por dos cosas: por un lado mi situación vulnerable en esa playa de estacionamiento oscura, a merced de un hombre con intenciones de agredirme; segundo, la forma en que lo asusté con el poder y la autoridad que Dios me había dado. Era la primera vez que lo ponía a prueba tan visiblemente. Apenas podía creer lo que había ocurrido.

No hace falta decirlo, después de eso jamás volví a poner a prueba a Dios entrando sola en una playa de estacionamiento oscura, y creo que su poder se manifestó en ese momento como un verdadero don. También creo que si ese joven hubiera cumplido sus intenciones, hubiera acarreado muerte y destrucción a su vida tanto como a la mía, de manera que lo que le dije eran palabras de Dios.

Recibir el poder milagroso de Dios

El poder de Dios es un don que está a nuestra disposición, entre otras cosas para sanar nuestra alma, y todo el que necesite restauración y salud emocional debe tener acceso al mismo. Dios quiere que conozcamos "la extraordinaria grandeza de su poder para con nosotros los que creemos" (Efesios 1:19) para que "por medio del Espíritu y con el poder que procede de sus gloriosas riquezas, los fortalezca a ustedes en lo íntimo de su ser" (Efesios 3:16, NVI). Para recibir el poder de Dios primero tenemos que recibirlo a él y saber quién es él. También hace falta saber quién es nuestro enemigo y estar convencidos de que el poder de Dios es superior. Luego tenemos que usar las claves que Jesús nos dio para acceder a ese poder. Jesús dijo: "Y a ti te daré las llaves del reino de los cielos: todo lo que ates en la tierra será atado en los cielos, y todo lo que desates en la tierra será desatado en los cielos" (Mateo 16:19).

Las llaves del reino

El pastor Jack describe las llaves del reino como similares a las llaves de su automóvil: "Hay muy poco poder en la llave que abre mi vehículo," explica, "pero el motor, con todo su poder, no funciona si no giro la llave de encendido. Yo no tengo poder para salir y adquirir una velocidad de noventa kilómetros por hora, pero tengo acceso a un recurso que puede darme esa velocidad. Jesús dijo "les daré las llaves del reino de los cielos". Las llaves significan la autoridad, el privilegio, el acceso.

Algunas cosas no se encenderán a menos que tú las enciendas. Algunas cosas no se soltarán a menos que tú las sueltes. Algunas cosas no se liberarán a menos que tú las liberes. Las llaves no son el poder del motor, las llaves liberan ese poder.

El pastor Jack hizo la observación de que el reino de Dios significa el campo de su autoridad. Nuestra voluntad tiene que someterse a la voluntad de Dios hasta que seamos completamente dependientes de su poder. Como dice el pastor Jack, "Sus llaves no funcionan en nuestro reino privado. Su poder se activa con una orden, pero no para nuestro beneficio personal".

Abrirse al poder de Dios

Porque conozco a Jesús y vivo en obediencia y sumisión a él, tengo acceso a su poder por medio de lo que él ha logrado en la cruz. Gracias a Jesús, mis oraciones tienen poder. Cuando vivo como Dios quiere y me someto a él, tengo acceso a las llaves de su reino. Ese poder me salvó en aquella oscura playa de estacionamiento.

No se puede conjurar, arrebatar ni exigir el poder de Dios; solo se lo puede recibir de él. Oswald Chambers dice que el propósito de Dios para mí es "que ahora yo dependa de él y de su poder" (*En pos de lo supremo*, p. 152 del libro en inglés). Al depender del poder de Dios en lugar del tuyo, estás cumpliendo la voluntad de Dios para tu vida.

Si te sientes impotente y débil frente a las circunstancias, entonces agradece a Dios porque aunque tú eres débil, él no lo es. Dios dice "mi poder se perfecciona en la debilidad" (2 Corintios 12:9). Así como Jesús fue crucificado en debilidad y ahora vive con todo el poder, lo mismo se aplica a nosotros si venimos a él en debilidad. Nuestro poder proviene del Espíritu Santo que obra en nosotros. Jesús les dijo a sus discípulos: "Esperad la promesa del Padre [...] recibiréis poder cuando haya venido sobre vosotros el Espíritu Santo" (Hechos 1:4, 8). Negar al Espíritu Santo un lugar en tu corazón es limitar el poder de Dios en tu vida.

El espíritu humano inevitablemente vuelve a dar lugar al cautiverio; por eso siempre necesitamos un nuevo flujo del Espíritu Santo. Pídelo diariamente. Cada mañana di: "Señor, necesito un nuevo fluir del Espíritu Santo en mi vida hoy. Yo soy débil, pero tú eres todopoderoso. Sé fuerte en mí hoy". Esta es una oración llena de poder.

Lograr la restauración total es una lucha. El diablo nos quiere destruidos. Dios nos quiere restaurados. La presencia del Espíritu Santo en nosotros garantiza que ningún poder tendrá éxito en esclavizarnos: "Las armas de nuestra milicia no son carnales, sino poderosas en Dios para la destrucción de fortalezas" (2 Corintios 10:4).

La Biblia advierte que en los últimos días algunas personas serán amadoras de sí mismas, jactanciosas, orgullosas... y así continúa la lista que termina describiéndolas como que "tendrán apariencia de piedad, pero negarán la eficacia de ella" (2 Timoteo 3:5). No te permitas negar el poder de Dios ni rechazar el don que Dios te ha dado.

No seas víctima de tus circunstancias. No te permitas ser desgraciada. No te des por vencida cuando la vida parece venirse abajo. No vivas tu vida con la fuerza humana. Permite que el poder que Dios te ha dado te eleve por encima de los límites de tus circunstancias. Usa la autoridad que se te ha dado sobre tu mundo, teniendo en cuenta que el diablo siempre querrá desafiar esa autoridad. Que no te la robe.

¿De qué nos sirven las llaves de Dios si nunca las usamos para abrir ninguna puerta de la vida? ¿De qué te sirve el poder de Dios si nunca lo recibes ni lo usas? Abre el don del poder que Dios te ha dado. Tu vida depende de eso.

Qué dice la Biblia acerca de Recibir de Dios el don del poder

Él da esfuerzo al cansado y multiplica las fuerzas al que no tiene ningunas.
Isaías 40:29

Aunque fue crucificado en debilidad, vive por el poder de Dios. Y también nosotros somos débiles en él, pero viviremos con él por el poder de Dios para con vosotros.
2 Corintios 13:4

Mayor es el que está en vosotros que el que está en el mundo.
1 Juan 4:4

Porque no nos ha dado Dios espíritu de cobardía, sino de poder, de amor y de dominio propio.
2 Timoteo 1:7

Os doy potestad de pisotear serpientes y escorpiones,
y sobre toda fuerza del enemigo, y nada os dañará.
Lucas 10:19

RECIBIR DE DIOS EL DON DEL DESCANSO

A causa de mi personalidad, muchas veces me costó discernir entre el camino que Dios me trazaba y lo que era cautiverio. Yo era una persona inquieta por naturaleza. Dicho en forma amable, era enérgica, motivada, optimista, activa y llena de vida. La versión negativa de eso es hiperactiva, extrema, nerviosa e inquieta.

—Hay intranquilidad en tu espíritu, Stormie —me dijo un día Mary Anne—. En ocasiones la veo aflorar.

A pesar de que Mary Anne con frecuencia había estado acertada respecto a mí, no me convencía. Después de todo, había pasado por trece años de sanidad, liberación y crecimiento, y había estado enseñando a otros sobre la esperanza de salvación y liberación en el Señor. Eso tenía que valer. Al comienzo pensé que Mary Anne se sentía molesta por mi personalidad acelerada, especialmente en contraste con su ritmo tranquilo. Tal vez yo estaba perdiendo su total apoyo y estímulo.

Señor, muéstrame si es así. ¿Hay algo que me causa intranquilidad?, oré cuando estuve sola.

Unos días más tarde, Mary Anne llamó temprano para relatarme un sueño que había tenido en el que sentía que Dios le había revelado que mi intranquilidad se debía a la falta de perdón hacia mi padre (véase segundo paso, perdón permanente). Rechacé inmediatamente la idea. Era evidente que ella no conocía a mi padre. Él jamás me había hecho algo malo.

Después de colgar me quedé reflexionando en lo que me había dicho y le pregunté al Señor si había algo de verdad en ello. Cuando lo hice, me invadió una enorme oleada de dolor, de furia, resentimiento y falta de perdón hacia mi padre. Confesé delante de Dios ese pecado, y brotaron lágrimas que no había llorado por años, limpiando cada rincón de mi ser.

Esta falta de perdón oculta me había impedido confiar en todas las figuras masculinas de autoridad, incluyendo a Dios. Sentí que debía ocuparme de esas cosas. Era algo inconsciente y sutil que no se manifestaba en mí como rebelión, sino más bien como intranquilidad. Yo era la que permitía o impedía que ocurrieran las cosas.

Después de ese tiempo de liberación entré a un profundo lugar de descanso en el Señor como nunca había conocido antes. Era un lugar que Dios había provisto para mí, pero a causa de mi pecado oculto, había sido incapaz de recibirlo antes.

Descansar en él

El descanso es un "ancla del alma" (Hebreos 6:19), que impide que seamos sacudidos por el mar de las circunstancias. No es solamente esa sensación de alivio por unas vacaciones, ni el de relajación por una noche de buen dormir; el verdadero descanso es un lugar en nuestro interior donde podemos estar en paz y saber que él es Dios no importa lo que esté ocurriendo a nuestro alrededor.

Jesús dice: "Venid a mí todos los que estáis trabajados y cargados, y yo os haré descansar" (Mateo 11:28). Jesús nos enseña a no permitir que nuestro corazón se inquiete, sino más bien a resistir, decididos a descansar en él. Tenemos que decir: "Dios, hoy elijo entrar en el descanso que tienes para mí. Muéstrame cómo hacerlo".

Cuando hacemos eso, Dios nos revela todo aquello que se interpone en nuestro camino. Descansar es echar "toda vuestra ansiedad sobre él, porque él tiene cuidado de vosotros" (1 Pedro 5:7), y aprender a estar contentos no importa cuáles sean las circunstancias (Filipenses 4:11): no necesariamente estar contentos con las circunstancias, sino poder decir "Dios está a cargo, he orado sobre esto, él conoce mi necesidad, estoy obedeciendo lo mejor que puedo. Descanso."

Cuando saboteamos nuestro propio descanso

¿Por qué, entonces, tenemos tanto problema para descansar? ¿Por qué estamos ansiosos todo el día? ¿Por qué recurrimos a tranquilizantes, a pastillas para dormir, alcohol o drogas, a mirar televisión o a cualquier otra cosa para adormecer nuestra mente y detener el proceso de pensar? La Biblia señala que al descanso lo perturban el pecado, la rebelión y la ansiedad.

1. *El pecado.* El pecado nos separa de todo lo que Dios tiene para nosotros, incluyendo su descanso.

> Pero los impíos son como el mar en tempestad,
> que no puede estarse quieto
> y sus aguas arrojan cieno y lodo.
> "¡No hay paz para los impíos!",
> ha dicho mi Dios. (Isaías 57:20–21)

No somos los impíos de los que habla Dios, pero sí cometemos pecados. Nos preocupamos, dudamos, tenemos amargura y resentimiento, no depositamos nuestras preocupaciones en el Señor, y no siempre respetamos los tiempos de descanso.

2. *La rebelión.* Somos rebeldes si nos negamos a ayunar cuando Dios nos llama a ayunar, si nos negamos a dar cuando Dios nos pide que demos, si nos negamos a hacer ejercicios cuando Dios habla de cuidar nuestro cuerpo, si nos negamos a perdonar, y si seguimos en funcionamiento cuando nos dice que es hora de descansar. Somos personas obstinadas.

"Siempre andan vagando en su corazón
y no han conocido mis caminos".
Por tanto, juré en mi ira:
"No entrarán en mi reposo".
(Hebreos 3:10–11)

Cuando nuestro corazón se aleja de lo que sabemos que es la manera de vivir que Dios quiere que tengamos, perdemos nuestro lugar de descanso.

3. *La ansiedad.* David dice en el Salmo 55:4–6:

Mi corazón está dolorido dentro de mí
y terrores de muerte sobre mí han caído.
Temor y temblor vinieron sobre mí y me envuelve el espanto.
Y dije: "¡Quién me diera alas como de paloma!
Volaría yo, y descansaría".

¿Cuántas veces nos hemos sentido así? Estamos aprisionados por la angustia, las aflicciones, el sufrimiento, las preocupaciones y el temor, y sentimos que la única manera de encontrar descanso es escapando. Pero Dios nos ordena que oremos y decidamos dedicar tiempo a descansar en él.

El don de Dios es que debemos tener un día completo de descanso por semana, y sin pensar que perdemos algo. Eso implica descanso para el alma lo mismo que para el cuerpo: un día de licencia de nuestras preocupaciones, problemas, plazos, obligaciones o futuras decisiones. Si Dios guardó un día de descanso, ¿cómo podríamos sobrevivir nosotros sin guardarlo? Pídele que quite cualquier cosa que se interponga en el camino al descanso que él tiene para ti.

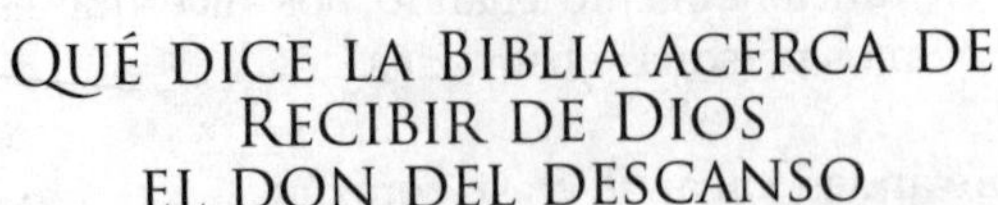

Qué dice la Biblia acerca de Recibir de Dios el don del descanso

Por tanto, queda un reposo para el pueblo de Dios.
Hebreos 4:9

Solo en Dios halla descanso mi alma.
Salmo 62:1, NVI

Venid vosotros aparte, a un lugar desierto, y descansad un poco.
Marcos 6:31

A ellos dijo: "Este es el reposo;
dad reposo al cansado.
Este es el alivio",
mas no quisieron escuchar.
Isaías 28:12

Mirad que Jehová os dio el sábado.
Éxodo 16:29

Capítulo 7

Sexto Paso: Evitar las trampas

Una mentira es una afirmación inexacta o falsa que solo tiene poder si creemos en ella. Luego se convierte en un engaño. El engaño consiste en caminar, pensar, actuar o sentir en oposición a la manera de Dios y creer que está bien. También es creer que las cosas son de cierta forma cuando en realidad no lo son en absoluto. Satanás es el engañador, y somos engañados cuando nos alineamos con él. La decepción permite que la mentira entre en el nivel de nuestras acciones.

Yo creí esa mentira de que "No es un ser humano; es solo una masa de células. El alma y el espíritu del bebé entran cuando nace. Además, es mi vida, y tengo mis derechos". Estaba engañada y tenía poca conciencia de que se trataba de quitar la vida a otro ser humano; pero eso no lo hacía menos malo en absoluto, ni las consecuencias eran menos tremendas.

Para encontrar la verdad tenemos que exponer toda nuestra vida a la luz de la Palabra de Dios. No podemos llevarnos de lo que el mundo acepta o rechaza, porque eso nos coloca en un terreno movedizo. El engaño sobre el aborto es pensar que, porque está legalmente aceptado, no puede haber nada malo en él. Pero cuando la existencia de otra persona está en juego, ya no puede ser un asunto de mi vida o mis derechos. Hay alguien más a quien tener en cuenta, y no reconocerlo es estar engañado. Como yo me sentía desesperada en la época de mis abortos, atribuí mis malos sentimientos a la vergüenza. No tenía ningún concepto de que fuera inmoral, hasta que nací de nuevo y leí los siguientes versículos:

Antes que te formara en el vientre, te conocí;
y antes que nacieras, te santifiqué. (Jeremías 1:5)

Tú formaste mis entrañas;
me hiciste en el vientre de mi madre. (Salmo 139:13)

También leí informes médicos sobre bebés que habían sobrevivido fuera del útero desde los cinco meses de embarazo, y sobre bebés que estando en el interior del útero percibían estímulos de luz y de sonido. "Los bebés en el útero pueden ver, oír, saborear, y sentir emociones", dice John Grossman en "Born Smart" (Health Magazine, marzo de 1985). Tuve que admitir que había destruido a alguien creado por Dios con habilidades, dones, llamado y propósito. Lloré y estuve de duelo. El aborto es un engaño, y si seguimos ese engaño nos aguarda una trampa.

Por supuesto, la gracia de Dios hace que no paguemos lo que merecemos por las cosas que hacemos, pero los efectos siguen allí. Nunca escuché a alguien que hubiera abortado decir: "Me siento totalmente satisfecha y encantada por lo que hice; sé que me ha enriquecido y soy una mejor persona". La vida no volvió a ser igual para mí. Había agregado otro oscuro secreto en mi creciente colección, y no podía sentirme bien conmigo misma.

Todo mal viene por engaño. El diablo nos tienta a aceptar cosas que se oponen a la voluntad de Dios. Apela a nuestra carne y disfraza las cosas para que aparezcan con diversos tonos de gris. Aceptamos el gris como una simple sombra del blanco en lugar de reconocer que es un matiz del negro.

Pisar sobre la línea

Hay una línea divisoria definida entre el reino de Dios y el de Satanás, y hay personas en los bordes de ambos. No es muy difícil que las personas que están en el borde pasen al territorio de Satanás, lo que le permite controlar parte de su corazón. Basta con aceptar una pequeña mentira: "Es mi cuerpo", "Es mi vida", o "Son mis derechos". Esas mentiras llevan a una pequeña lujuria, un pequeño adulterio, un pequeño robo, y un pequeño asesinato. Sin embargo, robar, matar, cometer adulterio, mentir, son o no son un hecho, no hay grados. Uno se pone en línea con el reino de Dios o se pone en línea con el reino de Satanás. Lo negro es negro y lo blanco es blanco.

El diablo que está detrás del engaño del aborto es un espíritu de asesinato. Eso no significaba que yo andaría por ahí asesinando personas porque me había alineado con ese espíritu. Pero sí significaba que en mi alma yo pagaría el precio de mi indiferencia por la vida creada por Dios. No experimentaría la vida en su plenitud porque en mí había un proceso de muerte. Y muchas de mis acciones, como las drogas y el exceso de alcohol, eran indirectos intentos de suicidio.

La buena noticia es que no necesitamos escuchar las mentiras. Tal vez pensamos que tenemos que prestar atención a todo lo que entra en nuestra mente, pero no es así. Lo que tenemos que hacer es examinar nuestros pensamientos a la luz de la Palabra de Dios y confirmar si se alinean correctamente con ella.

Detrás del engaño siempre hay un espíritu del mal. Esto significa que todo engaño conduce al cautiverio, que solo se puede romper remplazándolo con la verdad de Dios y viviendo según ella. Si no tenemos la mente llena de la Palabra de Dios, no podemos identificar las mentiras. Y si no oramos a diario "Señor, líbrame del engaño" no podemos defendernos del engañador. Todo lo que no sabes de Dios será usado contra ti por el diablo.

Uno de los primeros pasos de obediencia es hacerse cargo de la propia mente. Sin la alabanza y la adoración, que permiten que la presencia de Dios llene y domine nuestra mente, el engañador se filtra y nos manipula para sus propósitos. A menos que controles tus pensamientos y los pongas en línea con la verdad de Dios, caerás en el pozo que el atormentador te ha preparado.

Dios quiere librarnos de las garras de muerte del pecado, ya sea que lo hayamos aceptado por ignorancia o con pleno conocimiento, y ya sea que nos sintamos culpables o no. Cuando encuentres que has sido engañada, confiésalo enseguida y arrepiéntete. Si has caído en el engaño del aborto, por ejemplo, di: "Señor, confieso el aborto. No quiero buscar excusas por lo que hice, porque tú conoces mis circunstancias y mi corazón. Sé por tu Palabra que nos conoces a cada uno, incluso desde el vientre. Tus planes y propósitos para esa persona nunca se cumplirán. Lamento mi parte en eso y me arrepiento de mis acciones. Ayúdame, Señor, a vivir conforme a tu manera y a optar por la vida. Derrama tu misericordia sobre mí y libérame de la pena de muerte por este pecado. Oro en el nombre de Jesús".

Después de orar y confesar, no permitas que el diablo siga acusándote. Has hecho borrón y cuenta nueva con Dios, de modo que tienes que liberarte y vivir en la plenitud de todo lo que Dios tiene para ti.

En este capítulo consideraremos veinte engaños populares, por orden alfabético, para que puedas analizarlos cuando te sientas tentada a caer en alguno de ellos. Al leer, tal vez pienses: "¡Es obvio que esta es una trampa!". Pero no te dejes engañar. Es posible ser atrapados tan sutilmente que no te darás cuenta cuándo ocurra. Personalmente he sido atrapada, o por lo menos tentada en más de una oportunidad, por cada uno de los engaños en la lista, pero ahora puedo reconocer la mentira que me cegaba los ojos.

Al comienzo de cada trampa, revelo la principal mentira que hace falta creer. Si puedes reconocer esas mentiras sutiles cuando se expresan, entonces las puedes rechazar inmediatamente. No permitas que ninguna parte de tu ser caiga en alguna mentira.

QUÉ DICE LA BIBLIA ACERCA DE EVITAR LAS TRAMPAS

Hay camino que al hombre le parece derecho,
pero es camino que lleva a la muerte.
Proverbios 14:12

Porque cavaron un hoyo para atraparme,
y bajo mis pies han escondido lazos.
Jeremías 18:22

Y el que salga de en medio del foso
será atrapado en la red.
Isaías 24:18

Todos los caminos del hombre
son limpios en su propia opinión,
pero Jehová es quien pesa los espíritus.
Proverbios 16:2

Pero a ti te agradó librar mi vida del hoyo de
corrupción.
Isaías 38:17

Rechazar la trampa del enojo

La mentira que creemos cuando tenemos frecuentes ataques de enojo es: "Mis derechos son lo más importante y si veo que han sido violados, tengo justificación para enojarme". El engaño del enojo es creer que tenemos derecho de enojarnos con cualquiera que no sea el diablo. Las personas y las situaciones que nos enojan en realidad son títeres que Satanás usa en contra de nosotros.

Después de ser sanada del resentimiento tan arraigado contra mi madre, todavía tenía que enfrentar mi recurrente enojo hacia ella por su abuso verbal cada vez que nos encontrábamos.

—El diablo está usando a tu madre para atacarte, Stormie —me explicó Mary Anne cuando fui a consultarla—. Ella es una vasija dispuesta porque está controlada por esos espíritus. Tu lucha es contra Satanás, no contra ella.

Aprender a enojarme con el diablo y no con mi madre me costó muchísimo, en especial cuando estaba con ella. Una y otra vez tenía que recordarme quién era realmente mi enemigo, y la línea divisoria se nublaba con facilidad. Con el tiempo pude dominar mi enojo cuando no estaba cerca, pero ella falleció antes de que pudiera lograrlo cuando estábamos juntas. En esos momentos, confesaba mi enojo a Dios y le pedía ayuda.

Aprender a manejar el enojo

La Biblia no dice que jamás debamos enojarnos; lo que hace es poner dos límites a nuestro enojo. Primero, no debemos herir en forma física ni verbal a nadie. Segundo, debemos dominar pronto nuestro enojo, en lugar de mantenerlo hasta que nos haga pecar.

Una de las formas de dominar pronto el enojo es examinar la parte que juega el diablo y dirigir el enojo hacia él reprendiéndolo, denunciándolo y echándolo en nombre de Jesús. Descargar el enojo en otros: el esposo, la esposa, un hijo, un amigo, una figura de autoridad, un desconocido o nosotros mismos, es encauzarlo mal. Tenemos que negarnos a darle a Satanás la oportunidad de manipularnos, y debemos decidirlo antes de que surja el enojo.

Mi esposo y yo acordamos con Mary Anne que yo debía evitar estar sola con mi madre. Cuando visitábamos a mis padres, lo hacíamos como familia. Antes de salir, orábamos y atábamos los espíritus en mi madre, poniendo límites a su poder para atacarme. Le pedía a Dios que me llenara con su amor por ella y me recordara que debía dirigir su enojo a Satanás. Esto ayudaba mucho. No puedo decir que siempre tenía éxito, pero podía poner la otra mejilla para recibir algunos de sus dardos.

Si no manejas de manera adecuada el enojo frente al Señor, se convertirá en un espíritu de enojo, que controlará tu vida. Si eres susceptible a repentinos ataques de enojo, o si el nivel de tu enojo supera el de la ofensa y se reitera sin control, es posible que tengas un espíritu de enojo. Puede ser heredado de uno de los padres o aprendido por observar las explosiones de ira de alguno de tus padres cuando eras niño. O si has sido víctima de la ira de alguna persona, tu falta de perdón o incapacidad para soltar el recuerdo pueden hacer que reacciones con violencia ahora. El enojo por lo general tiene más que ver con las heridas de las personas que con su odio.

La Biblia dice: "Quítense de vosotros toda amargura, enojo, ira, gritería, maledicencia y toda malicia. Antes sed bondadosos unos con otros, misericordiosos, perdonándoos unos a otros, como Dios también os perdonó a vosotros en Cristo." (Efesios 4:11-32). También dice que si no lo hacemos, entristecemos al Espíritu Santo.

Jamás hallarás paz, restauración e integridad si alimentas un espíritu de enojo. Cada mínima explosión de ira será un paso atrás de donde quieres ir o estar, e impedirá que tus oraciones sean respondidas.

Si sientes que has sucumbido a la trampa del enojo, habla al diablo en voz alta y con autoridad diciendo: "Espíritu de enojo, identifico tu presencia, y rechazo tu control en el nombre de Jesús. Declaro que no tienes poder sobre mí y que solo me enojaré contigo. Me niego a que me quites la vida por medio de mis explosiones de enojo. Proclamo a Jesús como Señor de mi vida, y es él quien controla mi mente, mi alma y mi espíritu. Enojo vete de mí en el nombre de Jesús." Luego alaba a Dios en voz alta y agradécele por tener mucho más poder que todos los espíritus juntos.

O descargamos nuestro enojo en otros, lo cual lleva a destrucción, o lo retenemos adentro, generando en nosotros enfermedad física y depresión, o lo dirigimos al diablo, como corresponde. La elección es nuestra. Evita esta trampa eligiendo bien.

Qué dice la Biblia acerca del enojo

Airaos, pero no pequéis; no se ponga el sol sobre vuestro enojo, ni deis lugar al diablo.
Efesios 4:26-27

No te unas al iracundo
ni te acompañes del irascible,
no sea que aprendas sus costumbres
y pongas trampa a tu propia vida.
Proverbios 22:24–25

El hombre iracundo provoca contiendas;
el furioso, a menudo peca.
Proverbios 29:22

Pero yo os digo que cualquiera que se enoje contra
su hermano, será culpable de juicio.
Mateo 5:22

No te apresures en tu espíritu a enojarte, porque el
enojo reposa en el seno de los necios.
Eclesiastés 7:9

Evitar la trampa de creer mentiras sobre nosotros mismos

En última instancia, el engaño que creemos cuando aceptamos mentiras acerca de nosotros mismos es "No tengo lo que hace falta y no hay manera de que lo pueda conseguir". Está bien reconocer nuestras debilidades o carencias, pero debemos hacerlo delante del Señor, reconociendo que es él quien provee todo lo que necesitamos.

Caemos en esta trampa al juzgar nuestro valor según los criterios de mundo en lugar de los de Dios. El sistema de competencia y comparación del mundo es destructivo y produce sentimientos de intimidación e inadecuación porque enfrenta los dones y el potencial dados por Dios contra los de otros. Dios dice que todos somos únicos y valiosos. La trampa está en tratar de estar a la altura de lo que creemos que deberíamos ser y no ser lo que el Señor dice que somos.

La evaluación negativa por parte de los padres o de quienes tenemos cerca hace más difícil reconocer como mentiras esos pensamientos negativos sobre nosotros mismos. Las hemos escuchado durante demasiado tiempo como para dudar de su exactitud.

—¡No vales nada! ¡Eres lo mismo que nada! ¡Eres estúpida! ¡Jamás lograrás nada! —eran expresiones que mi madre me decía continuamente. Las reforzaba con su total falta de atención e incapacidad para alimentarme. Como vivíamos en una granja, alejados de otras personas por muchos kilómetros, yo carecía de la afirmación positiva de familiares o de amigos, que podrían haber reducido el impacto del abandono de mi madre. Todos los días escuchaba las mismas palabras y crecí creyendo en esas mentiras. Esa programación negativa coloreó todas mis acciones y mis decisiones.

Como yo sentía que era nadie, me volví desesperada por demostrar que era alguien. Precipitaba las cosas en lugar de dejar que ocurrieran; exigía aprobación; necesitaba ser tenida en cuenta. Privada de amor como estaba, inicié una relación destructiva tras otra. Sin embargo ninguna cantidad de amor, aprobación o reconocimiento llenaba el infinito vacío de mi ser porque seguía creyendo esas mentiras acerca de mí misma. La última mentira que creí era que la única manera de salir era el suicidio.

Respetar la obra de Dios

El Diccionario de la Real Academia define la autoestima como la "valoración generalmente positiva de uno mismo". La baja autoestima, que es la falta de esta cualidad, es el hábito de aceptar mentiras sobre uno mismo. Cuando la baja autoestima o la falta de ella toman el control de la personalidad, puede resultar paralizante. Tememos hacer cualquier cosa porque podemos fracasar, cada acción parece imposible.

Todos queremos ser alguien. La verdad es que Dios nos creó a cada uno para ser alguien y ninguna vida es un accidente indeseado a sus ojos. Nos ha dado a cada uno un llamado y un propósito diferentes. Negar las cualidades extraordinarias que el Señor nos ha dado no es humildad, sino baja autoestima.

Una alta autoestima consiste en verse a uno mismo como Dios lo hizo, reconociendo que uno es una persona única en quien Dios ha puesto dones y talentos específicos y un propósito diferente al de todos los demás. Memorízalo, recórtalo, pégalo en tu mano, y dilo en voz alta cincuenta veces por día. Haz todo lo que se te ocurra para ayudarte a recordarlo. Es la absoluta verdad sobre ti, ya sea que la veas o no, y ya sea que algún otro la reconozca o no. "Cada uno tiene su propio don de Dios" (1 Corintios 7:7).

Tienes que poder ver que sin dinero, sin empleo, sin talento, sin arreglarte el cabello o maquillarte, sin ser delgada, sin tener ropa linda, casa, automóvil o familia, tú vales algo. Cuando le permites a Dios mostrarte lo que él piensa de ti y eso penetra cada fibra de tu ser, lo que se agregue o se quite no te hace ninguna diferencia. He aprendido a valorarme como Dios me valora, agradeciéndole por cada cosa positiva que veo. "Gracias, Dios, por la vida, porque puedo caminar, puedo hablar, puedo ver, puedo preparar una comida, puedo escribir cartas; te agradezco porque soy ordenada, porque me gustan los niños, porque conozco a Jesús. Gracias porque me has hecho para ser una persona de valor y con un propósito". Al alabar a Dios por cosas específicas, invitamos su presencia y esta produce transformación. Es la mejor medicina que conozco para cuando se cree mentiras sobre uno mismo.

Ese puede parecer un concepto difícil de entender, pero en realidad es muy sencillo. Uno elige dar gracias a Dios en medio de lo negativo, sostenido por la fe en que él no te dejará ahí por mucho tiempo. Estás diciendo: "Gracias, Dios, que esto negativo que veo en mi persona tiene un aspecto positivo, y lo estás trabajando en mí". Por ejemplo, como la mayoría de las personas que han quedado marcadas por abuso verbal en la infancia, yo he sido hipersensible a las opiniones de otras personas. Es un rasgo negativo. Alguien que se ofende fácilmente obliga a los demás a moverse con extrema cautela para no ser responsables de herirla. Al alabar a Dios en medio de mi hipersensibilidad, le he permitido transformar ese rasgo negativo en uno positivo: el de ser sensible a otras personas en lugar de a mí misma.

Si un padre, madre, hermano, hermana, amigo o desconocido te ha dicho: "No hay nada que hacer contigo. No lo lograrás. ¡No tienes lo que hace falta!", examina bien esas expresiones y reconoce quién está detrás de ellas. Dile al diablo: "Satanás, ya no escucharé tus mentiras sobre mí. No soy un accidente cósmico como te gustaría que crea. Valgo mucho. Tengo propósito. Tengo dones y talentos. Dios lo dice y no voy a contradecir a mi Padre celestial. Rechazo tus mentiras y me niego a escucharlas".

La Biblia dice: "Una casa dividida contra sí misma se derrumbará" (Lucas 11:17, NVI). Eso significa que la persona que se vuelve contra sí misma no saldrá adelante. Gran parte de tu sufrimiento emocional puede provenir de creer mentiras sobre ti. Muchas veces Dios era el único que creía en mí, pero eso me bastaba. Ahora sé que, porque creo en Dios, y él cree en mí, puedo hacerlo. ¡También lo puedes tú!

Qué dice la Biblia acerca de creer mentiras sobre uno mismo

Nos escogió en él antes de la fundación del mundo,
para que fuéramos santos y sin mancha delante de él.
Efesios 1:4

El Señor me llamó antes de que yo naciera,
en el vientre de mi madre pronunció mi nombre.
Isaías 49:1, NVI

Pues aun los cabellos de vuestra cabeza están todos contados.
No temáis, pues; más valéis vosotros que muchos pajarillos.
Lucas 12:7

Para Dios no hay favoritismos, sino que en toda nación él ve con agrado a los que le temen y actúan con justicia.
Hechos 10:34–35, NVI

Pero vosotros sois linaje escogido, real sacerdocio, nación santa, pueblo adquirido por Dios, para que anunciéis las virtudes de aquel que os llamó de las tinieblas a su luz admirable.
1 Pedro 2:9

Evitar la trampa de culpar a Dios

La mentira que creemos cuando culpamos a Dios es: "Dios podría haber evitado que sucediera esto. Podría haber hecho que las cosas fueran diferentes". La verdad es que Dios nos ha dado albedrío, y no lo violará. Como resultado de eso, todos hacemos elecciones y muchas veces las cosas son como son precisamente por esas elecciones. Dios también nos pone límites y fronteras para nuestra protección. Si queremos violar ese orden, dejando nuestras circunstancias a la suerte o a merced del enemigo, generamos destrucción.

Antes de llegar a conocer al Señor, yo lo culpaba de todo. Pensaba: *Si Dios es tan grande ¿Por qué hay tanto sufrimiento? ¿Por qué no me saca de mi miseria y mi dolor? ¿Por qué tuve que nacer de una madre abusiva? Seguro que Dios sabía que ella estaba loca. ¿Por qué no me hizo diferente? Soy una buena persona. No ando asaltando negocios para beber alcohol. No he matado a nadie. ¿Acaso no merezco algo mejor?*

Estaba confundida acerca de quién es Dios, y terminaba culpándolo de las cosas que me sucedían. No comprendía que Dios es bueno, está de mi lado y que su voluntad es para mi bien superior. No entendía la importancia de vivir como Dios quiere.

Tampoco sabía que el diablo es un enemigo que quiere mi destrucción. Culpaba a Dios por las cosas que hace Satanás. Cuando finalmente logré distinguir entre el corazón de Dios y las obras de Satanás, quedé libre del cautiverio de culpar a Dios.

Sin salida

Culpar a Dios es mucho más frecuente de lo que nos atrevemos a admitir, en especial entre los que han sido abusados, abandonados o desilusionados por figuras de autoridad. La tendencia es pensar inconscientemente en Dios con los rasgos de ese padre, abuelo, maestro o jefe abusador, y proyectar en él actitudes y conductas que no tienen nada que ver con quien es realmente.

También culpamos a Dios por todo lo negativo que dijeron nuestros padres acerca de nosotros. Pensamos que Dios nos creó como ellos dicen que somos y nos preguntamos por qué fue tan descuidado. También proyectamos en Dios las imperfecciones humanas. Por ejemplo, culpamos a Dios si nuestros padres no nos aman o no deseaban que naciéramos.

Solemos pensar en Dios como autoritario (mezquino, severo, exigente, inmisericorde, perfeccionista). O lo vemos como distante (frío, incomunicativo, descuidado). Tal vez lo veamos como débil (pasivo, impotente, incapaz de ayudar, que mira sin participar). Y hasta como "buenazo" (un papá consentidor, un padrino complaciente). Todas esas proyecciones nos hacen sentir enojo hacia Dios.

Para dejar de culpar a Dios, tenemos que saber cómo es realmente. Y podemos averiguarlo mirando a Jesús, quien dijo: "El que me ha visto a mí ha visto al Padre" (Juan 14:9). A menos que dejemos entrar a Jesús en cada parte de nuestra vida, jamás sabremos cómo es Dios.

Cuando conoce de verdad a Jesús, entendemos que Dios Padre es justo y compasivo. Su amor es ilimitado y no falla jamás. No se descuida, ni se abusa, ni se olvida ni malinterpreta. Nunca nos desilusionará ni será imperfecto. Cuando comprendemos cómo es realmente Dios, y dejamos de culparlo, encontramos paz y seguridad.

Mi esposo y yo tenemos un amigo muy talentoso, pero que dejó a Dios fuera de su vida, porque lo culpa de un accidente automovilístico en el que su hermana perdió la vida y él sufrió tanto daño que debió abandonar una prometedora carrera deportiva. Quince años después sigue increpando con amargura a Dios porque no impidió que eso ocurriera. La verdad es que el accidente jamás fue parte del plan de Dios. Fue el diablo que vino a destruir porque la muerte es parte de su plan. Nuestro amigo es un buen hombre pero se siente terriblemente frustrado e insatisfecho porque se ha cerrado a que Dios obre con poder en su vida.

Si estás enojada con Dios, entonces tienes que llegar a conocerlo mejor porque hay mucho de él que no entiendes. Lo mejor que puedes hacer es ser sincera con él. No herirás los sentimientos de Dios por serlo: de todas maneras lo sabe desde siempre. Ora a Dios diciendo: "Padre, he estado enojada contigo por esta situación en particular (sé específica). Detesto lo que me sucede y te echo la culpa por eso. Por favor, perdóname y ayúdame a liberarme de esto. Quítame las ideas equivocadas que tengo sobre ti y ayúdame a conocerte mejor".

Culpar a Dios es una actitud sin salida, nos arrinconamos en una esquina en lugar de reconocer a Dios como la única salida. Culpar a Dios genera un enojo mal encaminado que terminará dirigiéndose hacia adentro, haciendo que te enfermes, te sientas frustrada e insatisfecha; o hacia afuera, empujándote a odiar a tu esposo o a tu esposa, a abusar de un niño, a tratar con torpeza a los amigos, a ser poco cooperativa con los compañeros de trabajo, o a atacar a los desconocidos. Las personas que se enojan y son agresivas por lo general culpan a Dios por algo en lugar de comprender que su enemigo es Satanás.

Lo opuesto de culpar a Dios es confiar en él. Decide ahora en quién confiarás. No puedes seguir en busca de todo lo que Dios tiene para ti si hay amargura y culpa mal orientada en tu corazón.

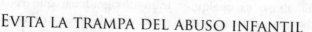

Qué dice la Biblia acerca de Culpar a Dios

Sí, por cierto, Dios no hará injusticia;
el Omnipresente no pervertirá el derecho.
Job 34:12

La insensatez del hombre tuerce su camino
y luego se irrita su corazón contra Jehová.
Proverbios 19:3

Maquina el impío contra el justo
y rechina contra él sus dientes.
Salmo 37:12

No confiéis en la violencia.
Salmo 62:10

¡Bienaventurados todos los que en él confían!
Salmo 2:12

Evita la trampa del abuso infantil

La mentira que creemos cuando abusamos de nuestros niños es "Soy una buena persona, y conozco lo que es el abuso infantil. Amo a mi hijo, y jamás haré algo que lo hiera." Es lamentable, pero las buenas intenciones no serán suficientes cuando las presiones de la crianza y la marea de las heridas del pasado se levanten y colisionen en un momento de debilidad.

Siempre me había considerado una persona que había sido abusada. Pero jamás se me había ocurrido que tenía en mí el potencial para serlo. Pero era así: se había desarrollado en mi infancia. Cuando nació mi primer hijo, inconscientemente yo esperaba que el niño me consolara, me amara, me colmara, aunque en realidad era incapaz de hacerlo (ver capítulo 5). Años más tarde el libro *How to Really Love Your Child* (Victor, Wheaton, IL, 1982), del doctor Ross Campbell, me ayudó a comprender esos sentimientos. Dice: "La inversión de papeles es la relación primaria en el aterrador fenómeno del abuso infantil. Un padre abusador siente que el niño tiene que hacerse cargo de sus (del padre) necesidades emocionales, que (el padre) tiene derecho a ser nutrido y consolado por el niño. Cuando el niño falla en esta expectativa, el padre siente que tiene derecho a castigarlo".

Lo que yo sentía en mi interior en esos momentos iba más allá de la irritación o frustración normales por la conducta infantil. Era una histeria violenta, fuera de control, incentivada por una energía sobrenatural que obtiene satisfacción al golpear a otro. En forma extrema es la misma fuerza destructiva que causa las violaciones y los asesinatos despiadados.

Yo pensaba que la determinación de ser una buena madre y el amor por mi hijo era todo lo que necesitaba, pero no fue así. El daño emocional de mi pasado me preparó para ser una abusadora infantil en potencia, y solo el amor restaurador de Dios evitó que lo fuera.

Perdonar a los padres

El abuso es cualquier trato desagradable que rebaja la autoestima: el abuso verbal, el descuido, la percepción de la falta de amor, tanto como los golpes y el acoso sexual. Si el niño no puede percibir la aceptación de sus padres, crece con un hambre autodestructivo de amor que no puede ser satisfecho por ningún ser humano. Las necesidades insatisfechas de la infancia serán igualmente fuertes en la madurez, pero estarán muy bien camufladas. Si fuiste abusada de niña, no te dejes engañar al decirte a ti misma: "Soy nacida de nuevo, ya no debería estar sufriendo interiormente. Algo debe estar mal conmigo." El hecho de que todavía sufres no niega tu condición de nacida de nuevo ni te hace menos espiritual. Como las personas tienden a ver a Dios de la misma forma que vieron a sus padres, requiere un tiempo de sanidad, de liberación y de conocer el amor de Dios antes de lograr la confianza total.

Perdonar a tus padres es una parte importante de la sanidad (y fundamental para evitar la trampa de abusar de tus propios hijos). Tienes que perdonar al padre que nunca te protegió, a la madre que te maltrató y abusó de ti, al padrastro que nunca te quiso, al abuelo o al tío que te acosó sexualmente, al padre que siempre estuvo ausente o que te abandonó con la muerte o la desaparición, al padre débil que te mostró indiferencia afectiva al beber, al comer o drogarse hasta perder la conciencia, al padre egoísta que te recordaba continuamente que nunca fuiste deseada, o al padre emocionalmente deficiente que no sabía cómo nutrirte en forma adecuada.

Esas experiencias amargas y dolorosas continuarán hiriéndote si no expresas tu dolor al Señor y le pides que te ayude a perdonar. No solo sufrirás por el resentimiento, sino, lo que es peor, es probable que hieras a tus propios hijos. Por el bien de ellos, y por el tuyo, tienes que lograr liberación del pasado. La Biblia dice:

> Aunque mi padre y mi madre me dejen,
> con todo, Jehová me recogerá. (Salmo 27:10)

Ver a tu padre como el niño o la niña no amado, maltratado o traumatizado que pudieron haber sido, nos ayuda a perdonar; pero muchas personas saben muy poco del trasfondo de sus padres. La mayoría de los incidentes, especialmente los malos, rara vez son tema de conversación, incluso entre otros familiares. Cuando entiendes que tu padre no te privó a propósito de su amor, sino que en realidad jamás tuvo amor para dar, es más fácil perdonar. A veces lo que un padre no hizo duele tanto como lo que sí hizo. La falta de participación de un padre o su falta de disposición a comprometerse en tu protección se sienten como una traición. El resentimiento con ese padre no comprometido es más difícil de reconocer, pero es más común de lo que uno piensa. Pídele a Dios que te muestre cualquier resentimiento hacia alguno de tus padres que no acudió en tu ayuda. Si está ahí, tienes que enfrentar con sinceridad lo que sientes al respecto.

Yo atendí a una joven cuyo padre tuvo relaciones sexuales con ella en forma reiterada. Como era la única de la familia a quién no golpeaba (es común que un padre abusador distinga de esa manera a uno de los niños), ella sentía que la favorecía. Cuando vino a verme en busca de ayuda sufría de aguda depresión y tenía pensamientos suicidas.

—Tienes que perdonar a tu padre, Romina —le sugerí.

—¿Por qué? Siempre fue bueno conmigo —replicó inmediatamente.

—Romina, te falló. No te golpeó, pero destruyó tu autoestima por tener sexo contigo —dije, tratando de ocultar mi asombro por el engaño en el que había caído pensando que no le había hecho daño.

Nunca pude convencer a Romina de lo que le dije, pero la envié a un terapeuta quien, después de un año de tratamiento, la ayudó a admitir lo que su padre le había hecho daño y de la necesidad de perdonarlo. Finalmente pudo reorientar su vida.

Necesitamos padres que nos amen, nos animen, nos nutran, sean cariñosos con nosotros, estimulen lo mejor de nosotros y se interesen por lo que hacemos. Aquellos que no tuvimos padres así tenemos necesidades que solo Dios puede satisfacer. No podemos volver en el tiempo y encontrar alguien que nos abrace y nos ayude a crecer, y no debemos exigirlo de nuestra pareja o nuestros amigos porque no lo pueden hacer. Tiene que hacerlo nuestro Padre celestial.

¿Qué ocurre si el daño ya está hecho?

Una de las preguntas que con más frecuencia me hacen es "¿Cómo reparo el daño que ya les he causado a mis hijos?" Si sientes que has abusado, descuidado o no comunicado amor a tus hijos, puedes dar unos pasos básicos para comenzar a rectificar eso. No se puede cambiar lo que ya se ha hecho, pero Dios puede usarte como instrumento para sanar las heridas que has causado y además puedes dar los siguientes pasos para restaurar la relación:

1. *Confiesa al Señor lo que has hecho.* Pídele a Dios que te sane, te libere y te convierta en un padre amoroso y paciente. Pídele sabiduría para criar a tus hijos, y pídele que te ayude a decir palabras de restauración y sanidad a cada uno.

2. *Si estás abusando de tus hijos o sientes que corren algún peligro, busca ayuda profesional inmediatamente.* Llama a una línea abierta para prevención del abuso infantil y también consulta a un consejero o a un pastor cristiano. Si fuera necesario, pídele a un amigo o a un pariente que cuide a los niños durante unos días.

3. *Habla con el niño y pídele perdón.* Míralo directamente a los ojos y dile: "Te amo, pero no he sabido mostrarte mi amor de manera apropiada". Si hubo incidentes específicos, menciónalos. Dile que Dios te está mostrando la verdad acerca de ti y que con su ayuda esperas ser diferente. Si vuelves a cometer algún abuso, pide nuevamente perdón. Dile al niño que Dios te está ayudando, pero que todavía tienes mucho que aprender. Pídele perdón y anímalo a decir: "Te perdono". Es importante que el niño pronuncie las palabras incluso si no lo siente. Lo que decimos afecta nuestra alma.

4. *Ora a diario por el niño.* Di: "Dios, haz que este niño sea todo lo que quieres que sea. No me permitas hacer algo que lo dañe. Sana sus cicatrices y nuestra relación".

5. *Dedica tiempo a estar con el niño para fortalecer la relación.* Míralo a los ojos cada día, y pronuncia palabras que lo estimulen y eleven su espíritu. Di: "Te quiero mucho, y pienso que eres fabuloso". Haz algo con él o para él que demuestre que lo amas.

6. *Busca sanidad.* Una de las mejores cosas que puedes hacer por tu hijo es ser una persona íntegra. Es difícil nutrir y amar a un niño si jamás has sido amada y nutrida. Busca ayuda de un consejero cristiano o de un pastor si es necesario. La forma

que vivas determinará lo que tus hijos y tus nietos hereden. Tu pecado y tu desobediencia tendrán un efecto negativo en sus vidas. Estás eligiendo tu legado espiritual.

7. *Alaba a Dios todos los días por su poder restaurador.* Dios es nuestra única esperanza para restaurar relaciones dañadas por el abuso. Alabar a Dios por su poder para transformar la situación es una de las avenidas de acceso para que eso ocurra. Trata de conocer mejor a Dios Padre. Él es el perfecto modelo para el papel de padre.

En épocas de debilidad cuando la vida parece estar fuera de control, como puede ocurrir cuando tratas con niños, tienes que hacerte cargo y elegir ponerte bajo el control de Dios. Somete tus puntos débiles con sinceridad a Dios, para que él pueda convertirlos en vasijas que contengan su poder. Él es un Dios de restauración y de redención, así que él puede redimir todo lo que ha ocurrido en el pasado con tus padres. También puede achicar la brecha entre tú y tus hijos. La restauración no se da de la noche a la mañana, pero la redención sí. Permite que Dios redima tu situación para que la revierta y la oriente en la dirección correcta.

QUÉ DICE LA BIBLIA ACERCA DE EL ABUSO INFANTIL

Y vosotros, padres, no provoquéis a ira a vuestros hijos, sino criadlos en disciplina y amonestación del Señor.
Efesios 6:4

Herencia de Jehová son los hijos;
cosa de estima el fruto del vientre.
Salmo 127:3

Aunque mi padre y mi madre me dejen,
con todo, Jehová me recogerá.
Salmo 27:10

Envió su palabra y los sanó;
los libró de su ruina.
¡Alaben la misericordia de Jehová
y sus maravillas para con los hijos de los hombres!
Salmo 107:20

La herencia del bueno alcanzará a los hijos de sus hijos.
Proverbios 13:22

Evita la trampa de la confusión

La mentira que creemos cuando nos sentimos confundidos es "Este asunto es demasiado complejo y abrumador como para entenderlo, debe haber algo malo conmigo". A veces actuamos o tomamos decisiones sobre la base de esta confusión, en lugar de reconocerla por lo que realmente es y buscar la causa. Aunque la vida en sí misma puede ser muy compleja e incierta, cuando Jesús está al timón la vida es simple, ordenada y transparente.

Mientras escribía este libro, me invadió de pronto la confusión. Una mañana desperté y todo parecía desarticulado. No veía ningún propósito ni futuro para mí. Me sentía distante y desesperanzada en relación con mi familia, como si estuviera desconectada de ellos. Sentía insatisfacción por todo: por el lugar donde vivo ("es hora de mudarnos"); por mi matrimonio ("¿Quién es esta persona con la que estoy casada?"); por mis amigos ("¿Acaso le importo a alguien?"); por mi tarea de escribir ("¿Tendré algo para decir?"). Nada me entusiasmaba. Todo parecía sin sentido. No lograba manejar mis ideas.

¿Por qué de pronto me siento así? ¿De dónde viene esto? Pregunté al Señor. Sé que no viene de ti. Tiene que ser del diablo. Pero ¿cómo pudo meterse? ¿Qué ha cambiado?

Había estado bien el día anterior. ¿Qué había pasado durante la noche? Traté de recordar. Los niños habían sido invitados a salir después del almuerzo con unos amigos, lo que nos permitió a Michael y a mí a aprovechar la rara oportunidad de salir solos. Decidimos ir al cine y buscamos algo en la sección de espectáculos del periódico.

—Estas tienen una popularidad dudosa. Aquella es muy violenta. Esta es superficial. Esta otra está llena de basura sexual -dije, mientras descartaba una película tras otra.

Eso nos dejó con una sola posibilidad, pero ninguno de nosotros sabíamos nada de ella. Miré los comentarios que guardo para saber si las películas son aptas, pero de esta no tenía ninguna información.

—Bueno, esta por lo menos no dice "R". ¿Qué tan mala puede ser? —concluimos—. Por lo menos estaremos juntos.

La película resultó ser una comedia que incluía un adulterio por parte de la solitaria esposa de un adicto al trabajo. Aunque no se mostraba de manera explícita, la idea de algo tan opuesto a lo que Dios quiere, planteado tan a la ligera y como algo aceptable me dejó intranquila.

Mirando atrás, creo que la exposición a los valores de esa película, aunque nunca los hubiera adoptado, abrió el camino a un espíritu de confusión. Si hubiéramos salido del cine ante la primera indicación del Señor, estoy segura que me hubiera sentido de otra manera al día siguiente. Como se dieron las cosas, la corriente pura del Espíritu Santo que venía disfrutando hasta ese momento se tiñó con la contaminación del mundo. Mi insatisfacción con todo lo que Dios me había dado era un claro indicador de que algo malo me había invadido el corazón.

¿Pura coincidencia? ¿Es que soy demasiado impresionable? No lo creo. Así como el cajero de un banco aprende a reconocer el dinero falsificado porque toca dinero real día tras día, yo he aprendido a reconocer los espíritus falsos porque paso tiempo en la presencia del Espíritu Santo. Lo que me había invadido el alma no venía del Señor; era el espíritu de confusión que impregnaba la película.

La confusión y la perspectiva mundana

La confusión consiste en la falta de un orden adecuado, la mezcla indiscriminada de diversas cosas, y el estar mentalmente enredado. La confusión resulta de mezclar la luz con la oscuridad. Es cualquier cosa que esté fuera del orden divino o fuera de sintonía con Dios. Hoy, en el mundo hay toda clase de confusión; porque lo que está mal ahora se considera bien, y lo que está bien se mira con desdén. La vida se ha vuelto desconcertante y lo único que puede quebrar la confusión es la presencia del Señor y su Palabra de verdad.

La confusión es un espíritu, y todos nosotros, incluso cuando caminamos cerca del Señor, somos susceptibles a sus ataques. La Biblia dice: "Dios no es Dios de confusión, sino de paz" (1 Corintios 14:33). Si Dios está totalmente a cargo de todas las esferas de tu vida y reina su orden, los resultados inmediatos serán la claridad, la sencillez y la paz. De lo contrario, la vida se vuelve un embrollo, desordenada, compleja, confusa y difícil de manejar.

¿Cómo damos lugar a la confusión?

No hace falta ver una película mala para caer en la confusión. Escuchar demasiadas opiniones que no sean la de Dios también produce confusión. Oponerse de alguna manera a la Palabra de Dios invitará a los espíritus de confusión a morar en tu vida. La Biblia dice que beber alcohol produce confusión, pero también la produce asimilar cualquier cosa que no viene de Dios, como las habladurías, la grosería, la promiscuidad, las drogas, la televisión, ciertas películas, y las revistas contaminadas de la mentalidad mundana. Cuando intentamos reunir en nuestra vida cosas que no pueden ir juntas, nos invade la confusión. Por ejemplo, asistimos a la iglesia, damos el diezmo, ayunamos y oramos, pero a la vez abrigamos alguna fantasía con la bonita asistente del pastor o con ese atractivo compañero de trabajo.

Todos los deseos de la carne producen confusión: "Pues donde hay celos y rivalidad, allí hay perturbación y toda obra perversa" (Santiago 3:16). Efectivamente, demasiada atención en uno mismo invita al espíritu de confusión.

¿Cómo liberarse de la confusión?

Cuando nos invade la confusión, puede llevarnos a tomar decisiones apresuradas o imprudentes basadas en un marco de referencia erróneo, o puede paralizar el proceso de pensamiento e impedir que tomemos alguna decisión. En cualquier caso, te ayudará recordar que no tienes por qué vivir en la confusión. Lleva el asunto ante Dios. Ora por todos sus aspectos. Di: "Me niego a vivir en la confusión. Sé que la confusión no viene de Dios. Sé que el poder, el amor y una mente sana sí vienen de Dios. Sé que los caminos de Dios son sencillos. Somos nosotros quienes complicamos las cosas. Señor, muéstrame tu verdad sencilla acerca de lo que estoy sintiendo y pensando. Muéstrame dónde he abierto la puerta que permitió la entrada de la confusión, a fin de que pueda confesarla como pecado y ser limpia. Reprendo al espíritu de confusión y afirmo que no tiene poder en mi vida. Por la autoridad que tengo en Jesucristo le ordeno que me abandone. Te alabo Señor, y te doy gracias por la sabiduría, la claridad y la simplicidad que hay en Cristo". Alaba y adora al Señor hasta que puedas pensar de nuevo con claridad.

La confusión no puede coexistir con la presencia de Dios. Es por eso que la adoración, la alabanza y la acción de gracias son las mejores armas para disolverla. Tu salud, bienestar emocional y tu crecimiento en el Señor dependen de tu habilidad para identificar esta trampa antes de caer en ella.

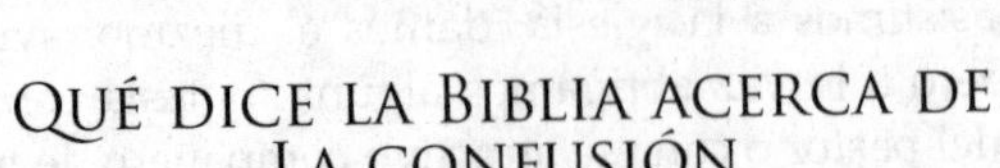

QUÉ DICE LA BIBLIA ACERCA DE LA CONFUSIÓN

No es que haya otro evangelio, sino que ciertos individuos están sembrando confusión entre ustedes y quieren tergiversar el evangelio de Cristo.
Gálatas 1:7, NVI

El que los está perturbando será castigado.
Gálatas 5:10, NVI

Pero temo que, así como la serpiente con su astucia engañó a Eva, vuestros sentidos sean también de alguna manera extraviados de la sincera fidelidad a Cristo.
2 Corintios 11:3

¡Ay de los que a lo malo dicen bueno
y a lo bueno malo;
que hacen de la luz tinieblas
y de las tinieblas luz;
que ponen lo amargo por dulce
y lo dulce por amargo!
Isaías 5:20

Tus ojos verán alucinaciones,
y tu mente imaginará estupideces.
Proverbios 23:33, NVI

EVITAR LA TRAMPA DE LA CRÍTICA

La mentira que secretamente ansiamos creer cuando criticamos a otros es "Soy mejor que ellos". Pero lo que en realidad tememos es que ellos sean mejores que yo. Por el bien de nuestro ego nos sentimos bien rebajando a algún otro y luego, para justificar nuestra crítica, adoptamos la actitud de "yo estoy bien y él está mal". El engaño en que caemos es pensar que cualquiera persona que no sea Dios tiene el derecho de sentarse como juez de otra.

Yo solía ser muy crítica con las personas, las diseccionaba mentalmente para decidir si eran tanto mejor que yo de lo que me temía. Aun así no sentía ninguna satisfacción al hacerlo, porque era igualmente crítica conmigo misma. Pero leí: "Porque con el juicio con que juzgáis seréis juzgados, y con la medida con que medís se os medirá" (Mateo 7:2). También leí: "Ten cuidado de no usar tus limitaciones para criticar a otros" (*En pos de lo supremo,* p. 131 del libro en inglés). Entonces comprendí que mi manera de criticar a otros significaba que los estaba juzgando desde mis propias limitaciones, y con ello no solamente limitaba lo que Dios podía hacer en mi vida, sino que hacía que el juicio volviera sobre mí.

Desalojar al espíritu de crítica

Quienes fuimos abusados de niños por lo general desarrollamos una tendencia a juzgar y a criticar a los demás. Que nos hayan desvalorizado cuando éramos niños nos produce la tentación de desvalorizar a otros para poder levantarnos nosotros. Nos volvemos inmisericordes porque no se nos mostró compasión cuando éramos niños.

Criticar a otros pronto se convierte en un mal hábito que podría "hacer salir el tiro por la culata". Criticar en forma constante, aunque sea mentalmente, invita a un espíritu de crítica. Cuando tienes un espíritu de crítica, cada palabra y pensamiento que tengas estará teñido por el mismo. Con el tiempo te volverás cínica y luego serás incapaz de experimentar gozo. Puedes estar leyendo la Palabra, orando, y obedeciendo y sin embargo no tener paz ni gozo en tu vida a causa de la crítica. Ser crítica de las circunstancias o de las condiciones puede ser tan contraproducente como criticar a las personas, porque te vuelves quejosa y rezongona, la clase de persona que la gente prefiere evitar. Es difícil encontrar el amor y el apoyo que necesitas si nadie quiere estar cerca de ti.

La crítica desaloja al amor de nuestro corazón. Y "si tuviera profecía, y entendiera todos los misterios y todo conocimiento, y si tuviera toda la fe, de tal manera que trasladara los montes, y no tengo amor, nada soy" (1 Corintios 13:2). Sin amor en nuestro corazón no podemos crecer emocionalmente, y estaremos siempre estancados en cuanto a nuestra sanidad y desarrollo. Pero podemos desalojar la crítica si nos llenamos constantemente del amor del Señor, adoptando una actitud de alabanza y de agradecimiento a él.

Si reconoces una tendencia grave, casi compulsiva, a criticarte a ti misma, di: "Me niego a que un espíritu de crítica controle mis pensamientos y mi boca. Comprendo que tú, Señor, eres el único que conoce la historia completa en cualquier situación. No tengo el derecho de juzgar a otros. Haz de mí una persona que muestre compasión, que no critique, ni rezongue, ni se queje. Gracias por tu perdón. Ayúdame a extender ese mismo perdón a otros".

Yo hice esa oración, y ahora Dios me ayuda a ver el bien y el potencial de grandeza en todos. No es que no reconozca el pecado en cada uno, sino que comprendo que no tengo derecho a juzgar o a criticarlos por eso. Puedo orar, puedo confrontarlos y presentarles la Palabra de Dios, pero no puedo ser crítica ni encontrar defectos en todo.

Si tienes problema con la crítica hacia otros y hacia ti misma, pídele a Dios que te ayude a ser compasiva. Tener un espíritu crítico puede impedir que llegues a ser la persona íntegra que anhelas ser.

QUÉ DICE LA BIBLIA ACERCA DE LA CRÍTICA

Ninguno de vosotros piense mal en su corazón contra su prójimo.
Zacarías 8:17

Así hablad y así haced, como los que habéis de ser juzgados por la ley de la libertad, porque juicio sin misericordia se hará con aquel que no haga misericordia; y la misericordia triunfa sobre el juicio.
Santiago 2:12–13

Ninguna palabra corrompida salga de vuestra boca, sino la que sea buena para la necesaria edificación, a fin de dar gracia a los oyentes.
Efesios 4:29

El que de vosotros esté sin pecado sea el primero en arrojar la piedra contra ella.
Juan 8:7

Y ante todo, tened entre vosotros ferviente amor, porque el amor cubrirá multitud de pecados.
1 Pedro 4:8

EVITAR LA TRAMPA DE LA NEGACIÓN

La mentira que creemos cuando negamos un problema es: "Si hago de cuentas que esto no ocurre, desaparecerá" o bien: "Si me digo a mí misma que se trata de otra cosa, lo será". Este mecanismo autoprotector entra por la fuerza cuando las cosas parecen estar fuera de control. Bloqueamos mentalmente la situación o negamos su existencia para poder sobrevivir. El problema con la negación es que la verdad finalmente aparece, y si no tenemos cuidado con las cuentas emocionales ahora, las pagaremos más adelante.

Ser *engañado es creer una mentira* y no comprender que se lo ha hecho. *La negación es conocer la verdad* pero optar por vivir como si no se la supiera. La *negación* consiste en *engañarse a uno mismo*.

Mi madre mentalmente enferma creía que ella era normal y que algo andaba mal con los demás. Estaba engañada. Mi padre sabía que ella no era normal, pero no sabía qué hacer con eso. No se atrevía a buscar ayuda psiquiátrica por temor a que la internaran para siempre en un hospital psiquiátrico, como esos de las películas de terror que había visto en su juventud. Esperando que algún día ella "volvería milagrosamente en sí", eligió ignorar el problema. Mi padre vivía en la negación. Su *autoengaño* era una forma de supervivencia.

Romina, la joven cuyo padre tenía relaciones sexuales con ella pero golpeaba a los demás miembros de la familia, pensaba que él era su aliado. Había aprendido a creer que la relación sexual entre padre e hija no es algo abominable, porque era la única manera que podía sobrevivir a lo que ocurría. Era demasiado débil y carecía de la fuerza necesaria para manejar la verdad. Era demasiado doloroso reconocer lo que no podía controlar ni cambiar. No sanaría hasta no adquirir la suficiente estabilidad que le permitiera reconocer lo pecaminoso de la relación. Cuando lo hizo, se abrió el camino para que perdonara a su padre (algo cuya necesidad antes negaba categóricamente), y a la restauración de Dios.

Una forma de supervivencia

Vivir en la negación es vivir una mentira. Nos negamos rotundamente a que los hechos nos convenzan, no importa cuánto sumen. Por ejemplo:

Primer hecho: Papá viene a casa ebrio con frecuencia.

Segundo hecho: En esas ocasiones se pone violento y me golpea.

Esos hechos demuestran que mi padre es alcohólico. Sin embargo encubrimos la realidad diciendo: "Está bien, no es para tanto. Puedo vivir con esa situación." Pero en realidad no está bien, está mal, y no podemos vivir de esa manera sin pagarlo caro. Tenemos que liberarnos del engaño de cualquier tipo, incluso el engaño de saber la verdad y creer que podemos minimizarla.

Como se necesita al Espíritu de verdad de Dios para penetrar la oscuridad del autoengaño, confrontar a alguien que vive en la negación no siempre funciona. Quitar ese falso injerto de piel autoprotector y autoimpuesto es como arrancar la carne del hueso. El dolor es insoportable. No es la sencilla tarea de quitar una piel muerta; esa falsa piel está profundamente adherida y amalgamada con la carne. Tiene que haber sanidad desde adentro para que lo que se ha adherido desde afuera pueda caer. Cualquier confrontación tiene que llevarse a cabo con mucha oración y *dirigida* por el Espíritu Santo.

Enfrentar la verdad

Muchas personas no quieren perder nada de tiempo lidiando con el pasado. Con frecuencia citan el pasaje de las Escrituras donde el apóstol Pablo dice "olvidando ciertamente lo que queda atrás y extendiéndome a lo que está delante, prosigo a la meta" (Filipenses 3:13). Lo que Pablo dice es que no deberíamos vivir en el pasado del que hemos sido liberados. Pero no podemos ser liberados de algo que no hemos presentado a la plena luz de Dios y expuesto por lo que es. Solo cuando hacemos eso encontraremos sanidad, y solo entonces podremos olvidar y seguir adelante. Si vives en la negación, seguirás volviendo una y otra vez al mismo problema. "¿Por qué no cambia nunca esta situación? ¿Por qué nunca puedo superarla?", te preguntas. Y la respuesta será que no te has permitido que el Espíritu de verdad obre en ella.

Tenemos que mirar nuestra vida como lo haría un consejero y hacernos las siguientes preguntas:

1. La última vez que me sentí infeliz, estaban ocurriendo las siguientes cosas (por ejemplo, mi esposo estaba ausente por un viaje de trabajo): ________________________________
____
______________________________.
2. La vez anterior, estaban ocurriendo las siguientes cosas (por ejemplo, mis mejores amigos hicieron una salida por el fin de semana y no me incluyeron): ______________
____
________________________________.
3. De niña me sentía infeliz cuando (por ejemplo, mi padre estaba ausente y no podía asistir a los campeonatos de fútbol): ______________________________________
____
_________________________________.
4. ¿Hay alguna similitud entre todas estas situaciones? (Por ejemplo, tiendo a sentirme abandonada cuando no está mi esposo, o cuando mis amigos se van, o porque mi padre estaba ausente con tanta frecuencia): ______________
____
_____________________________________.

5. Tal vez me sienta triste porque ______________________
____
____.

Ahora piensa en tus relaciones

1. La última vez que estuve en desacuerdo con mi esposo o con un amigo fue porque (por ejemplo, cuestionaron mi opinión sobre algo como si yo no pudiera tomar una decisión sólida) ______________________
____
____.

2. Me siento mal con mi jefe en el trabajo cuando (por ejemplo, quiere saber cada detalle de lo que estoy haciendo, como si me estuviera controlando) ______________________
____
____.

3. De niña me enojaba con mis padres cuando (por ejemplo, me interrogaban constantemente para saber dónde había estado y qué había estado haciendo) ______________
____
____.

4. Parte del enojo que siento con mi pareja, con mi amigo, o con mi jefe puede estar relacionado con (por ejemplo, los esfuerzos de mi padre por controlar todo lo que yo hacía)
____
____
____
____.

Ahora piensa en tu relación con Dios

1. Pienso en Dios como si fuera (por ejemplo, un superior exigente que espera de mí la perfección) ______________
____
____
____.

2. Pienso en mi padre o en mi madre como (por ejemplo, distantes y siempre esperando demasiado de mí) ______
____
____
____.

3. Mi relación con mi padre (o madre) puede estar influyendo en mi relación con Dios de la siguiente manera: ________ ____ ____.

A medida que avances en esta introspección, pídele a Dios que te revele cualquier esfera de tu vida donde estés negando la verdad. Luego trae la verdad de Dios para influir en esa situación. Los Salmos nos dicen:

Clemente y misericordioso es Jehová,
lento para la ira y grande en misericordia.
Bueno es Jehová para con todos,
y sus misericordias sobre todas sus obras. (145:8–9)

Dios no es un superior severo, pero no lo conoceremos a menos que comparemos la opinión que tenemos de él con la verdad en la Biblia. Evaluar tus creencias frente a la verdad es fundamental para tu sanidad, porque en la medida que más tiempo niegues el problema, más demorarás en encontrar la integridad. Si mi padre hubiera enfrentado de entrada el problema de mi madre, un buen psiquiatra la hubiera ayudado a superar su enfermedad por medio de las consultas y la medicación. Todos esos años de miseria y destrucción se hubieran podido evitar.

No dar lugar a la negación

Una vez libre de la negación, Dios es el único que puede mantenernos alejados de ella. Tenemos que seguir orando: "Señor, guárdame del engaño y ayúdame a no negar jamás tu verdad. Si hay algúna esfera de mi vida en la que me he engañado, haz brillar la luz de tu Palabra y trae a tu Espíritu de verdad para que gobierne allí. Muéstrame dónde pude haber racionalizado algo que debería haber enfrentado. ¿Dónde he barrido bajo la alfombra algo que debería haber arrojado afuera? ¿Dónde me he justificado cuando debería haber confesado?

Recuerda, pecar es errar al blanco. "Si decimos que no tenemos pecado, nos engañamos a nosotros mismos y la verdad no está en nosotros" (1 Juan 1:8). Si creemos que nunca nos equivocamos, ¿a quién estamos engañando? Conozco a alguien que, cuando algunos amigos la confrontaron con la negación, buscó a otros amigos que no conocían bien la situación, y expuso los argumentos a favor de lo que quería creer en lugar de ir a Dios y decir: "Muéstrame la verdad, Señor. Si lo que dice esta gente es verdad, ayúdame a verlo. Si no es verdad, ayúdalos a ellos verlo. Lo dejo en tus manos". Mientras dependamos de las mentiras para aislarnos del dolor, no necesitaremos depender de Dios, y esto nos privará de disfrutar lo que él tiene para nosotros.

Todos somos víctimas del autoengaño en alguna oportunidad. Sabemos hacerlo muy bien. Por eso no podemos criticar a otros que practican la negación. Podemos reconocerla y orar para que les sean abiertos los ojos, pero somos tan susceptibles como ellos de caer en lo mismo, si no procuramos que la luz de Dios ilumine nuestra vida. Ora continuamente para que el poder de Dios quiebre cualquier forma de negación en ti.

Qué dice la Biblia acerca de la negación

Tú amas la verdad en lo íntimo,
y en lo secreto me has hecho comprender sabiduría.
Salmo 51:6

No tengo yo mayor gozo que oír que mis hijos andan en la verdad.
3 Juan 4

Y conoceréis la verdad y la verdad os hará libres.
Juan 8:32

La ira de Dios se revela desde el cielo contra toda impiedad e injusticia de los hombres que detienen con injusticia la verdad.

Pero cuando venga el espíritu de verdad, Él os guiará a toda la verdad.
Juan 16:13

Evitar la trampa de la depresión

La mentira que creemos cuando nos sentimos deprimidos es: "No puedo vivir en esta situación, y soy incapaz de cambiarla". Cuando el desaliento se instala sobre nosotros como una densa niebla, no logramos ver ninguna salida. El engaño es pensar que nuestra situación no tiene esperanzas. Este pensamiento puede ser tan sutil que ni siquiera nos damos cuenta, hasta que caemos en una absoluta depresión: "La esperanza que se demora es tormento del corazón" (Proverbios 13:12). Es la perdida de la esperanza lo que causa la depresión.

En la lista siguiente, señala las afirmaciones que expresan tus sentimientos en el último año:

__ Me he consumido a fuerza de gemir; todas las noches inundo de llanto mi lecho, riego mi cama con mis lágrimas. Mis ojos están gastados de sufrir; se han envejecido a causa de todos mis angustiadores. (Salmo 6:6–7)
__ En todo fuimos atribulados: de afuera, conflictos, de adentro, temores. (2 Corintios 7:5)
__ Mi alma está muy triste, hasta la muerte. (Mateo 26:38)
__ ¿Hasta cuándo tendré conflictos en mi alma, con angustias en mi corazón cada día? (Salmo 13:2)
__ El enemigo ha perseguido mi alma, ha postrado en tierra mi vida, me ha hecho habitar en tinieblas como los que han muerto. (Salmo 143:3)
__ Mi espíritu se angustió dentro de mí; está desolado mi corazón. (Salmo 143:4)

Si has marcado alguna de esas afirmaciones, es evidente que sufres depresión. Noches sin dormir, acostada en la cama con el corazón acelerado, sintiéndote débil y aplastada, como si te estuvieras hundiendo en un profundo y oscuro pozo. Cuando te miras al espejo la mañana siguiente, no hay luz en tu rostro, tienes los ojos apagados. Sientes que la gente prefiere alejarse de ti. Te parece que no puedes conectarte emocionalmente con nadie. Si alguna vez has estado deprimida, conoces esas sensaciones. Lo mismo les ocurre a otras personas que aman a Dios. La mayoría de estas citas bíblicas fueron escritas por dos grandes hombres, cercanos al corazón de Dios: David, el que mató al gigante y fue rey, y el apóstol Pablo. Ambos descubrieron que Dios era la respuesta final a su depresión. Es evidente, entonces, que Dios sabe de qué se trata la depresión.

Uno de los principales engaños con relación a la depresión es pensar que eres la única que ha pasado por ella. En este instante, millones de personas están deprimidas: pérdida de peso, excesivo aumento de peso por comer compulsivamente, baja concentración y poca memoria, alto grado de autocrítica, extrema dificultad para tomar hasta la mínima decisión, pensamientos suicidas, tendencia al aislamiento, actitudes negativas, sentimiento de fracaso, incapacidad para terminar algo, imposibilidad de enfrentar hasta la más mínima presión, sentirse atenazado por la tristeza y el desánimo, o incapacidad para manejar hasta las tareas más elementales.

Algunos vivimos tanto tiempo con esos sentimientos que comenzamos a aceptarlos como algo normal en la vida. Pero no es así. La depresión no es la voluntad de Dios para nuestra vida. Sufrí con la depresión hasta los treinta años. La absoluta desesperanza en que algo pudiera cambiar en mi vida, me había llevado al borde del suicidio. Cuando conocí al Señor, mi primera gran liberación fue de la depresión, que era el resultado de la enorme cantidad de pecados no confesados, y que me habían mantenido separada de la presencia y el poder de Dios. Ahora, cuando me siento amenazada por la depresión, reconozco que hay algo de mi vida o en mi mente que está fuera de orden y hago un inmediato examen delante del Señor.

Actuar contra la depresión

A menos que des pasos concretos contra la depresión, se transformará en una bola de nieve. Te sentirás cada vez peor acera de ti misma, de los otros, y de Dios, lo cual aumentará tu aislamiento y tu depresión.

Si tienes ataques ocasionales de depresión, o estás deprimida en este momento, te sugiero que te acerques al Señor y te hagas estas preguntas:

1. *¿Hay algún problema físico que pudiera estar causando esto?* La depresión puede ser el resultado de un sinnúmero de situaciones físicas, tales como cambios hormonales, períodos menstruales, síndrome premenstrual, menopausia, falta de sueño, consumo de drogas, ingesta de alcohol, ciertos medicamentos, esfuerzo excesivo, enfermedades, falta de ejercicio, fatiga, alergias, y malos hábitos de alimentación. Pídele a Dios que te muestre si hay algo físico que esté provocando o contribuyendo a tu depresión.

2. *¿Hay alguien o alguna circunstancia que pudiera estar causando la depresión?* Puede haber una razón perceptible para tu depresión. Por ejemplo, vivir con alguien que es extremadamente negativo y pesimista. Si es así, pregúntale a Dios qué puedes hacer para cambiar la situación. ¿Puedes hablar con la persona o hacer algo para cambiar las cosas? ¿Hay alguna posibilidad que no veías o no se te hubiera ocurrido antes? A veces la depresión indica que hace falta un cambio importante. Pídele a Dios que te muestre las cargas que no deberías estar llevando y los cambios que necesitas hacer.

3. *¿Hay algún pecado que no he confesado?* A veces la causa de la depresión es externa (estar expuesto a alguna cosa impía). A veces es el ataque de Satanás (especialmente cuando Dios está haciendo algo importante en tu vida). Pero la mayoría de las veces la causa tiene que ver con pensar o actuar mal (una respuesta inapropiada a una persona o a una situación). Todos los sentimientos negativos o las actitudes malas deben ser confesados, especialmente el resentimiento. Tú serás la que sufra la depresión por culpa de ellos, de modo que pídele a Dios que te muestre cualquier esfera donde sea necesario el arrepentimiento.

4. *¿He orado por mi depresión?* Una de las mayores trampas o engaños de la depresión es pensar que tienes el derecho de seguir así. No lo tienes. Cuéntale a Dios lo que sientes y pídele que te quite la depresión. Con mucha frecuencia no oramos porque aceptamos la depresión como parte de la vida en lugar de reconocerla como una enfermedad emocional, como un resfrío o una gripe, que necesita atención antes de que se convierta en una infección grave.

Es un buen momento para recordar que *Dios está de tu lado y que el diablo es tu enemigo*. Es importante no culpar a Dios por los problemas ni escuchar al diablo como si fuera un buen amigo que te provee importante información para tu vida. Dios está de tu lado. Su plan es que tengas éxito, que seas libre, sana, íntegra, feliz, satisfecha y amada.

El pastor Jack nos enseñó que: "Si permanecemos a los pies del Señor, no hay noche tan larga ni tan oscura de la que no podamos salir por la mañana". El Salmo 30:5 dice:

Por la noche durará el lloro, y a la mañana vendrá la alegría.

Si te despiertas de noche con el corazón acelerado por el miedo o por la depresión, levántate de inmediato, ve a tu rincón de oración, ora y lee la Biblia. Vuelve a dormir cuando puedas, y sigue orando al día siguiente. Una de las trampas de la depresión es que cuando no encuentras una respuesta inmediata a tus oraciones, dejas de mirar a Dios y tratas de salir por tu cuenta.

5. *¿Qué mentiras estoy escuchando?* Si estás deprimida, es probable que hayas aceptado una mentira en lugar de la verdad, generalmente una mentira sobre ti misma: "Eres un fracaso. No sirves. No lo lograrás. Eres fea". Pero todo eso es opuesto a lo que dice la Biblia, que declara que tienes dones y talentos especiales. El hecho de que el mundo no reconozca tus dones en este momento no significa que no los tengas o que no valgas nada. Disipa las mentiras con la verdad de la Palabra de Dios.

6. *¿Qué promesas de Dios puedo citar en voz alta para resumir su visión de mí o de mi circunstancia?* La Palabra de Dios dice que "La

congoja abate el corazón del hombre; la buena palabra lo alegra" (Proverbios 12:25). Esa "buena palabra" puede venir de un pastor, de un amigo, un cónyuge, un miembro de la familia o una persona amable en la calle. Pero no podemos depender de los seres humanos. La buena palabra que realmente te alegrará el corazón viene del Señor por medio de su Palabra. Hay abundancia de ella pero he enumerado solo algunas en la página 265. Cuando encuentras una promesa o palabra de Dios que se aplica a tu situación, subráyala o escríbela en papel y colócala en el espejo del baño. Repítela en voz alta cada vez que te sientas deprimida. Aunque te parezca que no cambia nada, sigue proclamando la Palabra de Dios en voz alta; con el tiempo tu espíritu y tu alma responderán a la esperanza y la verdad.

7. *¿Cuánto he alabado, adorado, y agradecido a Dios en medio de mi depresión?* Estar deprimido es un indicador de que te estás mirando demasiado a ti misma. Uno de los pasos más saludables es mirar a Dios por medio de la alabanza. Deja lo que estás haciendo y di: "Señor, te alabo. Te adoro. Te doy gracias. Te glorifico. Te amo. Exalto tu nombre. Me niego a la depresión y te alabo porque tu gozo es mi fortaleza". Agradecer a Dios por todo lo que puedas recordar es la mejor manera de frenar la corriente de autoabuso que circula por tu cabeza.

También he descubierto que batir palmas con las manos y cantar alabanzas al Señor, es infalible para aliviar un espíritu de pesadumbre. Por eso es lo último que deseas hacer cuando estás deprimida, pero tienes que decidir que no quieres la depresión y que sí quieres todo lo que Dios tiene para ti. No renuncies hasta ganar.

Cuando nada ayuda

Si te hiciste esas preguntas, y pusiste en práctica todo lo sugerido pero sigues deprimida, entonces necesitas liberación y sesiones de consulta. Busca a un consejero cristiano.

Si no puedes conseguir una cita para consulta de aquí a una semana, y hasta la mínima tarea te resulta abrumadora, oblígate a levantarte cada mañana: lava la vajilla, tiende la cama, saca algunas malezas del jardín, pon una tanda en el lavarropas, lava el

Palabras de estímulo del Señor para declarar frente a la depresión

Los justos claman, y el Señor los oye; los libra de todas sus angustias. El Señor está cerca de los quebrantados de corazón, y salva a los de espíritu abatido.
(Salmo 34:17–18, NVI)

Cuando pases por las aguas, yo estaré contigo; y si por los ríos, no te anegarán. Cuando pases por el fuego, no te quemarás ni la llama arderá en ti.
(Isaías 43:2)

Mas los que esperan en Jehová tendrán nuevas fuerzas, levantarán alas como las águilas, correrán y no se cansarán, caminarán y no se fatigarán.
(Isaías 40:31)

Volverán los redimidos de Jehová; volverán a Sión cantando y gozo perpetuo habrá sobre sus cabezas. Tendrán gozo y alegría, y huirán el dolor y el gemido.
(Isaías 51:11)

Envió desde lo alto y me tomó. Me sacó de caudalosas aguas. Me libró de un poderoso enemigo, y de los que me aborrecían, aunque eran más fuertes que yo. Me asaltaron el día de mi desgracia, Más Jehová fue mi apoyo. Me sacó a un lugar espacioso, me libró porque me amaba.
(2 Samuel 22:17–20)

auto, o limpia un armario. Por el momento, no te preocupes por ninguna otra cosa. Luego toma tu Biblia, siéntate con el Señor, y consuélate porque tu vida tiene cierto orden y has logrado algo.

No permitas que algún cristiano no muy bien intencionado o con actitud hipócrita te convenza de que si fueras realmente nacida de nuevo no estarías deprimida. Y no pienses que ir a una consulta es admitir que tienes alguna inestabilidad mental o algo de qué avergonzarte. Esa actitud pasó de moda hace décadas. Hoy la gente sabe que la decisión de mejorar su vida está en sus manos, y eligen buscar consejo de parte de personas piadosas.

Gracias a Jesús puedes ganarle a la depresión.

QUÉ DICE LA BIBLIA ACERCA DE LA DEPRESIÓN

Luego que clamaron a Jehová en su angustia,
los libró de sus aflicciones;
los sacó de las tinieblas de la sombra de muerte,
y rompió sus prisiones.
Salmo 107:13–14

No bien decía: "Mis pies resbalan"
cuando ya tu amor, Señor,
venía en mi ayuda.
Cuando en mí la angustia iba en aumento,
tu consuelo llenaba mi alma de alegría.
Salmo 94:18–19, NVI

En mi angustia invoqué a Jehová
y clamé a mi Dios.
Él oyó mi voz desde su Templo
y mi clamor llegó hasta sus oídos.
Salmo 18:6

Evitar la trampa de las relaciones destructivas

La mentira que creemos cuando estamos involucrados en relaciones destructivas es: "Merezco que me traten como esta persona lo está haciendo". Si permites que te traten de una manera que te destruye, estás aceptando esa mentira.

Quienes han sido emocionalmente heridos en la infancia con frecuencia tienen problemas para entender las relaciones, de manera que cuando caen en una destructiva, son incapaces de verlo. Cuanto mayor es la necesidad emocional, más les cuesta reconocerlo. Cuanto más los destruye, más les cuesta salirse de ella.

Algunas personas pueden ser cascarrabias, mezquinas, malhumoradas y negativas, pero no te herirán profundamente. En una relación destructiva, el abusador destruye el centro mismo de tu ser. Él o ella erosionan gradualmente la persona misma que eres hasta que pierdes la imagen saludable de la persona que Dios quiso que fueras. En presencia del abusador no puedes evitar sentirte deprimida.

Necesitamos un puerto seguro para crecer. Si no lo tenemos, no podemos desarrollarnos de manera adecuada. Mientras viví en casa con mi madre, mi persona era continuamente erosionada. Aun después que me mudé, que comencé a caminar con el Señor, y disfruté de mucha sanidad y liberación, después de cada visita a mi madre necesitaba volver a la consejera. Cuando Mary Anne me aconsejó que evitara estar con mi madre hasta que yo estuviera completamente sana, comprendí que mientras la relación me destruyera, tenía que evitarla. Alejarme por un tiempo fue fundamental para mi sanidad.

Rechazar la codependencia

Una de las trampas de vivir con un alcohólico, con un consumidor de drogas, o con una persona mentalmente enferma es permitir que tu vida y la vida de tu familia giren en torno a ella. Permitir que alguien que no puede controlar su vida maneje la de otros pone a los miembros de la familia en una situación de ansiedad y de presión constantes. No identificar el problema ni enfrentarlo abiertamente, lo agrava.

El hecho de que jamás se encaró la enfermedad mental de mi madre mientras yo crecía, fue desastroso para mí. Más tarde quedé estupefacta al descubrir que su extraña y atemorizante conducta era normal en su enfermedad. Si hubiéramos encarado ese problema como familia, en lugar de simular que no pasaba nada malo, todos hubiéramos sido más sanos. En lugar de eso, pasé años odiando a mi madre por algo que ella no podía evitar. Tomaba sus acciones como algo personal y me sentía culpable y responsable por ellas.

Cuando eres niño, no puedes controlar la forma que te trata la gente. Como adulto puedes elegir. Aunque no puedes exigir que las personas se comporten de cierta manera, puedes negarte a permitir que sean destructivos o negativos cuando tratan contigo.

Si una persona en tu vida, que no sea tu cónyuge, te hace sentir deprimida y sin valor cada vez que estás con ella, y has hecho todo lo posible para salvar la relación, entonces necesitas preguntarle a Dios si no es el momento de dejar a esa persona en sus manos. Una vez hecho esto, no frecuentes a esa persona hasta que el Señor te dé paz al respecto.

Si tu relación matrimonial es destructiva, tienes que hacer todo lo posible por cambiarla. Busca a Dios. Busca la ayuda de consejeros. Haz lo que ambos te indican y no renuncies hasta lograr el cambio. Bajo ninguna circunstancia debes aceptar el abuso físico de nadie, incluyendo a tu cónyuge. Si hay riesgo de daño físico para ti o para los niños, aléjate inmediatamente de esa persona y busca ayuda. Si no lo haces, eres cómplice de su pecado. Es malo dejar que tu vida se destruya; y peor todavía someter a tus hijos al abuso. ¡Haz algo ahora! No permitas que el temor te ate a una relación destructiva. La Biblia dice:

El temor del hombre le pone trampas;
el que confía en Jehová está a salvo. (Proverbios 29:25)

Si temes sufrir daño físico, inseguridad económica, soledad, o rechazo, por alejarte de tu cónyuge, debes saber que el Señor proveerá protección y alimento si oras pidiéndoselo. Si estás tan abatida que no puedes hacer la mudanza, pide ayuda. Si oras, Dios enviará a alguien para eso.

¿Es posible heredar los problemas familiares?

Yo solía temer que alguno de mis hijos o yo heredáramos la enfermedad mental de mi madre. Pero la Biblia enseña que no estamos atrapados en nuestra herencia. "Me has dado la heredad de los que temen tu nombre" (Salmo 61:5). Alabemos a Dios porque estamos relacionados con él y heredamos sus cualidades. He nacido de nuevo y ahora estoy creciendo para parecerme a mi Padre celestial. Ahora, cuando el diablo trata de atormentarme con ese temor, le digo: "Vete o se lo diré a mi Padre".

Si tienes ese temor, debes saber que la enfermedad mental, el alcoholismo, la drogadicción, o cualquier otro problema que enfrente tu familia son problemas espirituales mucho antes de que se manifiesten físicamente. Se resuelven en el reino espiritual. Ata cualquier espíritu que te amenace, diciendo: "Espíritu de locura (alcoholismo, drogadicción), te enfrento como espíritu del mal. Yo (y mis hijos) no tenemos nada que ver contigo y no tienes ningún poder sobre mí (nosotros). Hemos nacido en la casa de mi Padre y ahora tenemos una herencia celestial, no una terrenal. Mi Padre Dios me ha dado autoridad sobre ti, de modo que en el nombre de Jesucristo te ato y te echo de mi (nuestra) vida. Te rechazo ahora y para siempre". No dudes en pedir a uno o dos creyentes firmes que oren por ti. En especial si el diablo intenta amenazarte de nuevo.

La amistad: ¿un ladrillo para construir o un ariete?

Tenía una amiga que poco a poco se volvió crítica y enojosa conmigo por diversas razones que nunca entendí. Hacía todo lo posible por complacerla, pero con ella siempre me sentía inadecuada, inaceptable y deprimida. Durante varios años en mi subconsciente pensé: *debo ser una amiga de calidad inferior, de manera que tiene razón de pensar así.*

Solo cuando otros amigos me hicieron ver que la amistad es para edificar, no para destruir, comprendí que estaba involucrada en una relación destructiva. El intento de "arreglar las cosas" no llevaba a nada. Después de mucha oración y consultas con mi esposo, decidí suspender la amistad y dejar a mi amiga en manos del Señor. Las personas pueden caer en relaciones destructivas por diversas razones, pero solo se mantienen en ellas si piensan que las merecen.

¿Estás viviendo en una relación destructiva? Si estás tratando de recuperarte de tu propio daño emocional, necesitas protegerte de cargar con el cautiverio de otra persona. Cultiva relaciones positivas y edificantes.

Este no es un permiso para huir cada vez que alguien te desafíe o te confronte. Pero si das un paso atrás en la relación, recuperarás tu objetividad, y podrás ver si la persona te está confrontando en amor o te está atacando con un espíritu de crítica o de control. Recuerda que poner tu vida a disposición de otro no significa permitir que la persona te pisotee. Pregúntale al Señor sobre cualquier relación que te quite el gozo de vivir, y ora para que él te muestre lo que debes hacer. Si no puedes alejarte de esa persona, pídele a Dios que te ayude a confrontarla. Pídele que los transforme a ambos; luego da los pasos necesarios para la restauración.

El Señor puede pedirte que pongas tu vida a disposición de una relación. Dejas morir una parte tuya para que surja algo más grande. Pero cuando el Señor te pida algo así, lo sabrás. Elegirás hacerlo, no será algo impuesto. Tendrás paz, no angustia. Examina toda relación que te haga sentir mal. No permitas que te apaleen física, mental ni psicológicamente.

Qué dice la Biblia acerca de las relaciones destructivas

No te unas al iracundo
ni te acompañes del irascible,
no sea que aprendas sus costumbres
y pongas trampa a tu propia vida.
Proverbios 22:24–25

Si el hombre sabio disputa con el necio,
sea que se enoje o que se ría, no tendrá reposo.
Proverbios 29:9

Como el carbón para las brasas y la leña para el fuego
es el hombre pendenciero para encender contienda.
Proverbios 26:21

Ninguna palabra corrompida salga de vuestra boca, sino la que sea buena para la necesaria edificación, a fin de dar gracia a los oyentes.
Efesios 4:29

Jehová está conmigo;
no temeré lo que me pueda hacer el hombre.
Salmo 118:6

Evitar la trampa del divorcio

La mentira que creemos cuando estamos tentados a dejar nuestro matrimonio es "No hay solución posible a los problemas de nuestra relación, el divorcio es la única salida". Pasamos una y otra vez esa cinta en nuestra mente hasta que la aceptamos y actuamos en conformidad con ella. Mientras pensemos así, hay pocas esperanzas de construir un matrimonio firme.

El engaño del divorcio es considerar culpable a la otra persona o a ti misma por lo que está ocurriendo en lugar de culpar al diablo. El plan de Satanás es infiltrar nuestra vida con un espíritu de divorcio, de separación y desunión para que nunca accedamos a un crecimiento personal profundo ni lleguemos a la plenitud. Aunque es cierto que los problemas comienzan con palabras o actitudes hirientes, lo cual abre la puerta al diablo, con frecuencia ocurre que no reconocemos la mano de Satanás detrás de ello. Satanás puede manipularnos y ponernos uno contra el otro.

Las personas que sufren el infierno de un matrimonio desgraciado no recibirán ayuda de alguien que les refriegue insensiblemente en la cara versículos bíblicos. No haré tal cosa. Pero sí voy a decirte que vale la pena trabajar para establecer un buen matrimonio. En realidad, los límites de un matrimonio bueno y saludable proveerán la atmósfera necesaria para la sanidad emocional. Lo opuesto también es cierto. Se demora más en encontrar restauración dentro de un matrimonio que te mantiene enojada, deprimida, ansiosa, temerosa o insegura. Un mal matrimonio hace que la recuperación avance a paso de tortuga.

El florecimiento de un matrimonio saludable y feliz es algo que no ocurre si no se planta adecuadamente, se cultiva con cuidado, se riega, se remueve la tierra, se alimenta y se da lugar a la intervención de Dios. Hasta los matrimonios consagrados en el cielo mueren en la tierra si les falta la atención adecuada.

Mi primer matrimonio fue breve y desgraciado, y no minimizo mi contribución para que fuera así. No conocíamos al Señor, de modo que vivíamos lejos de sus caminos. Además de eso, yo era emocionalmente tullida. Mi intención era quedarme con él mientras lo soportara. El matrimonio duró menos de dos años.

En contraste, cuando me casé por segunda vez, Michael y yo teníamos varias cosas a favor:

- Ambos amábamos al Señor y queríamos vivir a su manera.
- Sentíamos que el Señor nos había unido.
- Teníamos el compromiso de continuar casados definitivamente.
- Estábamos de acuerdo en los asuntos importantes de nuestra vida (vocación, hogar, finanzas, hijos).

Para mantener un matrimonio hay que entregárselo al Señor y estar decididos a vivir a su manera:

Si Jehová no edifica la casa,
en vano trabajan los que la edifican. (Salmo 127:1)

A menos que Dios esté en el centro de tu matrimonio, el foco de cada uno estará puesto solo sobre el otro para satisfacer cualquier necesidad. Eso ejerce mucha presión en cada uno. Además, cuando Dios edifica el matrimonio, el divorcio no es una opción. Tienes que arremangarte y aceptar el trabajo de exponer cada aspecto de la relación a la luz de Dios.

Cuando Michael y yo nos casamos, ambos teníamos profundas inseguridades, daño emocional y ataduras del pasado: necesidades emocionales demasiado complejas para que pudiéramos manejarlas solos. Pero con la ayuda del Señor, un buen pastor, consejeros cristianos, compañeros de oración y amigos que creían en nosotros, pudimos superarlos.

Ser cónyuge de alguien con heridas emocionales profundas requiere un don de paciencia y comprensión, además de amor. Si tú tampoco eres emocionalmente estable, el problema se agrava. En nuestro caso, apretábamos los dientes y aguantábamos cuando el otro se venía abajo. Cuando ambos estábamos lidiando al mismo tiempo, con cosas de cada uno, la tensión en la relación se hacía muy grande. Pero a pesar de todo, el divorcio no era una opción. Teníamos que solucionar las cosas, no importa cuánto nos doliera. Sin ninguna duda, ninguno de los dos hubiera disfrutado el grado de integridad que tenemos hoy si hubiéramos huido del matrimonio al primer signo de desacuerdo.

En diecisiete años de matrimonio, hubo oportunidades en que el espíritu de divorcio me martillaba la cabeza y pensaba "Es la única salida". En cada oportunidad llevaba mis sentimientos ante Dios, quien me mostraba que Satanás estaba tratando de enfrentarnos uno contra el otro. En lugar de comprender que estábamos en el mismo bando, y que Satanás era nuestro enemigo, nos creíamos sus mentiras.

Ser terreno para crecer o campo de batalla de voluntades

Tenemos que saber que en el matrimonio aflorarán rasgos indeseables de personalidad: enojo, impaciencia, egoísmo, crueldad, celos, furia o temor. Es importante que ambos comprendan que tienen que encarar esos rasgos de frente y crecer por medio de ellos. Cuando aparezcan, controla cuidadosamente tus actitudes hacia tu pareja. Tienes que estar atenta a pensamientos como:

- No voy a poner nada más en esta relación.
- Ya no siento nada por él (ella).
- No veo nada bueno en él (ella).
- Ya no me interesa lo que él (ella) hace.
- Ya no lo (la) amo.
- Ya no va más.

No puedes tolerar esos pensamientos peligrosos, aunque a veces sean justificados. Abrirán el camino a espíritus de división, engaño, e inmoralidad.

Combate esos sentimientos estando dispuesta a que el Señor te cambie. Tal vez pienses: "¿Y qué de él (ella)? ¿Acaso no necesita cambiar también?". La respuesta es sí, pero no tienes ningún control sobre eso y tienes que comenzar por alguna parte. Lo más probable es que no haya cambios a menos que tú des el primer paso. Una de las mejores contribuciones que puedes hacer, aparte de orar por tu pareja, es hacer todo lo posible para librarte de tu propio cautiverio.

A pocos meses de nuestro matrimonio comprendí que uno de nosotros debía cambiar para que pudiera haber armonía. Pasaron por lo menos dos años antes de que me diera cuenta que no sería Michael, o por lo menos no lo haría tan rápido como yo esperaba. Fueron necesarios por lo menos cinco años hasta convencerme de que mi fastidiosa crítica no lo estaba motivando a crecer. A los siete años entendí que había una alta probabilidad de que jamás consiguiera modelarlo a mi imagen. Tuvieron que pasar diez años para que pudiera decidir que, si quería que nuestro matrimonio fuera un caldo de cultivo para el crecimiento en lugar de un campo de batalla de voluntades, yo era la que tenía que cambiar. (Mi esposo cuenta la historia un poco diferente). Cuando pude decir "Dios, cámbiame", entonces se me abrieron por completo los ojos a las tretas del diablo.

Pasos que ayudan a evitar el divorcio

Antes que nada, decide si quieres que se cumpla en tu vida la voluntad de Dios. Si es así, entonces tienes que poner todo lo

Cómo orar por tu esposo (o esposa)

1. Ora continuamente por su salvación si todavía no ha ocurrido. Si ya es salvo, ora para que haya un crecimiento espiritual continuado.
2. Ora para que su corazón tenga más sed del Señor y el deseo de caminar más cerca de él.
3. Ora por la liberación de cualquier atadura contra la que él (ella) esté luchando (drogas, alcohol, enojo, egoísmo, irresponsabilidad, lujuria).
4. Ora para que sea lleno del amor de Dios.
5. Ora para que él (ella) responda a tu amor y sea capaz de recibirlo.
6. Ora para que su trabajo sea bendecido y su nombre sea preservado de toda sospecha o calumnia.
7. Ora para que llegue a ser todo aquello para lo que Dios lo (la) creó.

necesario para hacer que funcione. Habla de lo que sientes acerca de tu matrimonio con el Señor y pídele que ponga las cosas en orden. Si no puedes hacer eso, entonces tienes que confesar que ni siquiera quieres que las cosas se arreglen. Di: "Señor, realmente no me interesa más este matrimonio. Cambia mi corazón y dame el deseo de verlo funcionar." Al comienzo no tienes que tener el sentimiento, solo tienes que permitir que Dios se acerque a donde estás y comience a trabajar desde allí. Cuando finalmente comencé a llevar adelante la mayoría de mis batallas en el pequeño cuarto de oración, en lugar de con mi esposo, las cosas comenzaron a progresar (ver pág. 275).

A continuación, comunica tus sentimientos a tu pareja. Pide a tu esposo (o esposa) que separe un tiempo para estar y hablar a solas contigo. Pídele que esté dispuesto a expresar heridas y preocupaciones. Dile que tú estás dispuesta a cambiar y pídele que esté dispuesto a hacer lo mismo.

Si la situación entre tú y tu pareja es demasiado inestable como para manejarla solos, necesitan un tercero neutral que sea maduro en el Señor y experimentado en consejería matrimonial. Con frecuencia los dos miembros de una pareja tienen quejas justificables que necesitan ser escuchadas sin acusaciones, prejuicios ni explosiones de enojo.

Si estás siendo abusada, aléjate y busca ayuda. Nunca se te pedirá que soportes daño físico ni mental para mantener el matrimonio. En realidad, quedándote permites que tu cónyuge continúe en pecado, y jamás hallará sanidad ni integridad.

Es probable que todos los matrimonios experimenten un momento en que piensen que ya no aman a su pareja. Paradójicamente, es en ese momento que tienes la oportunidad de cultivar un amor y un compromiso más profundos. Tienes que estar dispuesta a orar diciendo: "Señor, obra en este matrimonio y que tu obra comience en mí en formas que sean visibles para mi esposo (esposa). Ayúdame a buscar el bien de mi esposo (esposa) antes que el mío. Ayúdame a vivir en continuo perdón. Recupera el sentimiento de amor, de romance e intimidad en nosotros. Ayúdanos a comunicarnos y a satisfacer nuestras necesidades físicas y emocionales. Dependo de ti, Señor".

Si has experimentado una gran sanidad, liberación y plenitud en tu vida, tal vez llegue un momento en el que pienses: "Si hubiera sido liberada antes de conocer a esta persona, probablemente no me hubiera casado con ella". Esta parece una afirmación legítima porque esa persona llenaba todas tus necesidades en ese momento y ahora es probable que tus necesidades hayan cambiado. Si eso te sucede, llévalo ante el Señor inmediatamente y pídele que te tranquilice. Lo hará. Es probable que te muestre que ahora es el momento para que tú pongas el hombro para que tu pareja encuentre liberación y sanidad.

Si logras cultivar un buen matrimonio, tu restauración tendrá una base sólida desde donde seguir desarrollándose. Si, por el contrario, no se puede evitar el divorcio o ya ha tenido lugar, mira a Jesús, recibe su amor y su perdón, y busca liberación del dolor del pasado. No permitas que el diablo te ate de por vida con la culpa. Solo decide que no habrá otro divorcio en tu vida.

Qué dice la Biblia acerca del divorcio

Pero al principio de la creación, hombre y mujer los hizo Dios. Por esto dejará el hombre a su padre y a su madre, y se unirá a su mujer, y los dos serán una sola carne; así que no son ya más dos, sino uno. Por lo tanto, lo que Dios juntó, no lo separe el hombre.
Marcos 10:6–9

El amor es sufrido, es benigno;
el amor no tiene envidia;
el amor no es jactancioso, no se envanece,
no hace nada indebido, no busca lo suyo,
no se irrita, no guarda rencor;
no se goza de la injusticia,
sino que se goza de la verdad.
Todo lo sufre, todo lo cree,
todo lo espera, todo lo soporta.
El amor nunca deja de ser.
1 Corintios 13:4–8

La respuesta suave aplaca la ira,
pero la palabra áspera hace subir el furor.
Proverbios 15:1

Quítense de vosotros toda amargura, enojo, ira, gritería, maledicencia y toda malicia. Antes sed bondadosos unos con otros, misericordiosos, perdonándoos unos a otros, como Dios también os perdonó a vosotros en Cristo.
Efesios 4:31–32

EVITAR LA TRAMPA DE LA ENVIDIA

La mentira que creemos cuando tenemos envidia de alguien es "Necesito y merezco tener lo que él tiene". La verdad es que todo lo que tenemos viene de Dios. Estar molesto, insatisfecho o rencoroso por las posesiones o ventajas de otros es rechazar lo que Dios nos ha dado y lo que es capaz de darnos. El engaño de la envidia es pensar que Dios no tiene suficiente para darles a todos. Lo que el otro tiene, entonces, se convierte en una amenaza para nuestro bienestar.

El Nuevo Diccionario Bíblico describe la codicia como "deseo egoísta" y "en esencia el culto a uno mismo". Es la máxima idolatría, y la idolatría es la raíz de la envidia. La Biblia dice que debemos hacer morir la "avaricia, que es idolatría" (Colosenses 3:5) porque socava los propósitos de Dios en nuestra vida.

El corazón apacible es vida para la carne;
la envidia es carcoma de los huesos. (Proverbios 14:30)

La codicia destruye el corazón mismo de nuestro ser y hace que nuestra fuerza interior se derrumbe. Si el resentimiento es el cáncer del alma, ¡la envidia es la osteoporosis!

No sentí envidia cuando era niña, porque de todos modos nunca pensé que mereciera nada. Quería más, y sentía lástima de mí misma cuando no lo obtenía, pero no envidiaba a otros. Sí envidiaba las habilidades de otras personas para hablar o para cantar. Mi lucha con los problemas vocales desde mi infancia nunca dio los resultados que esperaba y me sentía defraudada.

Un día, mientras leía la Biblia, el Señor habló a mi alma por medio de un versículo que dice: "Pues donde hay celos y rivalidad, allí hay perturbación y toda obra perversa" (Santiago 3:16). Fue como si el Señor me señalara el corazón y me dijera: "Tienes confusión en tu vida, por la envidia y la codicia de tu corazón."

¡Qué incómoda me sentí! ¿Yo? ¿Tengo envidia? Pero sabía que el estar constantemente comparándome con otros era la semilla de donde crece la envidia. No podría vivir en paz mientras continuara haciéndolo.

Para liberarme hice cuatro cosas:

- Un inventario de todo lo que Dios me había dado a mí y di gracias por ello.
- Acepté mis limitaciones y evité compararme con otros.
- Me obligué a dar gracias a Dios por los talentos, los dones y las habilidades de otras personas.
- Me recordé a mí misma cuál era mi llamado de Dios y dejé de envidiar el llamado de otros.

Debía decir: "Señor, tú me creaste, y sabes lo que me dará plena satisfacción. Perdóname por envidiar los dones de otras personas. Libérame de la esclavitud de la envidia, y sálvame del sufrimiento que significa desear lo que no me pertenece. Reconozco que lo que tienes para mí es mejor que todo lo que podría codiciar".

Evaluar los motivos

Años atrás, entré en la casa de una amiga y me sorprendió lo mucho que disfruté la amplitud y la sensación espaciosa e iluminada de la casa. Pensé: "Esto es lo que me gustaría tener algún día". No quería su casa. No me sentí triste o resentida porque ella tenía esa casa. Cuando volví a mi casa no comencé a detestarla. No dije: "¡Debo tener una casa así!". Pero sí pensé: "Me gusta el estilo de esa casa y si alguna vez tengo la posibilidad de elegir, sería como esa". Diez años más tarde cuando Michael y yo estábamos buscando una casa para mudarnos, elegimos una con muchas ventanas, que produjeron esa misma sensación de amplitud. Había reconocido lo bueno que otro tenía, pero sin envidiarlo.

Aspiro a ser tan buena escritora como algunos autores que disfruto. No quiero el crédito que ellos tienen. No anhelo que la gente diga que soy mejor que ellos. No quiero copiar su estilo. No deseo que les vaya mal. Pero sí quiero alcanzar a los lectores con la profundidad y la agudeza de esos autores. Admiro, pero no envidio.

No obstante, si me sintiera desgraciada cada vez que entrara a una casa mejor que la mía o si me sintiera mal cada vez que leyera un libro nuevo, eso sería envidia.

Para distinguir si lo que uno siente es envidia o admiración, hay que evaluar los motivos con honestidad. Señala las siguientes afirmaciones que representen tus actitudes actuales:

__ Me comparo constantemente con otros.
__ Me alegro en mi interior cuando otro fracasa o le ocurre algo malo.
__ Cuando veo lo buena que es alguna persona, o lo que ella hace, no lo aprecio; me reprocho por no ser tan buena.
__ No me gusta estar cerca de determinada persona porque su excelencia me hace sentir inferior.
__ Me siento mal cuando mi vecino compra un automóvil nuevo.
__ Cuando veo que alguien tiene algo nuevo, siento que debería tener lo mismo.
__ Cuando veo rasgos malos de carácter en cierta persona, quiero que los demás también los vean.
__ No me gusta visitar personas que tengan una casa linda porque me hace sentir mal respecto de la mía.

Si has señalado alguno de estos indicadores, la envidia está tratando de envenenar tu corazón. Ponle fin, arrepiéntete y déjalo.

La envidia pone enormes limitaciones a tu vida. Si envidias lo que otro tiene, nunca lo tendrás, y si lo tienes, no te dará satisfacción.

Proverbios 27:4 dice: "¿Quién podrá sostenerse delante de la envidia?" Por cierto, ¿quién puede vivir con ella y no sentir su peso aplastante? Ya sea dentro tuyo o dirigida a ti, la envidia es mala. Satanás cayó del cielo por querer lo que Dios tenía. Encontrarás paz si te das cuenta que lo que tienes viene del Señor.

Qué dice la Biblia acerca de la envidia

Como ellos no quisieron tener en cuenta a Dios, Dios los entregó a una mente depravada, para hacer cosas que no deben. Están atestados de toda injusticia, fornicación, perversidad, avaricia, maldad; llenos de envidia, homicidios, contiendas, engaños y perversidades [...] que los que practican tales cosas son dignos de muerte.
Romanos 1:28–29, 32

Nosotros también éramos en otro tiempo insensatos, rebeldes, extraviados, esclavos de placeres y deleites diversos, viviendo en malicia y envidia, odiados y odiándonos unos a otros.
Tito 3:3

Habiendo entre vosotros celos, contiendas y disensiones, ¿no sois carnales y andáis como hombres?
1 Corintios 3:3

El amor no tiene envidia.
1 Corintios 13:4

No codiciarás la casa de tu prójimo [...] ni cosa alguna de tu prójimo.
Éxodo 20:17

Evitar la trampa del temor

La mentira que creemos cuando tenemos miedo es: "Dios no puede protegerme a mí ni a nada de lo que me importa." A decir verdad, hay mucho de lo cual temer en este mundo, pero cuando la fuerza de ese temor supera nuestro sentido de la presencia de Dios, un espíritu de temor podría quedar atado a nuestra personalidad. Si en nuestra infancia hemos pasado por experiencias aterradoras y traumáticas, creemos con más facilidad esa mentira. Creemos que Dios no tiene el control de nuestra situación.

Lo opuesto al temor es la fe, y por lo general interpretamos las circunstancias de nuestra vida a través de uno o de la otra. El temor nos hace vivir como si fuéramos emocionalmente paralíticos. Tememos no tener suficiente, entonces no damos. Tememos ser heridos, entonces dudamos en amar. Tememos que se aprovechen de nosotros, entonces no servimos a otros. Tememos el rechazo, entonces no salimos a hacer lo que Dios nos llama a hacer.

Antes de conocer a Jesús, el temor era el factor que controlaba mi vida: temor al fracaso, temor al daño físico, temor a ser emocionalmente herida, temor a envejecer, temor a no ser nadie. Se abatió sobre mí un espíritu de temor doloroso, paralizante, envolvente, y venía acompañado de espíritus de suicidio, desesperación, ansiedad e impotencia. Mientras luchaba por no ahogarme en mis temores, me quedé sin fueras. Poco a poco el temor a la vida anuló el temor a la muerte y el suicidio me parecía un alivio agradable.

El diablo presenta falsas evidencias y las hace parecer reales para provocarnos temor. Podemos elegir creer en sus falsedades o creer en Dios.

Uno de los principales temores de quienes han sido emocionalmente dañados en la infancia es el temor a las opiniones de los demás. Nuestros temores nos dicen: "No voy a gustarles a los demás cuando descubran cómo soy realmente." Pero Isaías 51:7 dice:

No temáis afrenta de hombres
ni desmayéis por sus ultrajes.

Gracias a Jesús, no tenemos por qué vivir en el temor de las opiniones de los demás.

Las personas emocionalmente dañadas también temen con frecuencia al daño físico. Yo tenía miedo de estar sola en casa, incluso de día, y apenas podía dormir de noche porque temía que me sobreviniera todo el mal del mundo. Ya no vivo con ese tipo de temor, porque he aprendido a vivir bajo la cobertura protectora de Dios.

Qué hacer cuando hay temor

Comprender que el temor no viene de Dios y que no debemos vivir atemorizados es el primer paso para liberarse. Estas son algunas otras cosas que puedes hacer cuando tienes temor:

1. *Confiesa tu temor al Señor y pídele que te libere del mismo.* No niegues tu miedo; más bien llévalo ante Dios y ora pidiendo liberación. Al acercarte a él, su amor invadirá tu vida y desplazará al temor. Si te controla un fuerte temor, es probable que estés acosado por un espíritu de temor, que debe ser echado afuera. En ese caso di: "Señor, confieso mi temor como pecado, y te pido que me perdones. Fortalece mi fe en ti y en tu Palabra. Te ordeno, espíritu de temor, que te alejes en el nombre de Jesús. Gracias, Señor, porque no me has dado un espíritu de temor, sino de amor, de poder y de dominio propio. Inúndame de tu amor y llévate todas mis dudas".

2. *Comprueba si hay un peligro real y haz lo que puedas para remediar la situación.* Haz que otros oren contigo hasta que pase el peligro y tengas paz.

3. *Comprométete a confiar en el Señor incondicionalmente durante siete días.* Decide que por una semana vas a creer que cada promesa en la Palabra de Dios es cierta para ti. Lee cada día las promesas sobre la protección de Dios en el Salmo 91. Elige un versículo para repetir en voz alta durante el día y agradece a Dios por sus promesas. Cada pasaje está lleno del amor de

Dios por ti. Cuando las guardes en tu corazón, desplazarán el temor.

4. *Adora al Señor en voz alta.* La adoración es tu principal arma contra el temor; úsala con intensidad. Aplaude, canta, y expresa alabanzas a Dios. Dale gracias por su gran amor. Cuanto más lo hagas, más dispuesta estarás para recibirlo. El amor de Dios y el temor no pueden convivir en el mismo corazón.

No importa lo que te haya ocurrido en el pasado o lo que te ocurra hoy, Dios promete protegerte si caminas con él. En realidad, Dios te está protegiendo todo el tiempo. No sabemos de cuánto mal nos protege el Señor cada día, pero estoy segura que es mucho más de lo que imaginamos. Dios es más poderoso que cualquier adversario que enfrentemos, y él promete que no importa lo que haga el enemigo, triunfaremos sobre eso.

El único temor que debes tener es el temor a Dios, un respeto por su autoridad y su poder. Temer a Dios significa temer lo que sería la vida sin él y agradecerle continuamente que, gracias a su amor, jamás tendremos esa experiencia.

Qué dice la Biblia acerca de El temor

Busqué a Jehová, y él me oyó
y me libró de todos mis temores.
Salmo 34:4

Así dice Jehová, Creador tuyo, Jacob,
y Formador tuyo, Israel:
"No temas, porque yo te redimí;
te puse nombre, mío eres tú.
Cuando pases por las aguas, yo estaré contigo;
y si por los ríos, no te anegarán.

Cuando pases por el fuego,
no te quemarás, ni la llama arderá en ti.
Isaías 43:1–2

En el amor no hay temor, sino que el perfecto amor
echa fuera el temor, porque el temor lleva en sí
castigo. De donde el que teme, no ha sido
perfeccionado en el amor.
1 Juan 4:18

Jehová es mi luz y mi salvación,
¿de quién temeré?
Jehová es la fortaleza de mi vida,
¿de quién he de atemorizarme?
Salmo 27:1

No temas, porque yo estoy contigo,
no desmayes, porque yo soy tu Dios que te esfuerzo;
siempre te ayudaré,
siempre te sustentaré con la diestra de mi justicia.
Isaías 41:10

Evitar la trampa de la lujuria

La mentira que creemos cuando estamos tentados a la lujuria es: "No hace mal pensar en esto, si en realidad no lo haré". Pero todo acto de lujuria comienza con un sencillo pensamiento. El engaño de la lujuria es creer que somos tan fuertes o tan buenos que nunca seremos tentados. La verdad es que la tentación siempre se presenta cuando nuestra resistencia es baja. La lujuria es una posibilidad en la vida de todos, si no protegemos nuestra alma.

La lujuria es el excesivo deseo de gratificar cualquiera de nuestros sentidos, pero aquí me estoy refiriendo al deseo sexual, un espíritu que viene a destruir, tentándote a pensar y a hacer algo que habías decidido no hacer.

Yo fui tentada por un espíritu de lujuria después de cinco años de matrimonio y cuando estaba a punto de iniciar una nueva fase de mi ministerio. Digo "atacada" porque salió de la nada, una atracción repentina, abrumadoramente fuerte, hacia alguien en quien no tenía el menor interés. Era como estar en una ola que me arrastraba mar adentro. Estoy segura que algunas personas interpretarían esto como el destino, el amor, o la pareja perfecta. Yo sabía que no era nada de eso porque estaba segura de que mi matrimonio era la voluntad de Dios para mí, y no quería estar con ninguna otra persona.

Literalmente me arrojé de bruces ante el Señor, le confesé esos sentimientos, reprendí al espíritu de lujuria, y supliqué la liberación de Dios. Luché durante varios días, permaneciendo en la presencia del Señor (oración, alabanza, lectura de la Palabra) mientras él peleaba la batalla. Al despertarme la mañana del tercer día, se había ido completamente. La guerra había terminado, el Señor había vencido, y yo había sido liberada. Si se hubiera prolongado más, hubiera ido a un consejero cristiano con quien orar. Pero me di cuenta que la victoria era completa porque, cuando volví a ver a esa persona, no sentí ninguna atracción. Más bien, pensé: ¿Cómo pude haber tenido esa tentación? No porque ese hombre no fuera atractivo, sino porque solo mi esposo me resulta atractivo.

Confiar en el Señor, no en tu corazón.

La Biblia dice:

> El que confía en su propio corazón es un necio,
> pero el que camina con sabiduría será librado.
> (Proverbios 28:26)

Hubiera sido una necia si en ese momento confiaba en mi propio corazón. Podría haber perdido todo. Ahora sé que el diablo vino a tentarme, y el Señor permitió que fuera puesta a prueba, como lo hizo con Job. Estoy convencida que la decisión que hice determinó el curso de mi vida y el crecimiento de mi ministerio.

Sé por experiencia que el espíritu de lujuria es muy poderoso. Las personas que son débiles en el Señor no tienen fuerza para resistirlo. Pero si nos manejamos adecuadamente, la tentación pondrá en evidencia cualquier debilidad que hubiera en nosotros y nuestro matrimonio. Por ejemplo, yo comprendí que mi esposo y yo habíamos estado demasiado ocupados y no nos había nutrido como pareja. Michael estaba prosperando en su trabajo, viajaba mucho y descuidaba mis necesidades, y yo me sentía insegura y vulnerable. La atmósfera estaba preparada para una jugada del diablo.

Las personas casadas caen en adulterio, y las personas solteras caen en la tentación porque un espíritu de lujuria los tienta con mentiras como:

- Nadie se enterará.
  La verdad es: Dios lo sabe.
- Sé manejarme en esta situación.
  La verdad es: el espíritu de lujuria es demasiado fuerte para que la carne humana lo resista.
- Esto es por diversión, no es en serio.
  La verdad es: Satanás está detrás de un espíritu de lujuria, y él se toma muy serio nuestra destrucción.
- Yo sé lo que hago.
  La verdad es: todo el que está bajo la influencia de un espíritu de lujuria está engañado, de manera que no puede saber lo que hace.

Ten cuidado con ese tipo de pensamientos. Adopta una actitud de vigilancia para protegerte de ese espíritu. Si estás casada, observa estas SEÑALES DE PELIGRO PARA PERSONAS CASADAS:

– Si hay el mínimo indicio de atracción emocional o física por otra persona que no sea mi cónyuge.
– Si no puedo dejar de pensar en esa persona, y fantaseo sobre cómo sería estar con ella en diferentes situaciones (en un restaurante, en un paseo, etc.).
– Tomo decisiones o elijo cómo vestirme, con esa persona en mente.
– Me siento más consciente de mis acciones cuando estoy en su presencia.
– Me desvío de mi camino para estar con esa persona.

– Estoy atenta a lo que esa persona pensará de mi persona o de mis acciones.
– Me muestro particularmente amable con mi cónyuge para que no advierta lo pendiente que estoy de esa persona.
– Fantaseo con lo que sería estar casada con esa persona.
– Siento cierta culpa por mis pensamientos en relación con esa persona.

Si eres soltera, controla las SEÑALES DE PELIGRO PARA PERSONAS SOLTERAS:

– Estoy obsesionada con pensamientos sexuales con cierta persona.
– Siento por esa persona una atracción sexual que temo no poder controlar.
– Pienso en esa persona más como objeto sexual que como hermano (hermana) en el Señor.
– Mi meta principal en relación con esa persona es satisfacer mis necesidades, más que ayudarlo (la) a ser la persona que Dios quiere.
– No puedo confesar ante el Señor mis sentimientos más íntimos hacia esa persona.
– Cuando estoy delante del Señor, los pensamientos acerca de esa persona no me dejan tranquila.
– Acomodo los pasajes bíblicos de manera que justifiquen mis sentimientos por esa persona.
– Dudo de la Biblia si me dice que debe restringir mi relación con esa persona.
– Me aventuro en terreno peligroso, por ejemplo estar sola con esa persona cuando no debería.

Si te pones en contacto con alguien por quien sientes una fuerte atracción sexual, reprende inmediatamente al diablo diciendo: "Te ato Satanás, y me niego a permitir que destruyas mi vida por medio de la tentación. La inmoralidad sexual es un pecado contra Dios, y no quiero tener parte en ello. Por el poder del Espíritu Santo, destruyo cualquier control que el espíritu de lujuria tenga sobre mi vida".

Luego ponte delante del Señor en oración. Y me refiero a arrojarte de rodillas en tu rincón de oración y suplicar la ayuda del Señor: "Señor, confieso la atracción que siento por esa persona, y confieso estos pensamientos sexuales que me vienen a la mente. Perdóname y libérame de ellos. Muéstrame, Señor, por qué crees que Satanás piensa que puede atacarme en esta área. Ayúdame a no ser engañada, y a ver las cosas con claridad. Te alabo, Señor, porque eres más poderoso que cualquier tentación que tenga que enfrentar". Quédate allí en presencia del Señor, alabándolo por su gracia, su amor, y su bondad hasta que sientas que se ha ido la presión.

Si abandonas la presencia del Señor antes de tener la batalla bajo control, podrías pisar terreno peligroso y ser abatida, grave o incluso mortalmente herida. No manipules ese tipo de fuego. Tiene incorporado un explosivo con fuerza para producir daño irreparable.

Después de la caída

Si ya has caído en la trampa de Satanás y has actuado obedeciendo a un espíritu de lujuria, tienes que recibir liberación. No intentes manejarlo por tu cuenta. Busca ayuda. Acude a un consejero, a un terapeuta cristiano, a un pastor, a los ancianos de la iglesia, a un grupo de oración o a un creyente firme que será reservado. Pídeles que oren por tu liberación. Si no lo haces no serás liberada. Después de la liberación, dedica un tiempo extra para la sanidad. Busca ayuda para eso también.

Cada vez que te sientas tentada por ese espíritu, confiésalo a la persona que hayas elegido como consejero. Por ninguna razón te permitas estar sola con la persona por la que te sientes atraída. Es mejor no verla en absoluto; pero si no puedes evitarlo, asegúrate que por lo menos haya otra persona con ustedes todo el tiempo.

Debemos alejarnos incluso de la apariencia de algo malo, lo mismo que con la lujuria. Sabemos en qué momento hemos cruzado de la simple observación al campo de la atracción o el deseo. En ese momento, hasta un encuentro de la mirada puede ser una manifestación del mal. Tienes que decidir ahora que resistirás la lujuria de cualquier manera hasta que desaparezca por completo.

Analiza esta situación de lujuria para saber si surge de problemas en tu matrimonio, ataduras en tu vida, o heridas del pasado. ¿O se trata de un inminente avance en tu ministerio, que destruirá terreno del enemigo? Si es así, se presenta con un espíritu de lujuria (ya sea sexual o de búsqueda de poder, o ambos) para intentar frenarte. Tómalo en serio. Con demasiada frecuencia hemos visto que tiene éxito. La lujuria es una trampa que nos asecha a todos. Niégate a permitirle a Satanás la satisfacción de verte caer en ella.

Qué dice la Biblia acerca de la lujuria

La voluntad de Dios es vuestra santificación: que os apartéis de fornicación; que cada uno de vosotros sepa tener su propia esposa en santidad y honor, no en pasión desordenada, como los gentiles que no conocen a Dios.
1 Tesalonicenses 4:3–5

No os ha sobrevenido ninguna prueba que no sea humana; pero fiel es Dios, que no os dejará ser probados más de lo que podéis resistir, sino que dará también juntamente con la prueba la salida, para que podáis soportarla.
1 Corintios 10:13

Que os abstengáis de los deseos carnales que batallan contra el alma.
1 Pedro 2:11

La justicia libra a los rectos, pero los pecadores son atrapados en su pecado.
Proverbios 11:6

Bienaventurado el hombre que soporta la tentación, porque cuando haya resistido la prueba, recibirá la corona de vida que Dios ha prometido a los que lo aman.
Santiago 1:12

Evitar la trampa de la mentira

La mentira que creemos cuando mentimos a otros es: "Está bien decir esta pequeña mentira porque no hará mal a nadie y nadie sabrá la diferencia". Pero Dios siempre sabe. También sabe que no puedes tener comunión íntima con él ni recuperar tu integridad hasta que su verdad controle tu corazón.

El engaño de mentir es pensar que una mentira va a mejorar las cosas. En realidad, es lo opuesto. Mentir significa que uno se ha alineado con el espíritu de la mentira, que es Satanás. Mentir significa que uno le ha dado a Satanás parte del corazón. Permitir a Satanás que controle parte de nosotros es abrirnos a su reino. Cuanto más mentimos, más nos controla y cuando uno está atado por un espíritu de mentira, ya no puede dejar de mentir. Yo aprendí a mentir de niña porque pensaba que la consecuencia de decir la verdad sería demasiado fea. Además, estaba tan avergonzada de mi vida que mentir era mucho más tolerable que admitir la verdad.

Una de las mentiras que solía decir era acerca de mi edad. En nuestra pequeña ciudad en Wyoming, la única escuela estaba tan atestada que a menos que tuvieras los seis años cumplidos antes del 14 de septiembre, cuando comenzaban las clases, había que esperar hasta el año siguiente para entrar a primer grado. (No existía el Jardín de Infantes). Yo cumplía el 1º de septiembre, de manera que tuve que esperar hasta el año siguiente. Cuando nos mudamos a California el verano anterior a que entrara a cuarto grado, cumplí diez años el día antes del inicio de clases. Todo el mundo en mi clase tenía nueve. Cuando los demás niños lo descubrieron, se burlaban despiadadamente por haber "reprobado un grado".

La próxima vez que nos mudamos, decidí mentir sobre mi edad. Durante la escuela media, la universidad y trabajando en la televisión, seguí mintiendo. El programa de entretenimientos estaba orientado a la juventud, y con el fin de participar a veces eliminaba cinco años de mi edad real. Vivía aterrorizada de que alguien descubriera la verdad. En una oportunidad, cuando alguno lo hizo, me sentí mortificada.

Conocí al Señor, comencé a caminar con él, y comprendí que no podía alinearme a la vez con el autor de mentiras y con el Espíritu de la verdad. Decidí que las personas supieran todo sobre mí para que pudieran aceptarme o rechazarme en base a lo que realmente era. Fue un gran alivio sentirme libre del temor de que la gente descubriera que les mentía y, por lo que sé, nadie jamás me rechazó por mi edad. Tu sentimiento de autoestima se eleva rápidamente cuando sabes que vives en la verdad.

La mentira como un medio de supervivencia

Las personas que han sido emocional o físicamente abusadas aprenden a mentir para protegerse o para sentirse mejor. Aunque esa manera de mentir es comprensible, sigue siendo engaño, y puede llevar a un desequilibrio emocional e incluso a la enfermedad mental. Las mentiras comienzan a ser tan reales para la persona que las dice que hasta ella las cree.

Eso fue lo que le ocurrió a mi madre. Cuando tenía once años, su mamá murió de manera trágica y repentina. Como su padre no podía cuidarlas, ella y sus dos hermanas fueron enviadas a vivir en diferentes lugares. Cuando finalmente mi madre se sintió parte de otra familia, el padre de esa nueva familia se suicidó. Las muertes de la madre y de este padre adoptivo algunos años después fueron tan traumáticas que nunca se recuperó.

Muchas veces me dijo que era responsable de esas dos muertes. Había discutido con su madre la noche anterior al día que entró al hospital y falleció. La culpa y el remordimiento la persiguieron el resto de su vida. También pensaba que su padre adoptivo se había suicidado porque ella había ido a vivir con ellos durante los años de la gran depresión, y era una carga extra. La culpa de mi madre le era insoportable, de manera que creó un mundo propio, en el que las mentiras se convirtieron en su realidad y jamás tenía que enfrentar la verdad. Si hubiera tenido buena terapia cristiana, o por lo menos una familia que orara por ella durante ese tiempo traumático, tal vez hubiera sido librada de la tragedia de la enfermedad mental. Fue un caso extremo del resultado de un espíritu de mentira. La Biblia dice:

> Amontonar tesoros por medio de la mentira
> es fugaz ilusión de aquellos que buscan la muerte.
> (Proverbios 21:6)

¿Cómo podríamos decirlo más claro? Las consecuencias de decir la verdad con seguridad son mejores que la muerte.

Si temes caer en la trampa de la mentira, debes confesar cada mentira a Dios de inmediato. El momento que descubres que has mentido di: "Señor, confieso que he mentido y al hacerlo me he alineado con el diablo. Satanás, te reprendo. Me niego a participar de tu engaño y de tu maldad, y ordeno a tu espíritu de mentira a alejarse en el nombre de Jesús". Te alabo Señor porque eres el Dios de la verdad y tienes el poder para hacer nuevas todas las cosas.

Luego, sumérgete en la verdad de Dios, su Palabra. Pídele al espíritu de verdad, el Espíritu Santo, que fluya en ti y te limpie de toda mentira. Pídele a Dios que te muestre cualquier otra mentira que estés viviendo o diciendo. Recuerda que mentir te priva de disfrutar de relaciones sanas (Proverbios 26:28), y te separa de la presencia de Dios: "No habitará dentro de mi casa el que hace fraude; el que habla mentiras no se afirmará delante de mis ojos" (Salmo 101:7). No puedes tener salud emocional ni felicidad sin la presencia de Dios en tu vida.

Recuerda que cada mentira de tus labios significa que has dado parte de tu corazón al diablo que llena ese espacio con confusión, enfermedades mentales y hasta con la muerte. No le des el gusto. En lugar de eso, escoge la verdad.

Qué dice la Biblia acerca de la mentira

Nunca se aparten de ti la misericordia y la verdad:
átalas a tu cuello,
escríbelas en la tabla de tu corazón
y hallarás gracia y buena opinión ante los ojos de Dios y de los hombres.
Proverbios 3:3–4

Los labios mentirosos son abominables para Jehová,
pero le complacen quienes actúan con verdad.
Proverbios 12:22

¡Libra mi alma, Jehová, del labio mentiroso
y de la lengua fraudulenta!
Salmo 120:2

La lengua falsa atormenta al que ha lastimado.
Proverbios 26:28

¡Se deshace mi alma de ansiedad; susténtame según tu palabra!
Aparta de mí el camino de la mentira
Y en tu misericordia concédeme tu Ley.
Salmo 119:28–29

Evitar la trampa del perfeccionismo

La mentira que creemos cuando luchamos por lograr la perfección es: "Tengo que ser perfecto para ser aceptable para mí y para los demás". En realidad, cuanto más tratamos de ser perfectos, más incómodos se sienten los demás. La gente no busca la perfección, busca amor. Nuestro amor por Dios y por los otros nos hace aceptables para todos, incluso para nosotros mismos. El engaño del perfeccionismo es pensar que algún otro que no sea Dios pueda ser perfecto.

Durante años no escribía nada para la gente ni cantaba nada para que otros escucharan, porque sabía que lo que escribía y cantaba no era perfecto. Tampoco invitaba a otros a casa a comer porque mi casa y mi comida no eran perfectas. No me encontraba con otros porque no me sentía perfecta. Vivir todos los días con la presión de la perfección casi me sofocaba.

Perfectos en el amor

En una oportunidad escribí un artículo para una revista en el que decía: "Dios nunca nos pide que seamos perfectos, sencillamente nos pide que demos pasos en obediencia". Alguien me escribió después preguntándome cómo podía decir eso si Mateo 5:48 dice: "Sed, pues, vosotros perfectos, como vuestro Padre que está en los cielos es perfecto".

En un artículo de respuesta escribí que la definición de perfecto en el diccionario es: "Completo en todo sentido, intachable, impecable, sin defecto, en condición de completa excelencia". Si usamos esa definición, Jesús está diciendo "Deben ser intachables, impecables, sin defecto, completamente excelentes, ¡y deben serlo ahora!"

Las personas que sienten que Dios espera ese nivel de desempeño se cargan de mucha presión. Y se sienten fracasados cuando no lo alcanzan. Pero la buena noticia es que la Palabra de Dios no dice eso en absoluto.

Según *El Diccionario Expositivo de Palabras del Antiguo y del Nuevo Testamento* de W. E. Vine, la palabra perfecto en la Biblia significa "habiendo llegado a la meta, acabado o completo"; en otras palabras, alcanzar nuestro pleno potencial, y ser todo aquello para lo que Dios nos ha hecho.

La Biblia también dice que nacimos en pecado; la perfección no es algo inherente a nosotros. El apóstol Pablo reconoció su incapacidad de ser perfecto en términos humanos cuando dijo: "No que lo haya alcanzado ya, ni que ya sea perfecto" (Filipenses 3:12). En lugar de eso, seguía intentando, reconociendo que la fuerza de Dios se perfeccionaba en su debilidad (2 Corintios 12:9).

Entonces, ¿qué quiere decir Jesús cuando dice "Sean perfectos como su Padre celestial"? Ese versículo es parte de un pasaje de las escrituras que dice "Oísteis que fue dicho: 'Amarás a tu prójimo y odiarás a tu enemigo' pero yo os digo: amad a vuestros enemigos, bendecid a los que os maldicen, haced bien a los que os odian y orad por los que os ultrajan y os persiguen" (Mateo 5:43–44).

El pasaje continúa diciendo que si amamos como Dios ama, seremos perfectos, como nuestro Padre celestial es perfecto. En otras palabras, si en todo lo que hacemos nos motiva el amor a Dios, que a su vez redunda en amor por los otros, seremos perfeccionados. *Ser perfecto tiene que ver con una condición del corazón.*

Un día, mi hija de seis años, que sabe lo mucho que me gustan las flores, cortó de nuestro jardín del fondo rosas para mí. Cuando estaba sacando mi florero favorito de la estantería, se le cayó al piso y se partió en mil pedazos. Ella se sintió desolada, y lo mismo yo, pero no la castigué porque reconocí que su corazón era perfecto, incluso cuando su desempeño no lo había sido. Estaba haciendo todo eso por amor, aunque no lo hubiera podido lograr perfectamente. La perfección que Dios espera de nosotros es de este tipo. Un corazón puro en amor a Dios es un corazón que desea obedecerlo. Dios sabe que nuestras acciones nunca podrán ser cien por cien perfectas. Por eso envió a Jesús. Por medio de Jesucristo nos ha dado acceso a la perfección que solo él puede proveer. Nuestro corazón puede ser perfecto aunque nuestras acciones no lo sean.

Oswald Chambers dice: "El único y maravilloso secreto de una vida santa no radica en imitar a Jesús sino en permitir que la perfección de Jesús se manifieste en nuestro cuerpo mortal [...] En Jesús está la perfección de todo, y el misterio de la santificación es que todas las perfecciones de Jesús están a nuestra disposición" (*En pos de lo supremo*, p. 149 del libro en inglés). Esa es la única perfección que deberíamos desear.

Los que hemos sido abusados de niños somos penosamente conscientes de nuestras imperfecciones. Necesitamos saber que Dios no espera que seamos perfectos en nuestro desempeño sino en nuestro corazón. Tenemos que saber que Dios ya nos ve perfectos cuando mira nuestro corazón y ve a Jesús allí. Si no entendemos eso, estaremos luchando indefinidamente por lo inalcanzable y finalmente renunciaremos al sentir que nunca podremos ser lo que "debemos".

En nuestra carne luchamos por tener éxito. Creemos que valemos algo cuando ganamos, y que no valemos cuando perdemos. Lo que exigimos de nosotros siempre tiene un límite. Pero Dios dice que él quiere hacer con nosotros algo que va más allá de la excelencia humana. Nos elevaremos hasta el nivel y el grado en que sintamos su amor en nuestra vida. Es por eso que ahora puedo invitar gente a mi casa, cocinar para ello, conversar, y escribir. No tengo que preocuparme por ser perfecta porque la perfección de Cristo se manifiesta en el amor de Dios que fluye a través de mí.

Cuando mires al espejo y veas la excelencia de Jesús reflejada allí, recién entonces tendrás un sentido de tu verdadero valor. La verdadera transformación se da a medida que adores al Señor en y por su perfección.

QUÉ DICE LA BIBLIA ACERCA DE LA PERFECCIÓN

Pero Cristo, habiendo ofrecido una vez para siempre un solo sacrificio por los pecados, se ha sentado a la

diestra de Dios. Allí estará esperando hasta que sus enemigos sean puestos por estrado de sus pies. Y así, con una sola ofrenda hizo perfectos para siempre a los santificados.
Hebreos 10:12–14

Nosotros anunciamos a Cristo, amonestando a todo hombre y enseñando a todo hombre en toda sabiduría, a fin de presentar perfecto en Cristo Jesús a todo hombre.
1 Colosenses 1:28

No que lo haya alcanzado ya, ni que ya sea perfecto; sino que prosigo, por ver si logro asir aquello para lo cual fui también asido por Cristo Jesús.
Filipenses 3:12

Pero el Dios de toda gracia, que nos llamó a su gloria eterna en Jesucristo, después que hayáis padecido un poco de tiempo, él mismo os perfeccione, afirme, fortalezca y establezca.
1 Pedro 5:10

Dios es el que me reviste de poder
y quien hace perfecto mi camino.
Salmo 18:32

Rechazar la trampa del orgullo

La mentira que creemos cuando tenemos orgullo es "Tengo el control de mi vida, soy importante, y puedo hacer que las cosas ocurran como yo quiero". Lo opuesto, que es la humildad, dice: "Sin Dios no soy nada, pero puedo hacer todas la cosas por medio de Cristo que me fortalece".

El engaño del orgullo es pensar que nuestra voluntad es más importante que la voluntad de Dios. Esa fue el motivo de la caída de Satanás. No quiso reconocer a Dios ni hacer las cosas a la manera de Dios. Sus últimas palabras antes de ser echado del cielo fueron: "En lo alto, junto a las estrellas de Dios, levantaré mi trono" (Isaías 14:13). Era perfecto antes de que el orgullo anidara en su corazón y decidiera que la voluntad de Dios no era tan importante como la suya.

Por extraño que parezca, el orgullo es uno de los principales problemas para cualquiera que haya sido emocionalmente dañado. Está tan oculto adentro y cubierto por sentimientos de baja autoestima, que es difícil de detectar. Yo siempre pensé que no tenía orgullo. De hecho, me jactaba de eso. Pero no era cierto. Cuando trabajaba como animadora en la televisión, le tenía miedo al fracaso más de lo que ansiaba el éxito. Ese miedo al fracaso no era humildad; era orgullo. Pensaba que merecía destacarme. Pero el orgullo me hizo más susceptible al fracaso, porque carecía de la ayuda de Dios.

"Dios resiste a los soberbios
y da gracia a los huidles" (Santiago 4:6)

El orgullo lleva a la muerte porque no deja lugar a la gracia de Dios.

Una máscara para el temor

El orgullo tiene su origen en el temor de no valer como persona. Como reacción a los golpes y a las cicatrices de la vida, el orgullo dice: "Tengo que ser algo grande porque temo no ser nada". En el extremo opuesto está el pensamiento: "Si no puedo ser el mejor, entonces seré el peor. Si no puedo hacer que la gente me ame, haré que me odie". Las cárceles están llenas de gente que en su momento pensó así.

Tener autoestima es saber que uno vale a los ojos de Dios, y eso produce humildad. Cuanto más fuertes y espiritualmente saludables somos, más reconocemos que sin Dios no somos nada. Es Dios quien nos da nuestro valor: "El que se cree ser algo, no siendo nada, a sí mismo se engaña" (Gálatas 6:3). Proverbios 3:7–8 dice:

No seas sabio en tu propia opinión,
sino teme a Jehová y apártate del mal,
porque esto será medicina para tus músculos
y refrigerio para tus huesos.

Requiere mucha sanidad pasar de sentirse nada a aceptar el valor en Jesús y luego admitir que, lejos de Dios, uno es, efectivamente, nada. Pero cuando uno logra hacer eso, será Dios en uno el que lo lleve a la grandeza.

Uno de los engaños peligrosos del orgullo es pensar que no lo tenemos. No importa quién soy ni cuánto hace que conozco al Señor, si no estamos atentos el orgullo se filtra en nuestra vida. Sigue creciendo a menos que lo rechacemos. Adorar al Señor es una de las mejores maneras de derrotar al orgullo, porque no podemos alabar al Señor del universo y seguir creyendo que lograremos hacerlo todo sin su ayuda. Pídele a Dios que te dé un corazón humilde. Él te lo dará.

Qué dice la Biblia acerca del Orgullo

Antes del quebranto está la soberbia,
y antes de la caída, la altivez de espíritu.
Proverbios 16:18

"Se han humillado, no los destruiré, sino que los salvaré en breve".
2 Crónicas 12:7

El de ánimo altanero suscita contiendas,
pero el que confía en Jehová prosperará.
Proverbios 28:25

La soberbia del hombre le acarrea humillación,
pero al humilde de espíritu lo sustenta la honra.
Proverbios 29:23

Abominable es para Jehová todo altivo de corazón.
Proverbios 16:5

Rechazar la trampa de la rebelión

La mentira que creemos cuando nos rebelamos contra Dios es: "Creo que esto es bueno para mí, y lo haré, no importa lo que diga Dios ni cualquier otro". La rebelión está íntimamente relacionada con el orgullo: es preferir la propia voluntad a la voluntad de Dios. El engaño de la rebelión es pensar que nuestro camino es mejor que el de Dios. La rebelión es el orgullo en acción.

La Biblia dice: "Como pecado de la adivinación es la rebelión" (1 Samuel 15:23). La adivinación es, por supuesto, la total oposición a Dios. El mismo pasaje dice que la obstinación es idolatría. La obstinación nos mantiene en rebelión. Hay un ídolo en la vida de todo el que anda obstinadamente en rebelión, e identificarlo y aplastarlo es la llave para volver a alinearse con Dios.

Antes de entregar nuestra vida a Jesús, todos vivimos en rebelión, pero la rebelión también se puede dar después de haber recibido al Señor, aunque llevemos una vida según la voluntad de Dios y vivamos en obediencia. En realidad, podemos caer en rebelión sin siquiera darnos cuenta.

Una de las formas más comunes es la apatía espiritual. Todos tenemos conciencia del mal si asaltamos un negocio de bebidas alcohólicas, cometemos un asesinato o estamos en adulterio. Pero no es tan claro para nosotros cuando se trata de reconocer que nos hemos alejado de la corriente del Espíritu de Dios.

Hace algunos años tuve una cirugía correctiva de una herida de la infancia. Las instrucciones del médico fueron: "Quédate en casa durante dos meses, y no levantes nada, no te dobles, no camines, no hagas ejercicios ni movimientos rápidos ni te esfuerces".

Las dos primeras semanas estaba demasiado débil como para leer la Biblia mucho tiempo y orar en profundidad, de manera que hice algo que nunca hago: mirar mucha televisión y ojear muchas revistas no cristianas. Eso no era objetable, pero los mensajes que recibía eran del mundo, y me decían cómo pensar, cómo mirar, comprar y vender, y cómo organizar mi matrimonio y mi hogar.

Cuando terminó mi convalecencia, lentamente hice el esfuerzo de volver a mi rutina normal. Pero las cosas habían cambiado. Ya no leía tanto la Biblia, y estaba demasiado atareada como para ocuparme de orar, y lo hacía mientras corría. Al poco tiempo estaba haciendo las cosas por mi propio esfuerzo, en vez de vivir con el sostén y la guía del Señor.

Lentamente comencé a tomar decisiones sin recurrir a Dios. No me daba cuenta que lo hacía, pero el fruto de esas decisiones (tal vez debería decir la falta de) me lo demostró. Lo que parecía correcto me llevó a la rebeldía, porque empecé a servir a mis propios intereses.

Apatía espiritual

Una vez que hemos conocido al Señor y caminamos en su voluntad, el peligro es que creemos saberlo todo. Hemos leído la Biblia, estamos recibiendo las bendiciones, y ahora creemos que podemos dejar que las cosas sigan su curso libremente. Nos volvemos perezosos en lo que ya hemos aprendido a hacer. La asistencia a la iglesia deja de ser una prioridad, nos permitimos aflojar y mirar para otra parte cuando ciertos pasos de obediencia se quedan a mitad de camino, y mientras tanto el enemigo nos asecha por el costado que no vemos.

Se han perdido muchas batallas por ese tipo de rebelión. Lo que ocurre es que no lo llamamos rebelión; los cristianos experimentados lo llamamos "madurez". Pero después del hecho lo llamamos "estupidez". Todos estamos expuestos a la apatía espiritual, y por eso "es necesario que con más diligencia atendamos a las cosas que hemos oído, no sea que nos deslicemos" (Hebreos 2:1).

¿Te parece que estás cayendo en rebeldía por andar a la deriva espiritualmente? Hay una serie de señales de advertencia que pueden prevenirte. Controla periódicamente si las siguientes afirmaciones se aplican a ti.

- Estoy permitiendo que fuentes externas como la televisión, las revistas, las películas y los libros me guíen más de lo que lo hace el Espíritu Santo.
- Lo que dicen mis amigos influye en mí más de lo que me dice el Señor.
- Me estoy debilitando espiritualmente porque no me alimento diariamente con la Palabra de Dios ni celebro en su presencia con alabanza y oración.
- Estoy comenzando a creer que lo sé todo, de manera que no tengo motivo para ir a la iglesia ni a los estudios bíblicos.
- He comenzado a hacer algunas cosas que antes evitaba; ignoro lo que he aprendido que es correcto, en busca de una experiencia nueva.
- He comenzado a tomar decisiones a partir de lo que siento que es correcto, en lugar de buscar consejo.
- No he consultado al Señor sobre esta compra importante pero es algo que siempre he deseado, así que debe ser la voluntad de Dios.
- No hice nada malo, de modo que no necesito pedirle a Dios que me revele algún pecado inconfesado.

Si has marcado algún punto arriba, arrepiéntete y llévalo ante el Señor de inmediato para que puedas salir del camino que lleva a la destrucción.

Andar en la voluntad de Dios

La Biblia dice:

Hay camino que al hombre le parece derecho,
pero es camino que lleva a la muerte. (Proverbios 16:25)

Algo puede parecer correcto, pero ser totalmente equivocado. Jamás podemos definir por nosotros mismos el camino correcto, porque solo Dios lo conoce. Debemos buscar a Dios para encontrar el centro de su voluntad, porque solo así podemos estar realmente seguros. Caminar en su voluntad es lo opuesto a caminar en rebeldía.

Cuando Michael y yo éramos novios, me preocupaba el riesgo de tomar en mis manos nuestra relación y arruinarlo todo. Una y otra vez oraba para que Dios me mantuviera dentro de su voluntad en todos los aspectos de la relación. No quería cometer otro error como me había ocurrido en mi primer matrimonio.

Hacía todo lo posible por no manipular el resultado de lo que pensaba podía ser conveniente para mí. Por ejemplo, Michael dejó de llamarme por un tiempo, pero yo resistí la tentación de tratar de contactarlo, no importa lo sola que me sintiera. No lo busqué activamente aunque el deseo de mi corazón era que la relación funcionara. Cuando finalmente me pidió que me casara con él, estuve segura que era un indicador del Señor y no el resultado de alguna astuta maniobra de mi parte.

La clave para encontrar la voluntad de Dios, en este caso, fue entregar la situación completa y continuamente al Señor, orar, alabarlo por su perfecta voluntad en mi vida, y luego esperar que él me respondiera. Estar en el centro de la voluntad de Dios genera gran seguridad y confianza, porque hay algo maravilloso en saber que uno está exactamente donde debe estar. Es un lugar garantizado de seguridad y de paz.

Andar en la voluntad de Dios también hace más fácil la vida. Oswald Chambers dice: "Si luchamos en nuestra propia fuerza, destruimos la simplicidad y la tranquilidad que debieran caracterizar a los hijos de Dios" (*En pos de lo supremo*, p. 159 del libro en inglés). Esto no significa que en el centro de la voluntad de Dios no habrá tormentas. También allí surgen problemas. Pero en medio de ellos, habrá una sencilla y serena paz que sobrepasa todo entendimiento.

La maldad de Jerusalén es un importante ejemplo de rebeldía contra la voluntad de Dios. Cuatro cosas llevaron a su caída:

- No obedeció la voz de Dios.
- No aceptó su corrección.
- No confió en el Señor.
- No buscó la proximidad de Dios. (Sofonías 3:1–2)

Tenemos que juzgarnos a nosotros mismos con esos parámetros. Debemos obedecer y estar siempre dispuestos a la corrección. Debemos tener fe en Dios y en su Palabra. Y debemos buscar su presencia constantemente en oración, alabanza, y comunión con él.

La voluntad de Dios es mucho mayor que cualquier detalle de nuestra vida. Si algunas veces no llegamos a la meta, eso no nos condena para siempre a vivir lejos de lo que Dios tiene para nosotros. Si sabes que a causa de la rebeldía no has alcanzado las expectativas, somete cada esfera de tu vida otra vez al Señor, y por su gracia te pondrá nuevamente en dirección a la meta.

Pídele a Dios con frecuencia que te muestre si hay alguna rebeldía en tu vida, y confiésala a medida que te sea revelada. De lo contrario nunca podrás percibir la plena bendición de Dios para ti.

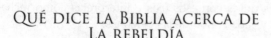

QUÉ DICE LA BIBLIA ACERCA DE LA REBELDÍA

Si queréis y escucháis,
comeréis de lo mejor de la tierra;
si no queréis, y sois rebeldes,
seréis consumidos a espada.
Isaías 1:19–20

¡Caigan por sus mismas intrigas!
Por la multitud de sus transgresiones échalos fuera,

porque se rebelaron contra ti.
Salmo 5:10

Algunos moraban en tinieblas
y en sombra de muerte,
aprisionados en aflicción y en hierros,
por cuanto fueron rebeldes a las palabras de Jehová,
y aborrecieron el consejo del Altísimo.
Por eso quebrantó con el trabajo sus corazones;
cayeron, y no hubo quién los ayudara.
Salmo 107:10-12

Pero te provocaron a ira
y se rebelaron contra ti [. . .]
Entonces los entregaste en manos de sus enemigos
los cuales los afligieron.
Nehemías 9:26–27

Evitar la trampa del rechazo

La mentira que creemos cuando nos sentimos rechazados es: "No valgo nada, por lo tanto es entendible que me rechacen". Un espíritu de rechazo te convence de que serás rechazada, y entonces miras con esos ojos e interpretas como rechazo cada palabra y cada acción de las personas.

Todos hemos sido rechazados alguna vez: por un miembro de la familia, por un amigo, un maestro, un desconocido, o alguien a quien conocimos de manera casual. Cuando estamos emocionalmente sanos, un incidente de ese tipo no nos afecta demasiado. Podemos ponerlo en perspectiva y desecharlo. Pero si tenemos profundas heridas emocionales a causa de reiterados incidentes de rechazo, el mínimo contratiempo se siente como una cuchillada en el corazón.

Mi primer recuerdo de rechazo es estar encerrada en un armario por obra de mi madre. Si hubiera sido un incidente aislado, tal vez no hubiera sido tan malo. Pero no lo era. Como resultado de eso crecí sintiéndome rechazada, y ese sentimiento aumentó hasta que ninguna dosis de estímulo lograba superarlo.

Me convertí en alguien que siempre estaba tratando de rendir más de lo esperado para lograr aprobación. Me esforzaba para que la gente me tuviera en cuenta y dijera que había hecho un buen trabajo. Cuando lo hacían, el grato sentimiento duraba apenas un instante. Estaba segura que si las personas sabían realmente la verdad sobre mí y sobre mis limitaciones, no tendrían esa opinión favorable.

Hace pocos años me encontré con el mejor amigo de un joven con quien había salido durante un tiempo prolongado, cuando trabajaba en la televisión. Hablamos brevemente sobre los viejos tiempos y sobre mi ex novio.

—Ron quedó desolado cuando de repente cortaste la relación—me dijo.

—¿De veras? —pregunté sorprendida—. Pensé que no le había importado tanto y que era mejor que cada uno siguiera con su vida.

—No —dijo él —. Sentía que tú eras la mujer ideal para él. En realidad pensaba pedirte que te casaras con él ese verano. Nunca pudo entender por qué cortaste la relación.

Yo quedé desconcertada. No porque hubiera querido quedarme con Ron o porque pensara que había cometido un estúpido error al dejarlo, sino que estaba sorprendida de la forma en que mis sentimientos de rechazo me habían enceguecido.

Años después que Michael y yo nos casáramos, nuestra relación llegó a un punto muerto por la falta de comunicación, de manera que buscamos ayuda.

—Ustedes han dejado que un espíritu de rechazo tiñera todo lo que se dicen —nos dijo Tim Davis, nuestro consejero matrimonial y pastor asistente de nuestra iglesia—. Cada vez que uno de ustedes hace o dice algo, un espíritu de rechazo lo interpreta. Tienen que aprender a relacionarse entre sí no esperando el rechazo ni escuchándolo, sino esperando la aceptación y recibiéndola.

Nunca había pensado en el rechazo como un espíritu, pero cuanto más reflexionaba en lo que nos había dicho Tim, más comenzaba a identificar ese espíritu en mí. Yo interpretaba las largas horas de trabajo de Michael y el tiempo que pasaba afuera como un rechazo hacia mí. Cuando él iba a jugar al golf con amigos, también lo interpretaba como rechazo. Cuando se mostraba brusco conmigo lo interpretaba como rechazo, en lugar de atribuirlo a que estaba bajo presión. Mis respuestas se originaban en mi propio sentimiento de rechazo.

—El rechazo es un espíritu que tiene que ser alimentado para seguir vivo —continuó Tim—. Y para matarlo hay que hacerlo pasar hambre. Se alimenta de pensamientos negativos acerca de uno mismo. Se lo deja pasar hambre negándonos a darle la comida destructiva que necesita; y en lugar de ello debemos nutrirnos y construirnos del amor y la aceptación de Dios.

—No es que el poder de ese espíritu sea mayor que el poder del Señor para sacarlo, pero no puedes ser liberada de algo a lo que tú misma estás dando lugar. Si alimentas a un perro perdido, se quedará. Si alimentas a un espíritu de rechazo, también se quedará. La mejor manera de hacer morir de hambre a un espíritu de rechazo es llenarnos con el conocimiento de la aceptación de Dios.

Nos envió a casa con la tarea de buscar todos los pasajes en la Biblia que hablaran de la aceptación de Dios. Reunimos una larga lista en las semanas siguientes. Para la sexta y última semana de nuestra consulta, teníamos una mayor comprensión del amor de Dios y de cómo recibirlo. Tim oró por cada uno de nosotros para que fuéramos liberados del espíritu de rechazo, y nuestra relación nunca volvió al mismo grado de incomunicación.

Vivir como un elegido

Si hay un pecado detrás de cada espíritu malo, entonces el pecado detrás de un espíritu de rechazo es no creer que Jesús murió por ti. Incluso si has nacido con un espíritu de rechazo por una maldición familiar, por ejemplo tener un padre que no te quería o una madre que intentó abortar, el poder de ese espíritu del mal se puede romper en el instante que recibes a Jesús y crees que murió por ti.

Uno de los pasajes de la Biblia que encontré cuando hacía la tarea asignada por Tim Davis fue "yo os elegí del mundo" (Juan 15:19). Comprender que no fuimos nosotros quienes lo elegimos, sino que él nos eligió a nosotros fue muy liberador. En la cruz, Jesús fue rechazado por Dios. Porque Jesús llevó sobre sí el pecado del mundo, Dios, que es santo, no podía contemplar a alguien que no fuera santo. Porque Jesús soportó ese rechazo, nosotros no tenemos que vivir en rechazo. Podemos vivir como los elegidos que somos.

Cuando leí por primera vez en la Biblia que el Buen Pastor dio su vida por sus ovejas, pensé en la Ciencia de la Mente y en otras religiones orientales que había seguido en el pasado. Nadie, en ninguna de ellas, había dado su vida por mí. Nadie había cargado con mi rechazo para que yo pudiera estar libre de él. Nadie había pagado por mis errores. Esas religiones decían "Hazlo tú misma". Eso me sonaba bien porque yo había aprendido que de todos modos no podía contar con nadie. Pero por mucho que lo intentara, nunca pude cambiarme a mí ni a mis circunstancias.

En una oportunidad escuché a Jerry Cook, un pastor talentoso, describir la forma en que Dios nos ve. Dijo: "Dios nos ve a través de nuestro futuro, nosotros nos vemos a través de nuestro pasado". Miramos nuestros fracasos y lo que somos al momento. Dios nos mira de acuerdo a aquello para lo cual nos hizo. Dios ve el resultado final. Si lo pensamos así, es más fácil entender la aceptación de Dios.

Las personas que han sido rechazadas toda su vida, especialmente por parte del padre o de la madre, pueden aceptarse más fácilmente cuando comprenden que Dios las acepta tal como son. Pero no las dejará así. Porque nos ama, nos ayudará a ser todo aquello para lo cual nos creó. Si algo debe ser cambiado, Dios nos cambia a medida que nos sometemos a él.

Cuando sientes la luz roja del rechazo parpadeando en tu mente por alguna palabra o acción que alguien ha dicho o hecho, recuerda que la voz de Dios siempre te alienta. La voz del diablo siempre te desalienta. Si no puedes ver nada bueno en ti, es porque el diablo hace que tu pasado te impida ver tu futuro.

Cada vez que sientas el rechazo, niégate a aceptarlo, no importa cuánto desee tu carne estar de acuerdo con eso. Di: "Espíritu de rechazo, ¡yo te rechazo a ti! Dios me acepta y me ama tal como soy. Incluso si nadie más en el mundo pudiera aceptarme, sé que él sí lo hace. Me niego a vivir en el dolor del rechazo. Dios me ha elegido y yo elijo vivir en la total aceptación del Señor. Gracias, Dios, por amarme, te alabo, Señor, por transformarme en aquello para lo cual me creaste".

Ábrete al amor y a la aceptación de Dios y acéptalos para ti. Tu salud emocional depende de ello.

Qué dice la Biblia acerca de El rechazo

Porque te tomé de los confines de la tierra,
de tierras lejanas te llamé
y te dije: "Mi siervo eres tú;
te escogí, y no te deseché.
No temas, porque yo estoy contigo;
no desmayes, porque yo soy tu Dios que te esfuerzo;
siempre te ayudaré,
siempre te sustentaré con la diestra de mi justicia.
Isaías 41:9-10

El Señor no rechazará a su pueblo;
no dejará a su herencia en el abandono.
Salmo 94:14, NVI

Porque tú eres pueblo santo para Jehová, tu Dios; Jehová, tu Dios, te ha escogido para que le seas un pueblo especial.
Deuteronomio 7:6

Dios os haya escogido desde el principio para salvación, mediante la santificación por el Espíritu y la fe en la verdad.
2 Tesalonicenses 2:13

Pues Jehová no desamparará a su pueblo, por su gran nombre; porque Jehová ha querido haceros pueblo suyo.
1 Samuel 12:22

EVITAR LA TRAMPA DEL EGOÍSMO

La mentira que creemos cuando somos egoístas es: "No importa lo que quieran los demás porque no hay nada más importante que lo que yo quiero, lo que yo necesito, y lo que yo siento." El engaño principal es creer que "Mis necesidades tienen que ser satisfechas a toda costa". Esto siempre provoca conductas destructivas. Todos tenemos inclinación a ser egoístas por nacimiento, pero si nos educan bien, aprendemos a amar y a dar. De lo contrario, la preocupación por el yo es una de las armas del diablo destinadas a paralizarnos. Por ejemplo, si logra que estemos tan ocupados con la imagen que damos a los demás, no podemos funcionar bien, y entonces toma el control de nuestra vida.

Las personas emocionalmente dañadas en su niñez con frecuencia terminan centradas en sí mismas de una manera negativa. Comienzan pensando: "Pobre de mí. Siempre me pasa lo peor". Cuando repites día tras día la desgracia, te abres a un espíritu del mal. Este espíritu de autocompasión te hace sentir mal contigo misma por todo y durante todo el tiempo. El menor incidente negativo, como perder las llaves del automóvil o torcerse un tobillo, se convierte en señal de que Dios no está de tu parte.

Oswald Chambers dice: "Cuidado con permitir que el exceso de conciencia de uno mismo continúe indefinidamente, porque poco a poco despertará la autocompasión, y esta es satánica. (*En pos de lo supremo,* p. 170 del libro en inglés). La autocompasión es obra del diablo, que está decidido a robarte la vida para destruirte. Recuérdalo. Puede parecer justificado sentir pena por nosotros mismos, por las cosas malas que nos pasaron, pero aceptar sentirse así todo el tiempo significa que ignoramos el poder de Dios en nuestra vida.

Centrarse en Dios

Lo opuesto de enfocar hacia adentro del yo es enfocar hacia afuera, hacia Dios. Oswald Chambers dice: "La meta del santo no es la autorrealización, es el conocimiento de Jesucristo" (*En pos de lo supremo,* p. 140 del libro en inglés). ¡Qué diferente de lo que el mundo promueve hoy! Equivocadamente creemos que concentrarnos en nosotros mismos contribuirá más a nuestra felicidad e integridad, cuando en realidad ocurre lo contrario. Estar concentrado en uno mismo conduce a la enfermedad mental. En lugar de estar llenos de pensamientos de lo que queremos y sentimos, debemos estar llenos del Señor y agradecidos de que él satisface todas nuestras necesidades mejor de lo que nosotros podríamos hacerlo.

Para lo que sí debemos enfocarnos en nosotros mismos es para hacer un autoanálisis y comprobar si estamos viviendo y pensado como Dios quiere que lo hagamos. Eso debemos hacerlo en la presencia del Señor porque él es el único que puede revelarnos la verdad de una manera que convence pero no condena.

Todo nuestro enfoque debe estar en Dios. La Biblia dice: "De sus caminos se hastía el necio de corazón, pero el hombre de bien estará contento con el suyo" (Proverbios 14:14).

La mejor manera de concentrarnos en Dios es agradecerle continuamente por todo lo que nos ha dado, alabarlo por todo lo que ha hecho, y adorarlo por todo lo que es él. Es imposible estar pendiente de uno mismo, u obsesionado con uno mismo, mientras se glorifica a Dios de esa manera.

Además, declara en voz alta que no pecarás con tu mente. Di: "Me niego a pensar solo en lo que necesito, quiero y siento. Me niego a tener lástima y quejarme del pasado, del presente y del futuro. Me niego a convertirme en una ególatra, llena de pensamientos sobre mí misma. Elijo pensar en ti, Señor, y en tu bondad. Recurro a ti para todas mis necesidades. Tú las conoces mejor que yo. Comprendo que no es la confianza en mí misma lo que hará que ocurran las cosas que anhelo, sino la confianza en ti".

Evita la trampa de estar centrada en ti misma y concéntrate en el Señor, con acción de gracias y alabanzas al Creador. Tu salud emocional depende de ello.

Qué dice la Biblia acerca de el egoísmo

Con Cristo estoy juntamente crucificado, y ya no vivo yo, mas vive Cristo en mí; y lo que ahora vivo en la carne, lo vivo en la fe del Hijo de Dios, el cual me amó y se entregó a sí mismo por mí.
Gálatas 2:20

Examinaos a vosotros mismos, para ver si estáis en la fe; probaos a vosotros mismos. ¿O no os conocéis a vosotros mismos? ¿No sabéis que Jesucristo está en vosotros? ¡A menos que estéis reprobados!
2 Corintios 13:5

Pero vosotros, amados, edificándoos sobre vuestra santísima fe, orando en el Espíritu Santo,

conservaos en el amor de Dios, esperando la misericordia de nuestro Señor Jesucristo para vida eterna.
Judas 20–21

Muchos pensamientos hay en el corazón del hombre, pero el consejo de Jehová es el que permanece.
Proverbios 19:21

Como ciudad destruida y sin murallas
es el hombre que no pone freno a su espíritu.
Proverbios 25:28

Evitar la trampa del suicidio

La mentira que creemos cuando contemplamos la posibilidad del suicidio es: "No hay salida." Primero pensamos que nuestra situación es desesperada; luego aceptamos la siguiente mentira: la muerte es el único medio de escapar. En el Señor esto jamás es verdad, no importa lo dolorosas y desesperantes que sean nuestras circunstancias. Dios, que está en ti, es más fuerte que todo lo que enfrentes, y con él vienen la salvación y la libertad.

A los catorce años, estaba tan vencida por el sufrimiento emocional que no veía ningún futuro. Me sentía fea, sin valor, estúpida, indeseada, rechazada, especialmente por mis padres. Una noche, sin que yo hubiera hecho algo para provocarlo, mi madre me lanzó un ponzoñoso ataque verbal acusándome de cosas que no había hecho. No pude defenderme de su furia, y era tan grande la soledad, la depresión y la desesperanza que me sentí aplastada y emocionalmente mutilada. No veía ninguna posibilidad de que las cosas pudieran ser diferentes alguna vez, de manera que decidí que no quería vivir. Esa noche tomé una sobredosis de drogas. No lo hice para llamar la atención ni para generar lástima. No dejé una nota ni llamé pidiendo ayuda. Sencillamente no quería volver a despertarme.

La tortura mental de los pensamientos suicidas

Casi todos los que sufrieron algún daño emocional grave consideran el suicido en alguno momento de su vida. Cuando eso ocurre lo más importante es recordar que esos pensamientos vienen de Satanás. El deseo de morir no viene de Dios ni de ti. Tal vez quieres liberarte del dolor emocional y físico, con justa razón, pero la idea de suicidarse surge de un espíritu de muerte enviado desde el infierno para destruirte. ¡No es idea tuya! El Espíritu de Dios que está en ti siempre tiene una solución que lleva a la vida.

Si estás pensando en suicidarte, y sé que algunos de los que leen estas páginas podrían estar pensándolo, quiero decirte que estuve en el pozo en el que tal vez estás y conozco tu angustia, tu desesperación y tu dolor. Escuché y creí las mentiras del diablo que dicen:

- Sería mejor morirse. Tienes que hacerlo.
- Termina con esta agonía. Ponle fin a este vacío.
- No te preocupes de lo que pueda afectar a otros. De todos modos a nadie le importa. En realidad les harás un favor.
- No puedes vivir ni un minuto más con ese sufrimiento. Acaba con todo y suicídate.

Sé que muchas personas consideran que suicidarse es egoísta, y efectivamente es el acto final de una persona demasiado centrada en sí misma, pero sé por experiencia que cuando uno está pensando en suicidarse, hay algo que está por encima del egoísmo, y lo supera. Sé que muy en el fondo uno quiere vivir, pero no de la misma manera. Una voz en tu mente te dice que estarías mejor muerta. En realidad quieres tener esperanza, pero hay una voz que te dice que no la hay. Como estás atormentada y estás emocionalmente débil, lo crees. Pero la verdad es que quieres vivir.

Afortunadamente no tomé una dosis suficiente de drogas en aquella ocasión, de manera que en lugar de morir terminé enferma. Cuando desperté me sentí diferente, aunque mis circunstancias no habían cambiado. No entendía por qué me había salvado de la muerte, pero ya no quería morir. No sé porqué cambió mi percepción de las cosas. Tal vez alguien oró por mí, aunque nunca lo supe. Pero por alguna razón que solo Dios sabe, me salvaron la vida y me sentía diferente. Tenía ánimo de luchar, y decidí hacerlo dando pasos para salir de mi situación miserable.

La segunda cosa importante para recordar en medio de pensamientos suicidas es que en cualquier momento de nuestra vida las cosas pueden cambiar. De hecho, el cambio es inevitable. Lo único que no cambia es Dios: "Porque yo, Jehová, no cambio" (Malaquías 3:6). Siempre estará obrando a tu favor. *Tal vez sientes que quieres suicidarte ahora, pero está la posibilidad de que mañana te sientas diferente.*

Resistir a los pensamientos suicidas

Un espíritu suicida toma control sobre ti cuando te dices varias veces: "No quiero seguir viviendo", como hice yo, y no te arrepientes delante de Dios. Eso invita a un muy dispuesto espíritu de muerte a ayudarte a cumplir ese deseo de escapar de la vida.

Incluso después de convertirme al cristianismo volví a pensar en suicidarme, como le ha ocurrido a otros. No pienses que por haber recibido a Cristo estás libre de algún ataque. El hecho de haber considerado la posibilidad del suicidio no significa que eres un fracaso. Significa que necesitas oración, consejo y liberación.

Ya sea que en este momento sientas el deseo o no, tienes que confesar delante del Señor aquellas veces en tu vida que hayas dicho o pensado que querías morir. Después de eso, di en voz alta: "Reconozco que este deseo de morir viene de ti, Satanás, y renuncio al mismo en el nombre de Jesucristo. Renuncio a tu espíritu de mentira, y la única verdad que acepto es la verdad de Dios, que dice que sus planes y propósitos son para mi bien. Por eso tengo esperanzas en mi futuro. Quiero vivir y dar gloria a mi padre Dios. Por la autoridad que se me ha dado en el nombre de Jesús, aplasto al espíritu suicida y rechazo las voces que me digan que merezco morir. Gracias, Señor, porque tú moriste para romper el dominio que la muerte quiera tener en mi vida. Alabado sea el nombre de Jesús".

Si tienes que decir esta oración veinte veces por día, hazlo. Yo fui liberada de un espíritu de suicidio en la oficina de consejería de Mary Anne, y nunca más me volvió a atar. Sin embargo, más de una vez en los últimos quince años me volvió a hostigar; pero cuando decía esa oración el espíritu se iba. No des lugar al espíritu de suicido ni por un segundo.

Una vez que has renunciado al deseo de morir, en primer lugar tendrás que enfrentar los motivos que lo provocaban. Tal vez necesites perdonar a alguien, o a Dios, o a ti misma por no ser lo que crees que debes ser. Asegúrate de confesar todo lo que necesite ser confesado, para que sepas que has recibido el completo perdón de Dios.

Nunca intentes manejar los pensamientos suicidas por tu cuenta. Busca a alguien que pueda aconsejarte. Lo mejor sería un psicólogo cristiano, pero si no tienes acceso a ninguno busca una línea telefónica abierta, un psiquiatra, un consejero, un amigo, o un creyente firme. A lo largo del tiempo de consultas reúnete con otros creyentes que puedan orar contigo y por ti, y asegúrate de asistir con regularidad a la iglesia para adorar y orar con otros. Tienes que reconstruirte desde adentro.

Lo mejor todavía está por llegar

El pastor Jack siempre nos enseñó que la mejor parte de nuestra vida es la que está por delante, y a lo largo de los veinte años que he andado con Jesús, eso resultó ser verdad. La niña que pasaba tanto tiempo encerrada en el armario ahora tiene un esposo amante que provee para su familia, tiene un hijo y una hija que aman al Señor, y una vida fructífera y plena. Jamás imaginé estas bendiciones, especialmente cuando estaba pensando en suicidarme, y si hubiera llevado a cabo mis planes suicidas, jamás hubiera gozado de todo esto.

No importa que al momento no puedas verlas ni imaginarlas, pero Dios tiene grandes cosas reservadas para ti. Tienes que tomarlas por la fe. Tienes que saber que no hay pozo tan profundo del que Jesús no pueda sacarte. El diablo te ha enceguecido. Pero Dios no te ha abandonado. Las cosas siempre cambian. Dios puede transformar tus circunstancias de la noche a la mañana, y este puede ser el momento. Si te quitas la vida nunca conocerás las grandes cosas que tiene reservada para ti. ¿Por qué perder la mejor parte de tu vida? Porque Jesús vive, vale la pena vivir.

Qué dice la Biblia acerca de El suicidio

El temor de Jehová es manantial de vida
que aparta de los lazos de la muerte.
Proverbios 14:27

Pues tú has librado mi alma de la muerte,
mis ojos de lágrimas y mis pies de resbalar.
Andaré delante de Jehová en la tierra de los vivientes.
Salmo 116:8–9

El ladrón no viene sino para hurtar, matar y destruir;
yo he venido para que tengan vida, y para que la
tengan en abundancia.
Juan 10:10

Me rodearon los lazos de la muerte
y los torrentes de la destrucción me atemorizaron.
Los lazos del seol me han rodeado,
me tendieron redes de muerte.
En mi angustia invoqué a Jehová y clamé a mi Dios.
Él oyó mi voz desde su Templo
y mi clamor llegó hasta sus oídos.
Salmo 18:4–6

Envió desde lo alto y me tomó, me sacó de las
muchas aguas. Me libró de mi poderoso enemigo.
Salmo 18:16–17

Capítulo 8

Séptimo Paso: Mantenerse firme

Cuando sonó el teléfono me levanté de un salto para contestar. Los análisis de Diana estaban por llegar y sabríamos qué le había estado provocando el dolor y la imposibilidad de recuperarse de lo que suponíamos era una gripe fuerte. Desde que nos conocimos en una clase de teatro veintiocho años antes, fuimos las mejores amigas. Pronto descubrimos que teníamos mucho en común, incluyendo nuestras situaciones familiares. Después que acepté a Jesús la ayudé a conocer al Señor y comenzó a venir conmigo a la iglesia todos los domingos. Nos hicimos firmes compañeras de oración, nos reuníamos a orar cuatro o cinco veces por semana o lo hacíamos por teléfono. En esos días yo no tomaba una decisión importante sin sus oraciones.

Dos años antes de la llamada a la que hice referencia, le habían descubierto un cáncer de mama. Después de que le extirparon ambas, cada control que se hacía indicaba que estaba libre del cáncer. De todas maneras siempre nos preocupaba que pudiera resurgir.

—Stormie —la voz del otro lado del auricular sonaba extrañamente baja y temblorosa.

—¿Qué dijo el doctor?

—Nada bueno —dijo, y se le quebró la voz.

—¿Qué quieres decir? ¿Qué ocurrió con los resultados?

—El cáncer reapareció.

—¿Reapareció? ¿Dónde? —contuve la respiración a la espera de la respuesta.

—En todas partes: en las glándulas, en el estómago, en los huesos, probablemente en el cerebro.

—Oh, querido Jesús, ayúdanos —dije mientras ambas rompíamos a llorar. No sé cuántos segundos o minutos pasaron en que solo se oían nuestros sollozos. Cuando pudimos volver a hablar, conversamos sobre su hijo de ocho años, John.

—Quiero verlo crecer —lloró.

Hablamos del tratamiento que el doctor le había sugerido. La megadosis de quimioterapia y radiación que describía parecían una sentencia de muerte. Oramos juntas pidiendo un milagro de Dios.

Eso fue en junio, y durante los meses de verano que siguieron John vivió con nosotros mientras su padre se ocupaba de Diana. Ella sufrió terriblemente, cada vez más débil y abatida, y el 13 de septiembre se fue a casa con su Padre celestial.

El dolor me parecía insoportable, especialmente después del funeral. Durante su deterioro, y después de su muerte, yo sufría mis propios problemas físicos (provocados por el descuido de mi cuerpo cuando tenía veinte años), que resultaron en una histerectomía total. Pocas semanas después de la cirugía, vendimos nuestra casa y el negocio, empacamos las cosas y nos mudamos a una nueva localidad, donde construimos un nuevo estudio. Luego, un giro imprevisto de los acontecimientos en el negocio de la música nos produjo una grave tensión financiera, lo cual a su vez redundó en una gran tensión en nuestro matrimonio. Enfrentar todos estos asuntos a la misma vez me dejó agotada física y emocionalmente.

—Señor, parece que mi vida está llegando a un fin —clamé a Dios una noche—. ¿Qué puede reemplazar a estas pérdidas? ¿Por qué no logro superar el dolor de la muerte de Diana? No puedo funcionar así. Además, Dios, ayúdanos a funcionar a Michael y a mí. No estamos viviendo nuestra relación como tú quieres. Y, ¿entendimos bien lo de comprar la nueva casa y construir el otro estudio de grabación? Oramos durante un año por eso, y creíamos que nos habías guiado a hacerlo. Todo esto es abrumador, Señor, y ya no lo puedo manejar.

"Bien. Entonces permíteme a *mí* llevar esta carga por ti", escuché que el Señor me indicaba. "Tú tienes que mantenerte firme en todo lo que conoces de mi verdad, y yo me ocuparé del resto".

A pesar de esa palabra de consuelo del Señor, toda esa temporada fue como estar en una terrible tormenta. Cuando el viento sacudía las ramas de mi vida, me aferraba fuertemente a mis raíces, tal como me había dicho el Señor. Vivía con un sentido de propósito, no importa cuánto me doliera interiormente ni cómo se sacudiera todo alrededor de mí. Permanecí en la Palabra, oré, alabé, y me entregué más a él. Vivía como Dios me mostraba, a pesar de que por momentos tenía ganas de renunciar a todo. Cuando pasó la tormenta yo seguía de pie, y me di cuenta más que nunca que había elegido una base sólida sobre la cual construir.

Con el tiempo las cosas dieron un giro. Fui librada de mi sufrimiento por la muerte de Diana a medida que Dios me proveía relaciones más profundas con otras personas y con él. Me recuperé de la histerectomía y me sentí mejor que nunca. Hubo milagros en la empresa de mi esposo; nuestro estudio y la casa se salvaron, y nuestro matrimonio se hizo más fuerte. Suena como si fuera a decir que vivimos felices para siempre, pero la verdad es que todo eso tranquilamente podría haber tomado otra dirección. Mi vida podría haber sucumbido por la bancarrota, el divorcio y la enfermedad física y emocional. Al fin de cuentas, esas cosas les ocurren a personas buenas todo el tiempo. Pero me aferré al Señor, y no solo logré salir adelante, sino que salí fortalecida. Solo Dios puede rescatarnos del infierno y hacernos mejores por medio de eso. Pero la clave fue mantenerme firme en él y hacer lo correcto. Pasara lo que pasara.

Confiar en Dios para cada paso

Si queremos tener liberación total, sanidad, integridad y restauración, llega un momento en que hay que decir: "Esto es lo que creo; esta es la forma en que voy a vivir; esto es lo que voy a aceptar y esto no". Tenemos que decidir estar firmes y hacer lo que sabemos que está bien no importa qué ocurra a nuestro alrededor. Oswald Chambers dice: "Una visión común de la vida cristiana es que significa liberación de los problemas. Pero es liberación en medio de los problemas, lo cual es muy diferente" (*En pos de lo supremo*, p. 157 del libro en inglés).

La Biblia no dice que no tendremos problemas. En realidad, dice lo contrario:

Muchas son las aflicciones del justo,
pero de todas ellas lo librará Jehová. (Salmo 34:19)

No debemos temer, porque Dios usa nuestros problemas para bien cuando se los entregamos a él en oración y somos obedientes a su voluntad. A las personas buenas sí les ocurren cosas malas. Dios nunca dijo que no sería así. Nunca dijo que la vida es justa. Dijo que él es justo. Él hace surgir vida de los problemas.

Crecer en el Señor

Una de las últimas veces que vi a Mary Anne, mi consejera, antes de que se mudara, fui a consultarla por algún problema que ahora ni siquiera recuerdo. Pero lo que sí recuerdo fue su sabio consejo, que se reducía a dos palabras:

—Ahora, crece —dijo con cariño.

—¿Qué? —pregunté.

—Es hora de que crezcas, Stormie —repitió con voz paciente.

Cuando mi madre me gritaba esas mismas palabras años atrás, me parecían golpes. Cuando las dijo Mary Anne, sonaron como del Espíritu Santo.

—¿Crecer? —repetí, esperando que me diera algo más de información.

—Sí, Stormie, tienes que ir al Señor y hacerle las preguntas que me haces a mí. Después me contarás lo que te está diciendo.

Todo lo que me dijo me pareció bien, y más tarde me reí cuando se lo conté a Michael.

—Tienes que admitir que cuando vas a un consejero en busca de ayuda, y te dice que crezcas, poder reírte es una señal de salud emocional.

Le pedí a Dios, como me aconsejó, y también escuché la respuesta, como ella predijo. Fue entonces que me di cuenta sin lugar a dudas que tenía todo lo necesario para la vida en mi propio interior. Solo tenía que mantenerme firme en ello. Creo que después de eso caminé un poco más erguida.

Llega un punto en nuestro andar con el Señor en que tenemos suficiente enseñanza, suficientes consultas y consejos, suficiente liberación y suficiente conocimiento de la voluntad de Dios como para poder pararnos sobre nuestros propios pies y decir: "No seguiré viviendo en el lado negativo de la vida". No podemos depender de alguien que nos lleve de la mano y haga desaparecer los momentos difíciles. Tenemos que "crecer" y tomar la responsabilidad de nuestra vida. Tenemos que decidir que no seremos víctimas de nuestras circunstancias, porque Dios nos ha dado una salida. No debemos sostenernos con nuestra propia fuerza sino mantenernos firmes en él.

Cuando todo lo que has aprendido en los primeros seis pasos se ponga a prueba, este último de los Siete Pasos hacia la Salud Emocional será el fundamental. Entonces te mantienes firme en él. La Biblia dice "Y diga el débil: '¡Fuerte soy!'" (Joel 3:10). No dices: "Creo que puedo" o "Podría probar". Dices: "Así es. Me mantendré firme en el Señor y fuerte contra el enemigo. No lloraré, ni me quejaré, ni me lamentaré por lo que no tengo. Me gozaré en lo que soy y en lo que Dios está haciendo.

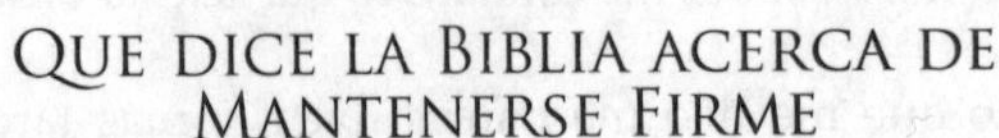

Que dice la Biblia acerca de Mantenerse Firme

Fortaleceos en el Señor y en su fuerza poderosa.
Efesios 6:10

Si se mantienen firmes, se salvarán.
Lucas 21:19, NVI

Pero persiste tú en lo que has aprendido y te persuadiste, sabiendo de quién has aprendido.
2 Timoteo 3:14

No os engañéis; Dios no puede ser burlado, pues todo lo que el hombre siembre, eso también segará, porque el que siembra para su carne, de la carne segará corrupción; pero el que siembra para el Espíritu, del Espíritu segará vida eterna. No nos cansemos, pues, de hacer el bien, porque a su tiempo segaremos, si no desmayamos. Así que, según tengamos oportunidad, hagamos bien a todos, y especialmente a los de la familia de la fe.
Gálatas 6:7–9

Velad, estad firmes en la fe, portaos varonilmente y esforzados.
1 Corintios 16:13

MANTENERSE FIRME CUANDO ATACA EL ENEMIGO

En algunas ocasiones habrás hecho todo lo que sabes y las cosas andarán bien, pero luego de repente la depresión nublará tu mente y la falta de autoestima dominará tu comportamiento. O el resentimiento volverá con toda su fuerza, o se desatará todo el infierno en una relación. O puede ser que tengas problemas en una esfera donde ya habías encontrado liberación y sanidad. De pronto las cosas parecerán estar peor que nunca. Eso significa que estás bajo un ataque del diablo. No te asustes. A todos les sucede alguna vez.

En esas ocasiones tienes que comprender sin ninguna duda que cuando caminas con Jesús, no retrocedes. Dios ha dicho claramente en su Palabra que si ponemos nuestra mirada en él, iremos de gloria en gloria y de fortaleza en fortaleza: "Por tanto, nosotros todos, mirando con el rostro descubierto y reflejando como en un espejo la gloria del Señor, somos transformados de gloria en gloria en su misma imagen, por la acción del Espíritu del Señor" (2 Corintios 3:18). El salmista dice:

Irán de poder en poder;
verán a Dios en Sión. (Salmo 84:7)

Para retroceder, tienes que dar la espalda a Dios a propósito y caminar en otra dirección. Pero mientras mires el rostro de Jesús, estarás avanzando. No importa lo que sientas, sencillamente es así.

No te confundas. Dios está de tu parte. Él no es responsable de la muerte de un ser querido, del divorcio, del esposo bebedor, de la pérdida del empleo, de los conflictos familiares, de la enfermedad, de los sentimientos de inadecuación. El responsable es Satanás. Satanás es tu enemigo y quiere que creas sus mentiras. Te ataca en tu momento de mayor debilidad (especialmente en lo físico) y mezcla sus mentiras con la suficiente dosis de verdad como para que las creas.

Junto con mi dolor por la muerte de Diana vino un repentino sentimiento de temor de que yo también moriría. Me había identificado tanto con ella durante veintiocho años, que su muerte hizo que la vida me pareciera frágil y huidiza.

Ese pensamiento me dominó hasta que un domingo por la mañana durante la adoración en la iglesia, mientras alababa en voz alta y daba gracias a Dios por la vida que me había dado, vi con claridad que había estado bajo un ataque de Satanás. Estaba física y emocionalmente débil. El diablo había bombardeado mi mente con el pensamiento de que mi madre había fallecido de cáncer, mi mejor amiga que tenía mi edad había fallecido de cáncer, y por supuesto, yo también podía morir en cualquier momento de cáncer.

Durante ese servicio en la iglesia Dios me enfrentó con la verdad completa: yo no soy mi madre ni soy Diana. Si Dios elige llevarme a casa, no será sobre la base de lo que les ocurrió a ellas. Será en su tiempo. Lágrimas de gozo me inundaron los ojos mientras agradecía a Dios por mi vida y renovaba mi esperanza y mi entrega.

Este relato es apenas un pequeño incidente de los muchos que tú o yo o cualquier otro creyente podríamos relatar sobre el ataque del enemigo. Si reconoces que te ha ocurrido ese tipo de ataque, no permitas que el diablo juegue contigo. Si te ha mantenido en la pobreza, en la enfermedad o en la tragedia, ponte de pie con coraje, consciente de que Dios te ha dado autoridad sobre eso. Sí, tenemos momentos de sufrimiento, pero no continúan para siempre. Y cuando el Señor se ocupa del sufrimiento uno se vuelve más firme en él.

Si estás avanzando con Jesús y el enemigo ataca desde atrás, no te asustes. Mantente firme y reconoce que el Señor es Dios. Tranquiliza tu espíritu, y recuerda todo lo que Dios te ha enseñado y lo que ha hecho por ti. Con demasiada facilidad, a la menor señal de ataque del enemigo olvidamos lo aprendido.

Cuatro maneras de reconocer un ataque del enemigo

Cuando Dios está trabajando en tu vida, hay cosas de las que te has aferrado que se mueven y se sueltan, y partes de tu carne que son crucificadas. Nada de eso es agradable. Pero tampoco lo es un ataque del diablo. La única manera que podemos saber con seguridad qué está ocurriendo es permitir que el Espíritu de Dios te lo revele por medio de su Palabra, en su presencia, en alabanza y adoración, y preguntándole en oración: "¿Eres tú Señor, o es el diablo?". Dios es fiel y te lo hará saber.

Muchas personas hacen lo mismo que yo: suponen que merecen lo que les está sucediendo. No se preguntan si podría ser un disparo dirigido a ellas desde el territorio enemigo. Por eso es importante identificar un ataque del enemigo.

No quiero reducir todo a pasos y a fórmulas, pero a veces necesitamos algunos indicadores. Esta es una de esas oportunidades. Con frecuencia el ataque es tan fuerte que apenas podemos mantenernos en pie, mucho menos saber en qué dirección debemos seguir. Esto es especialmente cierto para quienes han sido abusados o rechazados. Como Satanás siempre ataca tu autoestima, el sacudón puede ser muy violento. Con eso en mente, tengo cuatro sugerencias que te ayudarán a atravesar esos momentos difíciles.

1. *Conoce a Dios lo suficiente como para entender su manera de ser.* Si yo no hubiera estado tan agotada emocional y físicamente el año de la enfermedad y la muerte de Diana, hubiera reconocido con más rapidez la voz de Satanás. Pero por estar débil, le presté atención. Mirando atrás, me pregunto por qué se me ocurrió que Dios podía decirme: "Tu madre y tu mejor amiga murieron de cáncer, tu también morirás así". Esas palabras no son propias del Dios que conozco. El descubrimiento de esa verdad vino cuando estaba en presencia del Señor. Poco después que ocurrió esto, una amiga llamó para decirme que su pequeño hijo estaba enfermo, y se preguntaba si sería que el Señor la estaba castigando por no asistir a la iglesia.

—Mary, no conoces el corazón del Señor —repliqué—. El Señor jamás enferma a alguien, y nunca castiga nuestros descuidos haciendo que se enfermen nuestros hijos. En realidad, no necesita castigarnos porque tenemos el castigo incorporado con el pecado. El tipo de desgracia del que hablas viene del diablo. Es contra él que tenemos que luchar. Y tienes asegurada la victoria cuando dependes de Dios. No puedes perder.

Tienes que estar dispuesta a permitir que tu conocimiento del Señor y tu anhelo de su presencia sean tan fuertes que no des ningún lugar al diablo. Satanás siempre intentará empujarte contra la pared; no se lo permitas. Empújalo tú a él diciéndole: "¡No permitiré que me derrotes! Mi Dios es mi defensor y te niego la entrada en mi vida".

Ten bien en claro las cosas que son verdad acerca de Dios y compáralas con lo que está ocurriendo en tu vida para ver si concuerdan. El temor de Mary no concordaba con la bondad de Dios. No te concentres en lo que está ocurriendo a tu alrededor, más bien hazlo en lo que sucede en tu interior. Marca las afirmaciones que estás seguras que son ciertas en relación con Dios:

Siete cosas acerca de Dios que sé que son ciertas

__ *Sé que Dios es un Dios bueno.*
Bueno y recto es Jehová. (Salmo 25:8)
__ *Sé que Dios está de mi parte.*
Jehová está conmigo; no temeré. (Salmo 118:6)
Dios está a mi favor. (Salmo 56:9)
__ *Sé que los caminos y las leyes de Dios son para mi bien.*
Los juicios de Jehová son verdad: todos justos [...] en guardarlos hay gran recompensa. (Salmo 19:9, 11)
__ *Sé que Dios siempre está conmigo.*
No te desampararé ni te dejaré (Hebreos 13:5).
__ *Sé que Dios quiere mi restauración.*
Pues tú has librado mi alma de la muerte (Salmo 116:8).
__ *Sé que las promesas de Dios nunca fallarán.*
De generación en generación es tu fidelidad (Salmo 119:90).
__ *Sé que Dios siempre es vencedor.*
Jehová [...] prevalecerá sobre sus enemigos (Isaías 42:13)

Si no has marcado alguna de estas afirmaciones, lee el capítulo completo del que fue extraído el pasaje bíblico correspondiente, y pídele a Dios que haga que su verdad sea real en tu corazón.

2. *Conoce bien a Satanás.* Tal vez pienses: "No quiero luchar con el diablo. En realidad prefiero ni pensar en esas cosas". Sin embargo, Dios y Satanás están peleando por tu vida. La guerra es

real, y negarla no cambiará la realidad. Si eres creyente, ya estás del lado ganador. Pero si no estás donde debes (dentro de la voluntad de Dios, en su presencia, en su verdad, en obediencia a él), entonces te has salido de su cobertura y podrías recibir un disparo en el fuego cruzado. Las personas que pierden una batalla generalmente lo hacen porque creen que la victoria viene sola. No es así. Tenemos que identificar al enemigo y la línea de batalla, y asegurarnos que marchamos en el sentido correcto.

Mientras adoraba al Señor ese día en la iglesia, volví a comprender que Satanás era mi enemigo y que era él quien me quería matar. Ahora podía ver cómo Satanás había estado incesantemente tratando de socavar lo que Dios estaba haciendo para darme una nueva vida. Recordé que Satanás es el perdedor, no Dios, y que yo soy la ganadora porque pertenezco al Señor.

Aprende las verdades eternas acerca del diablo para que tengas siempre presente la naturaleza de sus intenciones. Marca las afirmaciones que estás seguras que son ciertas en relación con Satanás:

Siete cosas que sabes que son ciertas en relación con Satanás

__ *Sé que Satanás es mi enemigo.*
Porque no tenemos lucha contra sangre y carne, sino contra principados, contra potestades, contra los gobernadores de las tinieblas de este mundo (Efesios 6:12).

__ *Sé que Satanás roba, mata y destruye.*
El ladrón no viene sino para hurtar, matar y destruir (Juan 10:10)

__ *Sé que Satanás en un engañador.*
Cuando habla mentira, de suyo habla, pues es mentiroso y padre de mentira (Juan 8:44).

__ *Sé que Satanás se disfraza.*
Y esto no es sorprendente, porque el mismo Satanás se disfraza de ángel de luz (2 Corintios 11:14).

__ *Sé que Satanás jamás deja de hacer el mal.*
Sed sobrios y velad, porque vuestro adversario el diablo, como león rugiente, anda alrededor buscando a quien devorar (1 Pedro 5:8)

__ *Sé que Satanás siempre tratará de socavar lo que Dios está haciendo en mi vida.*

... son aquellos en quieres se siembra la palabra, pero después que la oyen viene Satanás y quita la palabra que se sembró en sus corazones (Marcos 4:15).

__ *Sé que Satanás es un perdedor.*

Ahora es el juicio de este mundo; ahora el príncipe de este mundo será echado fuera (Juan 12:31).

Si dejas alguna de estas afirmaciones sin marcar, busca la cita correspondiente en la Biblia y lee todo el capítulo del que fue extraída. Pídele a Dios que haga real en tu corazón la verdad de esta afirmación.

A veces nos culpamos por lo que está pasando. Si estamos enfermos o somos pobres o nos ocurren cosas malas, pensamos que es por nuestra culpa. Pero hay una diferencia entre asumir la responsabilidad de nuestra vida y culparse por todo. A veces se trata del enemigo, y no de nosotros. Uno de las estrategias de Satanás es mantener a las personas sobrecargadas por el peso de la culpa de las cosas que él está haciendo. Se disfraza y a veces se presenta como si fueras tú misma. Satanás está decidido a aplastarnos siempre que pueda y en cualquier lugar, y tenemos que decidir si vamos a aceptar sus planes o no.

3. *Conoce lo que te hace más vulnerable a los ataques de Satanás.* Con frecuencia hacemos invitaciones a Satanás sin darnos cuenta, para que nos ataque por lo que hacemos o dejamos de hacer. Por ejemplo, durante las semanas que siguieron a la muerte de Diana, quedé tan agotada emocional y físicamente que descuidé pasar tiempo con el Señor. Me sentía demasiado cansada como para leer más de uno o dos versículos de la Biblia por día. Porque había perdido a mi querida compañera de oración, oraba mucho menos de lo que lo hacía cuando ella vivía. Tenía un nudo en la garganta y no sentía deseo de alabar a Dios como antes. Iba a la iglesia con regularidad, pero casi no sentía comunión con otros creyentes. Fue una época en la que mi vida estuvo a punto de tener un nuevo comienzo en todos los aspectos (el matrimonio, las amistades, el oficio de escritora, el hogar, las finanzas), pero me parecía lo opuesto. Sentía que mi vida estaba destruida. Pero como estaba en la iglesia en el momento en que tenía

que estar, Dios hizo que su verdad se mostrara viva en mi corazón y me reveló el ataque del enemigo.

Podemos rechazar muchos de los ataques del enemigo simplemente prestando atención a las causas que le dan acceso a nuestra vida. Observa los motivos por los que puede atacar el enemigo y verifica si estás débil en algún área:

Siete motivos por los que Satanás puede atacar

__ He descuidado leer la Palabra, de manera que carezco de un marco para referencia a fin de vivir como es debido.
__ He descuidado orar, y por eso he perdido la fuerza.
__ He descuidado los momentos de abalanza y adoración de modo que he perdido la oportunidad de que la presencia de Dios actúe con poder en mi vida.
__ No he seguido la voluntad de Dios en todo, de manera que el enemigo ha encontrado una puerta de entrada.
__ Estoy esperando un cambio importante en una esfera de mi vida, pero tengo dudas de que realmente pueda ocurrir.
__ Estoy desobedeciendo algo que Dios me indicó que hiciera.
__ Estoy iniciando una nueva etapa en mi ministerio sin cobertura de oración.

Si marcaste alguna de las afirmaciones arriba, confiésalo a Dios, y pídele que te muestre qué hacer al respecto.

4. *Conoce las señales de un ataque de Satanás.* Si aprendes a reconocer los signos de un ataque satánico, estarás en mejores condiciones de organizar tu defensa y contraataque. De lo contrario, podrías terminar colaborando con el enemigo. El diablo puede atacarte por medio de tu mente, de tus emociones, de tu cuerpo, de tus relaciones o de tus circunstancias. Si puedes reconocer inmediatamente emociones negativas como el temor, la culpa, la depresión, la confusión, y la falta de paz, como que pertenecen al enemigo, en lugar de aceptarlas como verdad podrás protegerte mejor.

Controla las siete señales de ataque satánico para ayudarte a identificar las amenazas que hay en tu vida.

Siete señales de un ataque satánico

__ Experimento un temor repentino paralizante que me deja inmóvil.
__ Cargo una culpa abrumadora que no desaparece con la confesión ni con mi decisión de vivir con rectitud.
__ Tengo depresiones recurrentes o que duran mucho tiempo.
__ Siento como si se desatara el infierno en mi mente, en mi cuerpo, mis emociones o situaciones, especialmente en aspectos donde ya tuve liberación.
__ No tengo paz en algunas cosas específicas que me están ocurriendo.
__ Tengo gran confusión en una cuestión en la que antes tenía claridad.
__ Me vienen ideas a la mente que están en franca oposición con la voluntad de Dios.

Si has marcado cualquiera de los puntos anteriores, ora contra ese ataque de Satanás en tu vida. También es muy importante orar con uno o más creyentes.

Qué hacer cuando ataca el enemigo

Tan pronto percibas que estás bajo ataque de Satanás, vuelve inmediatamente a los fundamentos de lo que crees.

1. *Controla si estás proclamando el señorío de Jesús en todas las esferas de tu vida.* A veces lo excluimos sin darnos cuenta. Di, "Jesús es Señor de mi mente", "Jesús es Señor de mis finanzas", "Jesús es Señor de mis relaciones". Nombra específicamente el área que el enemigo está amenazando.

2. *Empápate de la Palabra de Dios.* Lee todas las promesas de Dios referentes al ataque del enemigo, y pronúncialas en voz alta en medio de tus circunstancias. Por ejemplo:
   - Someteos, pues, a Dios; resistid al diablo, y huirá de vosotros. (Santiago 4:7)
   - Pero fiel es el Señor, que os afirmará y guardará del mal. (2 Tesalonicenses 3:3)

3. *Permanece en oración.* Pídele a Dios que te revele la verdad de tu situación. Pídele también su guía, protección y fuerza para cualquier cosa que enfrentes. Recuerda que las fuerzas del mal no tienen unidad. Es por eso que dos de los cristianos más débiles, si están unidos, tienen más poder que el infierno.

4. *Sigue alabando a Dios en medio de cualquier cosa que ocurra.* Recuerda que Dios habita en la adoración de su pueblo, y siempre estarás a salvo en su presencia.

5. *Controla si hay algún paso de obediencia que no has dado.* La falta de obediencia siempre nos abre al ataque del enemigo.

6. *Ayuna y ora.* Esta es un arma poderosa para destruir las fortalezas enemigas que se han levantado contra ti.

7. *Resiste a Satanás.* No huyas del enemigo, enfréntalo con todas las armas espirituales que tengas a disposición, con la seguridad de, que porque Jesús está en ti, tienes toda la autoridad y el poder espiritual sobre él.

8. *Descansa en el Señor.* Cuando has hecho todo lo que sabes, quédate tranquila y confía que Jesús es el vencedor y que la batalla es del Señor. Fortalécete con ese conocimiento.

Por ardiente y encarnizada que sea la batalla tienes que saber que mientras te mantengas firme en el Señor, no serás abatida ni consumida por tus circunstancias. Si te parece que el infierno se ha desatado en tu vida, recuerda que Dios pondrá las fuerzas del cielo para intervenir en tu situación. Piensa en términos del poder de Dios y no en tu propia debilidad. Una visión clara de su poder apaciguará tu mente. No le des a Satanás el placer de verte renunciar.

Qué dice la Biblia acerca de mantenerse firme cuando ataca el enemigo

Bienaventurado el hombre que soporta la tentación, porque cuando haya resistido la prueba, recibirá la corona de vida que Dios ha prometido a los que lo aman.
Santiago 1:12

Pasa la tormenta y desaparece el malvado,
pero el justo permanece firme para siempre.
Proverbios 10:25, NVI

Resístanlo, manteniéndose firmes en la fe, sabiendo que sus hermanos en todo el mundo están soportando la misma clase de sufrimientos.
1 Pedro 5:9, NVI

Y escapen del lazo del diablo, en que están cautivos a voluntad de él.
2 Timoteo 2:26

Me libró de mi poderoso enemigo.
Salmo 18:17

Mantenerse firme cuando no se recibe respuesta a las oraciones

Habrá momentos en que tus oraciones no recibirán respuesta, o por lo menos no como esperabas o de acuerdo a tu agenda. Si te ocurre eso, confía en que Dios sabe qué es lo mejor.

Hasta que Diana murió, todos los que la conocíamos jamás dejamos de orar por su sanidad. Cientos de creyentes firmes en dos congregaciones, que ni siquiera la conocían, oraban continuamente por ella. Si su sanidad hubiera dependido de las oraciones y la fe, se hubiera recuperado. Pero esas oraciones no fueron contestadas, por lo menos no como lo deseábamos.

Todos pasamos por la penosa experiencia de oraciones no contestadas. A veces, lo que parece una oración no contestada en realidad es cuestión de esperar con paciencia. Otras veces las respuestas son tan diferentes de lo que esperábamos que ni siquiera reconocemos la respuesta hasta mucho después. A veces nuestras oraciones no reciben la respuesta por la que orábamos. La clave es mantenernos firme en el Señor, veamos o no la respuesta a nuestras oraciones.

Cuando la respuesta a una oración se retrasa, comenzamos a perder la esperanza. Nos desalentamos y tememos que el Señor nos haya olvidado. Dejamos de orar, dejamos de asistir a la iglesia, dejamos de leer la Biblia, dejamos de dar ciertos pasos de obediencia porque pensamos "¿De qué sirve?". A veces hasta nos enojamos con Dios. No nos gusta esperar dos semanas, dos meses, dos años o lo que demore la respuesta. ¿Y si la respuesta nunca llega? Sería una desgracia, y no nos gusta sufrir.

El propósito del sufrimiento

Todo el mundo, sin excepción, sufre alguna vez. Nadie está exento. A veces hacemos cosas estúpidas o pecaminosas que nos llevan a la desgracia. Otras veces es el resultado del ataque satánico. También sufrimos porque no hacemos lo que Dios nos está ordenando hacer. Hay personas que piensan que si no hay un sufrimiento inmediato cuando se alejan del camino de Dios, significa que se han librado de las consecuencias. Más adelante, cuando caen en desgracia, no relacionan ambas cosas.

Pero a veces Dios usa el sufrimiento para purificarnos. No nos provoca el sufrimiento, pero permite que lo pasemos para nuestra purificación. Y no importa lo mucho que oremos, siempre habrá un período de sufrimiento en nuestra vida porque por medio del mismo se llevan a cabo los propósitos de Dios.

Nadie sufre porque quiere. Incluso Jesús le pidió a Dios que si era posible y dentro de su voluntad, le evitara el sufrimiento en la cruz. La buena noticia es que lo que resulta del sufrimiento es tan superior a lo que soportamos, que compensa con creces nuestro suplicio. "Las aflicciones del tiempo presente no son comparables con la gloria venidera que en nosotros ha de manifestarse" (Romanos 8:18). En este versículo Dios no minimiza nuestro sufrimiento, lo pone en perspectiva. Las grandes cosas que tienen por delante los que se mantienen firmes son muy superiores a lo que podemos imaginar, que nuestro sufrimiento parecerá pasajero cuando se lo compare con la totalidad de nuestra vida aquí en la tierra como en el cielo.

Yo sufrí mucho durante mis dos embarazos. Nunca antes ni después experimenté tanto sufrimiento ni deseo que se repita. Pero la recompensa de tener a mi hijo y mi hija es tan superior a mi sufrimiento que ni siquiera puedo compararlos. Aun sabiendo que mis oraciones por un embarazo fácil no serían respondidas, elegiría pasarlos nuevamente. Los cambios que tendrán lugar en nuestra vida después de un tiempo de sufrimiento bien valen la pena.

Cuando uno sufre (que es lo que se siente cuando no se recibe respuesta a las oraciones), Dios revela dos cosas: su gracia y su poder: su gracia para sostenernos y cuidarnos, y su poder para librarnos. Dios quiere que no tengamos dudas de que somos limitados en nuestro poder. También quiere que comprobemos que él no lo es. Dios espera hasta que se pierde toda esperanza sin él, para que entonces sepamos que fue él quien produjo vida donde no la había. A veces nos quita cosas, para que busquemos en él la satisfacción de nuestras necesidades. No importa lo mucho que Dios nos bendiga, quiere que reconozcamos que dependemos de él. Usa las tormentas de nuestra vida para lograr ese propósito.

Tesoros de oscuridad

Dios es Dios cuando las cosas andan mal y cuando andan bien, cuando hay oscuridad lo mismo que cuando hay luz. En ocasiones, la oscuridad que nos rodea no es oscuridad de muerte sino más bien la oscuridad de una matriz, donde estamos creciendo y preparándonos para nacer. Así como un niño en el vientre materno no sabe nada del mundo que lo espera, nosotros tampoco percibimos la grandeza del propósito de Dios para nuestra vida. La Biblia dice: "Te daré los tesoros escondidos y los secretos muy guardados" (Isaías 45:3). Ciertas valiosas experiencias en el Señor solo se pueden experimentar en los tiempos oscuros.

Si es verdad que Dios nunca nos deja ni nos abandona, entonces cuando estamos en oscuridad, él también está allí. Y dondequiera que él está, hay sanidad y crecimiento. Algunos de mis encuentros más cercanos con el Señor han ocurrido en los momentos de oscuridad cuando me volví a él y hallé una manifestación más poderosa de su Espíritu que lo que nunca había conocido. Esos tiempos han sido muy valiosos e inolvidables y me han cambiado la vida. Por medio de ellos he encontrado más de Dios en mí, y ahora no los cambiaría por nada.

No te preocupes. Este tiempo de oscuridad, de espera, y de oraciones sin respuesta no será permanente. Solo es una estación del alma.

Para crecer en la oscuridad

¿Qué haces, entonces, cuando has creído y orado y ahora te sientes desilusionada y con temor de que tus sueños y esperanzas se hayan perdido? Antes que nada, no te dejes consumir por la culpa. No pienses que todo es por tu culpa y por eso Dios no contestará tus oraciones. Si tus oraciones no tienen respuesta a causa de algún pecado, confiésalo, deja de hacerlo y ora. Dios cambiará las cosas.

Segundo, no permitas que ninguna situación te haga dar la espalda a Dios. Tienes que saber que él te ve dondequiera que estés. No te ha olvidado, y te sostendrá en todo momento. Descansa en el hecho de que Dios tiene el control y es más poderoso que tus problemas. En estos momentos decidimos escapar de los caminos del Señor, o decidimos transitarlos con más diligencia. Quizá renunciamos demasiado pronto, y decimos: "Es evidente que esto no funciona, ¿por qué molestarme en hacerlo así?". Podemos intentar hacer que las cosas funcionen por nuestra propia cuenta en lugar de entregarlo todo al Señor y observar cómo se mueve él. Podemos elegir tratar de aguantar la tormenta por nuestra cuenta, o podemos alinearnos con el Dios que calma la tormenta y pone nuestros pies sobre terreno firme en medio de ella. Son muchos los que renuncian ignorando que la respuesta a sus oraciones está a la vuelta de la esquina.

Un aspecto de mantenerse firme en tiempos de oraciones sin respuesta es esperar, y esperar genera paciencia. La Biblia dice: "Con vuestra paciencia ganaréis vuestras almas" (Lucas 21:19). Cuando tienes paciencia puedes controlar todo tu ser y ponerte en manos de Dios. Entonces él toma el control, ya sea noche o día en tu alma. Se convierte en tu Dios en cada estación de tu vida, las buenas y las malas. Y porque lo conoces de esta forma, te vuelves inconmovible.

Como nuestra única opción es esperar, nuestra actitud hace la diferencia. Podemos levantar el puño contra Dios y gritar: "Señor, ¿por qué a mí?". O podemos abrir nuestro corazón a Dios y orar: "Señor, cambia esta situación. Perfecciona tu vida en mí mientras espero en ti. Ayúdame a hacer lo correcto, y haz que todo sea para mi bien".

Tal vez tengas que esperar que Dios se mueva, pero no quiere decir que estés sin hacer nada hasta que eso ocurra. La mejor manera de mantener una buena actitud mientras esperas es pasar mucho tiempo en alabanza y adoración. Di: "Señor, te alabo en medio de esta situación. Confieso que temo que mis oraciones nunca reciban respuesta. Estoy cansada y desalentada por la espera, y siento que estoy perdiendo las fuerzas para luchar. Perdóname, Señor, por no confiar en ti. Oro para que se me pase el cansancio y para tener nuevas esperanzas en el alma. Ayúdame a sentir tu presencia y tu amor, y a escuchar tu voz y seguir tu dirección. Gracias porque tienes el control de todo".

No dejes de orar aunque lo vengas haciendo hace tiempo y parezca que Dios no está escuchando. Dios oye cada una de tus oraciones. Puede parecerte que nada sucede, pero en el reino de Dios siempre están en acción el amor, la sanidad y la redención. Se accede a ellas por medio de la oración, y entregando tu vida y persona diariamente a Dios.

Recuerda que no importa cuánta liberación, salvación y victoria recibas, siempre tendrás momentos de sequedad, de conflicto y de sufrimiento. No te dejes sacudir, porque cuando Dios está a cargo, esos tiempos tendrán un límite y él los usará para perfeccionarte. No peques en tu reacción a los mismos, porque limitarás las bendiciones que podrían resultar. Quédate junto a Dios para que te revele el camino que debes seguir.

Qué dice la Biblia acerca de mantenerse firme cuando no se recibe respuesta a las oraciones

Amados, no os sorprendáis del fuego de la prueba que os ha sobrevenido, como si alguna cosa extraña os aconteciera. Al contrario, gozaos por cuanto sois participantes de los padecimientos de Cristo, para que también en la revelación de su gloria os gocéis con gran alegría.
1 Pedro 4:12–13

Por lo cual vosotros os alegráis, aunque ahora por un poco de tiempo, si es necesario, tengáis que ser afligidos en diversas pruebas, para que, sometida a prueba vuestra fe, mucho más preciosa que el oro (el cual, aunque perecedero, se prueba con fuego), sea hallada en alabanza, gloria y honra cuando sea manifestado Jesucristo.
1 Pedro 1:6–7

Pero el Dios de toda gracia, que nos llamó a su gloria eterna en Jesucristo, después que hayáis padecido un poco de tiempo, él mismo os perfeccione, afirme, fortalezca y establezca.
1 Pedro 5:10

Mantenerse firme cuando las oraciones han sido respondidas

Una de las grandes sorpresas de las personas que salen del desierto de su pasado y entran a la tierra prometida de las oraciones respondidas, es que en ella hay gigantes contra los tienen que luchar para poder tomar posesión de la tierra. Como Satanás nunca tendrá hacia nosotros el mínimo sentimiento amistoso, nuestra prosperidad, nuestro éxito, progreso, liberación y sanidad no dejarán de ser desafiados por él. Tenemos que mantenernos firmes contra los embates del enemigo tanto en los tiempos tranquilos como en los difíciles.

Durante el año que murió Diana, Michael y yo llegamos a la conclusión de que el diablo había diseñado un plan para destruir nuestro matrimonio, nuestra empresa, y nuestra salud a través de las finanzas. Peor que eso, le estábamos dando la oportunidad de hacerlo. Las cosas venían bien en el área de nuestra economía, de manera que habíamos dejado de orar por ella. De pronto comenzó a tambalearse. Una noche, al borde de lo que podría haber sido nuestra bancarrota, Michael y yo nos arrodillamos ante Dios y nos arrepentimos por no haber cubierto nuestras finanzas con oración. No habíamos dejado de dar el diezmo, pero habíamos descuidado orar para ser buenos mayordomos de nuestros ingresos. Le pedimos a Dios que se hiciera cargo y nos bendijera con su restauración. Cada mañana orábamos con diligencia por eso, e inmediatamente la presión sobre nuestro matrimonio y nuestra salud comenzó a dar un giro.

Cuando nos llegó cierto contrato por el que habíamos estado orando, junto con un abultado cheque, la presión finalmente aflojó. Aplaudimos, alabamos a Dios, bailamos y gritamos. Al día siguiente nos quedamos dormidos más de lo normal, tuvimos que levantarnos de un salto y salimos de casa sin tiempo para orar. Los días siguientes trajeron situaciones que nos impidieron orar juntos como lo habíamos hecho cuando las cosas estaban difíciles. Finalmente pudimos ordenarnos antes de que volviera a golpearnos el desastre, pero nuestra experiencia nos mostró la tendencia de alejarnos de Dios cuando las cosas andan bien. Nosotros lo sabemos por experiencia.

Qué rápido olvidamos

La verdad es que cuando alcanzamos un estado de comodidad, tendemos a olvidarnos de Dios. Mientras leía el Antiguo Testamento de principio a fin, lo que más me impresionó fue cómo los israelitas luchaban, se esforzaban, clamaban, buscaban a Dios, se arrepentían y oraban cuando las cosas andaban mal. Y Dios los escuchaba y contestaba sus oraciones. Cuando las cosas mejoraban, se olvidaban de dónde habían salido, se olvidaban de lo que Dios había hecho, y vivían como querían. En tiempos difíciles, se acordaban de Dios y hacían bien las cosas. En los buenos tiempos, se olvidaban de Dios y pecaban, una y otra vez.

Tú y yo no somos diferentes. ¿Cuántos podemos decir que oramos con el mismo fervor cuando todo está bien que cuando se desata el infierno en nuestra situación? Estoy segura que no muchos. Si cuando nuestras oraciones han sido resueltas, pudiéramos servir al Señor con el mismo fervor y la misma fidelidad que cuando no lo han sido, tal vez no tendríamos que sufrir como lo hacemos. No quiero decir que la vida estaría libre de dolor porque la vida no es así, pero a veces sufrimos innecesariamente. La Biblia dice: "Así que el que piensa estar firme, mire que no caiga" (1 Corintios 10:12). ¡Cuidado cuando las cosas andan bien!

Cuidado con los gigantes

—La tierra prometida de la que habla la Biblia es un lugar de restauración —me explicó Mary Anne, mi consejera—. Es un tiempo para renovar todo lo que ha sido destruido, robado, o perdido en nuestra vida. Cuando entramos a la tierra prometida, no pensamos en los gigantes; pensamos en la leche y la miel, de lo bien que se siente y de cómo será la vida ahora que estamos liberados y renovados. Sabemos que el diablo acecha, pero no queremos pensar en eso ahora, no ahora que las cosas andan bien. Es por eso que cuando llega un ataque, nos encuentra desprevenidos. Cuando entremos a la tierra prometida tenemos que saber que hay gigantes que tal vez tengamos que enfrentar.

—¿Quiénes son esos gigantes? —pregunté.

Mary Anne nombró algunos enemigos que estaban en la tierra prometida como se los describe en el libro de Éxodo. Dijo que había descubierto que el significado de sus nombres concuerda con las esferas con las que luchamos en nuestra carne, como el temor, la confusión, el desaliento, el orgullo, la rebeldía, y el juicio. Esas eran las cosas que me amenazaban cuando llegó el tiempo de mi restauración, y las que debemos estar preparados para resistir, incluso en épocas de paz.

Grabado en piedra

Años atrás el pastor Jack instruyó a cada unidad familiar de nuestra iglesia, solteros o casados, que buscaran una piedra del tamaño suficiente como para escribir las palabras "Yo y mi casa serviremos a Jehová" (Josué 24:15). Luego nos indicó colocarla después en algún lugar visible en el hogar. Michael y yo encontramos una piedra gris de alrededor de dos kilos con una superficie lo suficientemente plana como para grabar el pasaje de las Escrituras. La ubicamos cerca del hogar a leña en la sala de estar, y cada vez que la vemos recordamos nuestro compromiso de servir a Dios y mantenernos firmes en él. Todo el que entra a casa la ve, y yo creo que también el diablo sabe que está ahí. Es un buen recordatorio para él también, y para ti. Sí, te estoy dando una tarea. Ve a buscar una piedra de tamaño adecuado, graba ese pasaje de la Biblia en una de sus superficies con un marcador indeleble, y ubícala en el centro de tu casa. Ya sea que vivas en un trailer de un solo ambiente, en una mansión de cuarenta habitaciones o en un departamento alquilado, asegúrate que esas palabras estén a la vista todo el tiempo. Es una afirmación bíblica de dónde estás parada y te ayuda a estar más firme en presencia de los gigantes.

No te engañes pensando que cuando todo está bien no necesitas leer, orar, alabar y obedecer con el mismo cuidado que antes. Decídete a estar firme en el Señor, aun cuando tus oraciones hayan sido respondidas, y vivirás segura en la tierra prometida de la restauración de Dios.

QUÉ DICE LA BIBLIA ACERCA DE MANTENERSE FIRME CUANDO LAS ORACIONES HAN SIDO CONTESTADAS

Estad firmes y constantes, creciendo en la obra del Señor siempre, sabiendo que vuestro trabajo en el Señor no es en vano.
1 Corintios 15:58

Sino que cada uno es tentado, cuando de su propia pasión es atraído y seducido. Entonces la pasión, después que ha concebido, da a luz el pecado; y el pecado, siendo consumado, da a luz la muerte.
Santiago 1:14–15

Velad y orad para que no entréis en tentación; el espíritu a la verdad está dispuesto, pero la carne es débil.
Mateo 26:41

Estad siempre gozosos. Orad sin cesar. Dad gracias en todo, porque esta es la voluntad de Dios para con vosotros en Cristo Jesús.
1 Tesalonicenses 5:16–18

Por lo tanto, de la manera que habéis recibido al Señor Jesucristo, andad en él, arraigados y sobreedificados en él y confirmados en la fe, así como habéis sido enseñados, abundando en acciones de gracias.
Colosenses 2:6–7

Capítulo 9

Llegar a ser aquello para lo cual Dios nos creó

Acabas de recorrer los Siete Pasos para la Salud Emocional, y si has dado al menos un paso en cada esfera, no cabe duda que habrá cambios positivos en tu vida. Tal vez no veas tantos como quisieras, pero no te desanimes. Los tendrás. Dios ha prometido que "el que comenzó en vosotros la buena obra la perfeccionará hasta el día de Jesucristo" (Filipenses 1:6).

Voy a suponer que si has leído hasta aquí, ya has decidido que quieres todo lo que Dios tiene para ti. Esto es bueno porque llegar a ser aquello para lo cual Dios te creó comienza con un profundo deseo en el corazón. Cuando ese anhelo se convierte en una sed de Dios que no se satisface por completo hasta que estés en su presencia, entonces estás camino a llegar a ser todo lo que puedes ser. Ahora es el momento de hacer de tu compromiso con el Señor algo sólido. Es tiempo de comenzar a vivir lo que crees y a caminar en la integridad a la que te propones acostumbrarte. Podrás hacer eso con más eficacia si estás emocionalmente alerta y consciente de la verdad sobre ti misma.

Llegar a ser aquello para lo cual Dios te creó manteniéndote alerta en lo emocional

Una vez que estás en el camino de la salud emocional, tienes que mantenerte sensible a lo que está ocurriendo en tu interior.

Eso no significa que estés todo el día pensando en cómo te sientes. El enfoque sigue estando en Jesús. Pero ahora, como tu concentración está en el Señor y estás viviendo como él quiere, puedes ocuparte de tus emociones a medida que aparecen. En *The Road Less Traveled* (Simon and Schuster, New York, 1980), Scott Peck dice: "La salud mental es un proceso continuo de adaptación a la realidad, a cualquier precio." Reprimir nuestras emociones es lo opuesto. Si tienes emociones negativas inexplicables, no las escondas bajo la superficie porque consideras que es lo que hacen los buenos cristianos. Averigua su procedencia. Recuerda que no tienes que soportarlas, e interrógate para comprender por qué te sientes así.

Todos tenemos muchas lágrimas escondidas. Hemos evitado llorar porque no parecía socialmente adecuado o porque temíamos que si derramábamos una sola lágrima se abrirían las compuertas y perderíamos el control. Con frecuencia hemos pasado por tanto dolor que hemos tenido que endurecer el corazón para soportarlo. Cuando ya no sentimos el dolor, no lloramos. Esta es una estrategia de supervivencia, pero no responde a la realidad. La Biblia dice:

> Todo tiene su tiempo,
> y todo lo que se quiere debajo del cielo tiene su hora:
> [...] tiempo de llorar
> y tiempo de reir,
> tiempo de hacer duelo
> y tiempo de bailar. (Eclesiastés 3:1, 4)

Haríamos bien en recordar eso.

En una ocasión oí decir a un médico: "Los resfriados son el resultado de las lágrimas no lloradas que se amontonan y obstruyen el sistema". No sé si eso se podía demostrar científicamente, pero sí creo que nuestras emociones desbordan sobre nuestro ser físico más de lo que imaginamos. Debemos ser conscientes de nuestra necesidad de llorar y sentirnos libres de hacerlo. Llorar en la presencia del Señor genera mucha sanidad y no debemos restringirlo.

Tienes que hacer duelo por todo lo que has perdido, ya sea la pérdida de un sueño, de la infancia, de alguna parte de tu cuerpo, de tu matrimonio, de un ser querido, o de un período de tiempo en tu vida. El dolor viene por etapas, de manera que no permitas que una etapa te cierre el paso a la siguiente. Cada etapa es un aspecto diferente de la pérdida con la que estás tratando.

No la evites por temor. No te consumirá, serás liberada.

Nuestras emociones no deben gobernar nuestra vida, no debemos tomar decisiones basados en ellas, pero tampoco debemos ignorarlas. Una parte de soltar el pasado implica enfrentar el presente. Presta atención a lo que estás sintiendo y pídele a Dios que te ayude a identificarlo y a tratarlo. No permitas que el diablo oculte todo que tiene que estar bajo la luz de Dios. Podría ser algo que aflora del pasado porque Dios te está llevando a un nuevo nivel de liberación.

LLEGAR A SER TODO AQUELLO PARA LO CUAL DIOS TE CREÓ
TENER PRESENTE LA VERDAD SOBRE TI MISMA

La integridad y la restauración total fueron el plan de Dios para tu vida desde el comienzo, y debes vivir confiando en ello. Dios ha dicho muchas cosas maravillosas de ti en su Palabra, y a continuación he enumerado siete de ellas que son muy importantes. Asegúrate de estar viviendo convencida de cada una de ellas.

Siete cosas que Dios dice de mí, y que son verdad

— *Soy hija de Dios y mi herencia viene de él.*
Mas a todos lo que le recibieron, a quienes creen en su nombre, les dio potestad de ser hechos hijos de Dios.
(Juan 1:12)

— *Tengo un propósito especial ordenado por Dios.*
Cosas que ojo no vio ni oído oyó
ni han subido al corazón del hombre,
son las que Dios ha preparado para los que lo aman.
(1 Corintios 2:9)

– *He sido creada con un llamado específico.*
Cada uno, hermanos, en el estado en que fue llamado, así permanezca para con Dios. (1 Corintios 7:24)

– *Nunca estoy sola.*
Y yo estoy con vosotros todos los días, hasta el fin del mundo. (Mateo 28:20)

– *Nunca seré olvidada.*
No ha desechado Dios a su pueblo, al cual desde antes conoció. (Romanos 11:2)

– *Soy amada.*
Como el padre me ha amado, así también yo os he amado. (Juan 15:9)

– *Soy una triunfadora.*
En todas estas cosas somos más que vencedores por medio de aquel que nos amó. (Romanos 8:37)

Desde el momento que decidí recibir al Señor, hasta el día que terminé este libro, han pasado un poco más de veinte años. En todo ese tiempo Dios ha cumplido sus promesas, y siempre estuvo presente. Muchas veces no parecía que lo haría, pero lo hizo. Es verdad que no siempre lo hizo de la manera que yo esperaba o con la rapidez que yo pretendía. Y, gracias a Dios, no se conformó con lo que yo imaginaba. Siempre fue mucho mejor. ¡Su agenda ha sido perfecta y su manera la adecuada! Todo lo que he recibido del Señor, y más, es lo que quiero para ti.

Si en algún momento te sientes abrumada por lo que piensas que debes hacer para llegar a la integridad emocional o si tienes dudas sobre si podrás hacer todo lo necesario, entonces necesitas recordar que el Espíritu Santo es el que logra la integridad en ti a medida que se lo permites. Permítele hacerlo. Todo lo que tienes que hacer es decirle a Dios que quieres que su camino sea tú camino y luego dar un paso a la vez en la dirección correcta a medida que te lo revele. Solo tienes que preocuparte por el paso que estás dando.

Qué dice la Biblia acerca de Llegar a ser todo aquello para lo cual Dios te creó

De modo que si alguno está en Cristo, nueva criatura es: las cosas viejas pasaron; todas son hechas nuevas.
2 Corintios 5:17

No os acordéis de las cosas pasadas
ni traigáis a la memoria las cosas antiguas
He aquí que yo hago cosa nueva;
pronto saldrá a la luz, ¿no la conoceréis?
Otra vez abriré camino en el desierto
y ríos en la tierra estéril.
Isaías 43:18-19

De cierto, de cierto os digo: El que oye mi palabra y cree al que me envió tiene vida eterna, y no vendrá a condenación, sino que ha pasado de muerte a vida.
Juan 5:24

Jehová guardará tu salida y tu entrada
desde ahora y para siempre.
Salmo 121:8

Y vosotros estáis completos en él.
Colosenses 2:10

¡Levántate, resplandece, porque ha venido tu luz
y la gloria de Jehová ha nacido sobre ti!
Isaías 60:1